FORBIDDEN MAN

JODI ELLEN MALPAS

Traduit de l'anglais par
Benoîte Dauvergne

© **EDEN 2018,** un département de City Éditions
© 2017 par Jodi Ellen Malpas
Publié au États-Unis par Hachette Book Group
sous le titre *The Forbidden*.
Photo de la couverture : © Shutterstock

ISBN : 978-2-8246-1172-3
Code Hachette : 85 5786 0
Catalogues et manuscrits : city-editions.com/EDEN

Dépôt légal : Mars 2018

Mot de l'auteure

« L'interdit », c'est exactement cela. Ce qui n'est pas permis. Ce qui est prohibé. Illicite. Du moins d'après la société. Mais que faire de ce que nous dicte notre cœur ?

J'ai fait un véritable saut dans le vide en couchant ces mots sur le papier. Comme je l'ai toujours dit, j'écris ce que me dicte mon cœur, non ce que souhaitent les gens. Et jamais ce principe n'avait encore pris une telle importance dans ma carrière d'écrivain. J'ai douté de ma raison lorsque m'est venue l'idée d'écrire *Forbidden Man*. Ensuite, je me suis remémoré ce principe qui m'est cher : écouter ce que me dicte mon cœur. Et ce que me dictait mon cœur, c'était de raconter cette histoire, même si je savais qu'elle ne correspondrait sans doute pas à ce que les gens attendent de moi. Je ne pouvais pas laisser ma peur de ce sujet tabou m'imposer ses limites. J'ai donc foncé bille en tête – pas de retenue, pas d'inhibitions, pas de modération.

Forbidden Man risque de soulever la polémique. Il provoquera sans nul doute quelques débats, mais cela ne me pose aucun problème. Tout écrivain doit accepter que ce qu'il offre au public soit décortiqué, que la critique soit bonne ou non. Ce roman parle de conflits. De sentiments. De questionnements. Du cœur lorsqu'il l'emporte sur la raison.

Je vous demande de vous y plonger l'esprit ouvert et de ne pas oublier qu'il ne s'agit que d'une histoire. Une histoire de passion, d'amour et de déchirement intérieur. Mes personnages tombent amoureux de la mauvaise personne au mauvais moment. Parce que cela arrive. Tous les jours. Mais ce que je veux dire avant tout, c'est qu'il faut rester fidèle à soi-même et à son cœur. Quand on trouve l'âme sœur, il faut se battre pour elle. Se battre pour ce en quoi on croit. Et nous croyons tous au grand amour.

Jodi Ellen Malpas

1

Un carton entre les mains, je pousse du pied la pile de courrier tombé sur le parquet tandis que la porte se referme en claquant derrière moi. Dans le vestibule vide, les vibrations délogent la couche de poussière qui s'accumule depuis deux ans sur les cimaises. Ses fines particules jaillissent dans la faible lumière devant moi puis pénètrent dans mes narines. J'éternue – une fois, deux fois, trois fois – et laisse tomber le carton à mes pieds afin de me frotter le nez.

— Merde !

Je renifle, pousse le carton du pied sur le côté et longe le couloir dans l'espoir de trouver un mouchoir.

Dans le salon, je me faufile entre les cartons déposés au petit bonheur la chance afin de mettre la main sur celui qui porte l'étiquette « salle de bains ». Ce n'est pas gagné. Les cartons s'élèvent par piles de cinq autour de moi, attendant tous d'être vidés. Je ne sais pas par où commencer.

Alors que je fais lentement le tour de la pièce, je contemple mon nouveau logement – un appartement au rez-de-chaussée d'une ancienne maison géorgienne transformée en immeuble, située dans une rue de West London bordée d'arbres. La fenêtre en saillie du salon est immense, le plafond très haut, le parquet d'origine. Je flâne en direction de la cuisine. L'odeur de renfermé et la couche de crasse qui couvre toutes les surfaces me font grimacer. Cet endroit est resté inoccupé pendant deux ans et ça se voit. Mais avec une bonne paire de gants en caoutchouc et un flacon de nettoyant, j'en viendrai rapidement à bout.

Soudain excitée à l'idée qu'avec un peu d'huile de coude, tout sera étincelant, j'ouvre en grand la double porte qui donne sur le jardin afin de laisser entrer l'air, puis je me dirige vers la chambre principale. C'est une pièce immense, pourvue d'une vaste salle de bains attenante et d'une cheminée sculptée d'origine. Je souris en retournant dans le couloir et entre dans la deuxième chambre. Je sais déjà ce que je vais faire de cet espace. Mon bureau sera installé sous la fenêtre qui donne sur le joli jardin intérieur et ma table prendra place le long du mur du fond, jonchée de dessins et de dossiers techniques. Cet endroit est à moi. Rien qu'à moi.

Il m'a fallu un an pour trouver le logement de mes rêves dans mes prix et j'y suis enfin. J'ai enfin mon appartement à moi, ainsi qu'un atelier pour travailler. Je m'étais toujours dit qu'à trente ans, je travaillerais à mon compte et que j'aurais mon propre appartement. J'ai atteint mon objectif un an avant l'échéance. Et maintenant, j'ai un week-end pour en faire un vrai chez-moi.

Tiens, j'entends justement frapper. Comme une flèche, je traverse mon appartement – *mon* appartement ! –, ouvre grand la porte et tombe nez à nez avec une bouteille de prosecco.

— Bienvenue chez toi ! chantonne Lizzy, également munie de deux verres.

— Oh, c'est pas vrai, tu es un ange !

Je m'élance en avant, lui libère les mains et l'invite à entrer. Je l'accueille dans mon nouveau logis, le sourire jusqu'aux oreilles.

Lizzy m'adresse elle aussi un sourire rayonnant et se dépêche d'entrer, ses courts cheveux noirs effleurant son menton. Ses yeux foncés brillent de joie – de joie pour moi.

— D'abord, on trinque, ensuite, on fait le ménage.

J'acquiesce en refermant la porte derrière elle et la suis dans le salon encombré.

— Ben, ma vieille ! s'exclame-t-elle en s'arrêtant net à la vue des montagnes de cartons. Mais d'où viennent tous ces trucs, Annie ?

Je me glisse entre une pile de boîtes et elle, puis pose les verres sur un carton et commence à retirer l'alu de la bouteille de champ'.

— Ce sont surtout des affaires de travail, réponds-je avant de faire sauter le bouchon et de nous servir.

— Une architecte a-t-elle vraiment besoin d'autant de livres et de crayons ? m'interroge-t-elle, le doigt pointé sur une rangée de boîtes en plastique qui longe un mur entier à l'autre bout du salon, toutes remplies de dossiers, manuels et articles de papeterie.

— La plupart de ces livres datent de la fac. Micky passe demain avec une camionnette afin de déposer les trucs dont je ne veux plus dans une boutique caritative.

Je tends un verre à Lizzy et fais tinter le mien contre le sien.

— Santé ! lance-t-elle avant de boire une gorgée en regardant autour d'elle. Par où on commence ?

Je sirote mon vin et contemple le bazar qui encombre mon nouveau domicile.

— Il faut qu'on s'occupe de ma chambre, histoire que j'aie un endroit où dormir. Je m'attaquerai au reste ce week-end.

— Ouh, ton boudoir !

Lorsqu'elle remue un sourcil suggestif, je lève les yeux au ciel.

— C'est une zone interdite aux hommes.

Après avoir descendu un nouveau verre, je file vers ma chambre.

— À part Micky, ajoutai-je en arrivant dans l'immense pièce.

Je déplace mentalement mon lit, mes armoires et ma coiffeuse – qui ont tous été abandonnés au milieu de la pièce. J'espère que Lizzy a fait quelques étirements parce qu'il va falloir déplacer tous ces trucs lourds.

— Ta vie tout entière est interdite aux hommes.

— J'ai trop de travail, réponds-je en affichant un sourire satisfait.

Quel bonheur ! Mon nouveau cabinet marche de mieux en mieux. Aucune sensation n'est plus agréable que lorsque l'on regarde une vision se concrétiser, un dessin se transformer en bâtiment réel. Depuis l'âge de douze ans, je sais exactement ce que je veux faire dans la vie. Cette année-là, papa m'a offert un lapin à mon anniversaire, et, assez peu impressionnée par le clapier qui l'accompagnait, j'ai harcelé mon père pour qu'il l'agrandisse et en fasse un logement plus confortable pour mon nouvel ami. Il m'a répondu en riant que je n'avais qu'à lui dessiner ce que je voulais. Je me suis donc mise au travail. Et je n'ai jamais arrêté depuis. Après avoir décroché mon bac haut la main, étudié quatre ans à l'université de Bath et travaillé sept ans dans une entreprise commerciale tout en étudiant tant bien que mal pour préparer mes trois examens d'architecture, j'ai atteint le but que je m'étais toujours fixé : travailler à mon compte. Et réaliser les rêves architecturaux des gens.

Je lève mon verre de champ'.

— Toi, le travail, ça va ?

— Je travaille pour vivre, Annie, je ne vis pas pour mon travail. Je ne pense pédicures, peau et ongles que lorsque je suis à l'institut.

Lizzy me rejoint sur le seuil de ma nouvelle chambre.

— Et ne change pas de sujet. Ça fait un an, deux mois et une semaine que tu t'es envoyée en l'air pour la dernière fois.

— Quelle précision !

Lizzy hausse les épaules.

— C'était le soir de mon vingt-huitième anniversaire.

Je ne me rappelle que trop bien cette nuit-là, mais le nom du mec m'échappe.

— Tom, me souffle Lizzy comme si elle lisait dans mes pensées, puis elle se tourne vers moi. Un rugbyman mignon. L'ami d'un ami de Jason.

Les cuisses d'un rugbyman mignon prennent soudain toute la place dans ma tête. Je souris en me rappelant le soir où j'ai rencontré Tom, l'ami d'un ami du petit ami de Lizzy.

— Il était assez mignon, non ?

— Super mignon ! Alors pourquoi ne l'as-tu pas revu ?

— J'en sais rien. Il n'y avait pas grand-chose entre nous.

Je hausse les épaules.

— Et ses cuisses alors ?

Je ris.

— Arrête, tu vois bien ce que je veux dire. Pas d'étincelles. Pas d'alchimie.

— Annie, depuis que je te connais, il n'y a jamais eu d'étincelles entre un mec et toi, ironise mon amie.

Elle a raison. Quand un homme me fera-t-il donc tourner la tête ? Et me déboussolera ? Et me fera penser à autre chose que ma carrière ? La seule chose qui me procure de l'adrénaline, c'est mon boulot. Lizzy interrompt mes pensées.

— Tu n'as pas renoncé aux hommes pour toujours quand même ? Parce que Jason a des tas d'amis d'amis.

— J'en ai marre de tout ça. Les rencards. Le stress. Les attentes. Je n'ai jamais le... déclic, réponds-je avec dédain. Enfin bref, je tiens trop à mon travail et à ma liberté pour m'embarrasser d'un mec en ce moment.

Lizzy rit et flâne dans la pièce, sincèrement amusée, avant de jeter un œil à ma salle de bains.

— Tu parles d'une liberté, avec des semaines de travail de quatre-vingts heures !

— Quatre-vingt-dix.

Elle fronce les sourcils.

— J'ai travaillé quatre-vingt-dix heures la semaine dernière. Et je suis libre de le faire si ça me chante.

— Et quand est-ce que tu t'amuses au juste ?

— Mais mon boulot est amusant ! riposté-je, indignée. J'ai la chance de pouvoir dessiner de magnifiques bâtiments et de les voir sortir de terre.

— Je t'ai à peine vue ces derniers temps, marmonne mon amie.

— Je sais. J'ai eu un boulot de dingue.

— Ouais, ce couple snob de Chelsea ne t'a pas laissé une minute de répit. Comment ça se passe, au fait ?

— Super bien, réponds-je sans mentir.

Ce travail est cependant l'un des plus difficiles que j'ai entrepris. Il m'a fallu des mois de dessins et de négociations pour parvenir enfin à un compromis avec les autorités locales et pouvoir concevoir une maison ultramoderne et écologique. Mais ce dur labeur en valait la peine. La maison cubique en bordure du parc du Common m'a aidée à payer l'acompte insensé qui m'était demandé pour mon nouvel appartement.

— Ils ont emménagé vendredi dernier.

Je me dirige vers la double porte qui mène au jardin intérieur et visualise ce petit espace débordant de verdure. J'y installerai une table en fer forgé et quelques chaises afin de pouvoir savourer dehors mon café du matin.

— N'est-il pas parfait ?

— Fabuleux, répond Lizzy derrière moi. Au lieu de louer, Jason et moi devrions songer sérieusement à acheter.

— Ou à faire construire. Je connais une architecte extraordinaire, lancé-je en agitant un sourcil provocateur.

— Comme si on avait les moyens de se payer tes services ! raille Lizzy.

Je ris et retourne à l'intérieur.

— Bon, tu vas m'aider à installer mon lit, oui ou non ?

— J'arrive ! chantonne-t-elle, avant de refermer les portes derrière elle.

* * *

Trois heures plus tard, après un saut au magasin afin de nous réapprovisionner en prosecco, tout est nettoyé, ciré et lavé du sol au plafond, même la salle de bains. La vieille baignoire à pattes de lion étincelle et Lizzy a rangé toutes mes affaires de toilette et cosmétiques pendant que je faisais mon lit. Je me sens déjà chez moi. Jetant un œil dans le miroir en passant, je vois mes cheveux foncés attachés n'importe comment au sommet de ma tête. Je tire sur l'élastique et les laisse tomber sur mes épaules, puis les peigne avec les doigts afin de défaire les nœuds. Je cligne plusieurs fois des yeux et me penche vers le miroir pour retirer les grains de poussière collés à mes cils.

— N'oublie pas que nous sortons samedi prochain, me rappelle Lizzy en fermant un sac-poubelle noir sur le seuil de la salle de bains. Jason sera pris par le boulot, Nat préfère éviter John parce qu'il aura son gamin ce soir-là, et Micky est... dispo, comme d'habitude. Alors pas question que tu te serves de ton travail comme excuse.

Je flâne jusqu'à mon lit, tapote mes oreillers et soulève la couette, prête à me glisser dessous une fois que Lizzy sera partie.

— Je viendrai, promis.

— Super !

Lizzy lâche le sac-poubelle sur la pile qui se dresse près de la porte et se frotte les mains.

— Et ta pendaison de crémaillère ? Il faut que nous inaugurions cet endroit.

— C'est le samedi d'après. J'ai invité quelques nouveaux clients aussi.

— Est-ce que ça veut dire pas de beuverie ?

Je ris.

— En effet.

— Bon, d'accord. Je m'occupe des amuse-gueule, toi des cocktails, ça te va ?

— Ça me va.

Elle pousse un petit cri et jette les bras autour de moi.

— C'est parfait, Annie. Je sais que tu as travaillé dur pour cet appart.

— Merci.

Je l'étreins à mon tour et inspire le parfum des milliers de bougies que nous avons allumées.

— Combien de jours de congé prends-tu ? demande-t-elle avant de me relâcher et de ramasser son sac sur le sol.

— Juste ce week-end.

— Dis donc, tu abuses un peu, non ?

J'ignore son sarcasme.

— J'ai quelques dessins à terminer pour la nouvelle galerie d'art de mon client. Pas de repos pour les braves.

— Pas de loisirs non plus, note Lizzy avec un petit sourire en sortant son portable de son sac. Super, marmonne-t-elle, le regard posé sur l'écran.

— Quoi ?

Lizzy range l'appareil dans son sac et s'efforce de sourire.

— Jason rentre tard du boulot encore une fois. Il était censé passer me chercher...

Elle jette un œil à sa montre.

— Maintenant, en fait.

— Tu peux rester si tu veux.

— Nan, je vais prendre le métro. Quant à toi, file te coucher.

Au moment de me quitter, elle dépose un baiser sur ma joue et m'ordonne de bien dormir. Je ne doute pas un instant que ce sera le cas. Dans mon lit flambant neuf, sous mes draps flambant neufs et ma couette flambant neuve, je m'endors avant même que ma tête se pose sur mon oreiller flambant neuf.

* * *

Je me réveille le lendemain matin lorsque résonnent des coups insistants sur ma porte d'entrée. Assise dans mon lit, je cligne des yeux quelques instants, désorientée, et contemple mon environnement étranger.

Boum, boum, boum !

Soudain, mon portable se met à pousser des cris stridents sous mon oreiller et d'autres coups retentissent tandis que quelqu'un crie mon nom. Je pose les paumes sur mon visage et me frotte les joues avant de chercher mon portable à tâtons sous l'oreiller. Sur l'écran s'affiche le nom de Micky. Tout à coup, je remarque l'heure.

— Oh, merde !

Je me dépêche de sortir de la couette et quitte ma chambre en trébuchant.

Boum, boum, boum !

— J'arrive, j'arrive !

Sautant par-dessus un carton, je m'écrase contre la porte. L'ouvrant à toute volée, je tombe nez à nez avec Micky, frais et dispos. Dans ma tête résonnent encore ses coups, ses appels et ses cris.

— Non, mais t'es dingue ?

— Salut mon cœur !

Il dépose un baiser sur ma joue et entre. Il ne cesse de s'émerveiller en explorant ma nouvelle demeure.

— Sympa chez toi !

Je referme la porte et le suis, sourcils froncés, lorsque j'aperçois son petit chignon.

— Qu'est-ce que c'est que cette coiffure ? demandé-je en l'observant tandis qu'il inspecte chaque recoin.

— Tu aimes ? Mes cheveux commençaient à me gêner au boulot.

Micky tend la main derrière sa tête et tâte son chignon blond. Il donne un coup de pied dans un carton afin de l'écarter de son chemin et boit une gorgée de son café Starbucks en me tendant le mien.

Je l'accepte avec reconnaissance et me dirige vers ma chambre. Micky porte sa tenue de travail, autrement dit un short et un T-shirt, car il est coach sportif. Un coach sportif très apprécié. Sa liste d'attente compte beaucoup de femmes. Seulement des femmes, en fait.

— Tu travailles aujourd'hui ?

Je pose mon café sur ma table de nuit. Micky me rejoint et se laisse tomber sur le bord de mon lit.

— J'ai deux séances cet après-midi. Quand est-ce que tu me laisseras m'occuper de toi ?

Il me pince la cuisse au moment où je passe devant lui et je pousse un cri.

— Jamais ! Je préfère encore m'enfoncer des tisonniers chauffés à blanc dans les yeux, réponds-je en riant.

— Quelques squats te feraient du bien.

Je grogne et enfile un jean.

— Tu as déjà un tas de fessiers à admirer, pas besoin de torturer le mien.

Micky esquisse un sourire malicieux.

— À ce propos, je viens d'accepter une nouvelle cliente.

Je boutonne mon jean, retire mon haut de pyjama et passe un T-shirt de U2 par-dessus ma tête.

— Mariée ?

— Non, répond-il avec un grand sourire. Tu sais bien que je limite à cinq le nombre de mes clientes mariées. Autrement dit, je dois me montrer professionnel une heure par jour. Cinq heures par semaine, tu imagines !

J'éclate de rire. Cet homme est un incroyable tombeur, mais c'est aussi un des meilleurs coachs sportifs de Londres. Les femmes font la queue pour être étirées, manipulées et pliées dans tous les sens par mon plus vieil ami. Et elles n'ont pas que leur forme physique en tête.

— Ce doit être épuisant.

— Quand elles t'allument sans arrêt pendant leurs séances, je peux te dire que ça l'est. Un effleurement innocent de ma cuisse par-ci, un joli cul qui s'agite sous mon nez par-là.

— S'il est aussi éprouvant d'empêcher ton esprit et tes yeux de s'égarer, tu devrais te contenter de coacher des femmes célibataires. Ou des hommes.

— J'ai besoin d'une clientèle équilibrée. Et puis les femmes mariées font plus d'efforts.

Voyant mes sourcils bondir, Micky lève les yeux au ciel.

— À l'entraînement, précise-t-il.

— Tu n'as donc jamais tenté ta chance ?

— Jamais !

Il secoue énergiquement la tête.

— Je tiens trop à mes jambes pour prendre le risque de me les faire casser par un mari furieux, merci bien.

Attachant mes cheveux foncés en haute queue-de-cheval, je glousse et enfile mes tongs. Je connais Micky depuis des siècles. Nous avons grandi ensemble, joué au papa et à la maman ensemble, barboté tout nus dans la pataugeoire ensemble. Il a même enfoncé quelques clous dans l'extension du clapier de mon lapin quand nous avions douze ans. Nos parents étaient, et sont toujours, les meilleurs amis du monde.

— Alors, comment s'est passée ta première nuit ? demande-t-il en tapotant ma couette.

— Je crois que je n'avais encore jamais dormi aussi longtemps.

C'est bon signe.

— Allez. Débarrassons-nous de quelques trucs afin que je puisse commencer à décider où ranger tout le reste.

Nous passons au salon où j'entreprends de coller des Post-its jaunes sur les objets que je ne veux pas garder, suivie de Micky qui pousse le tout vers un côté de la pièce.

— Hé, je prends ça.

Il arrache le Post-it collé sur une commode miniature qui était posée sur ma coiffeuse dans mon ancienne chambre.

— J'ai besoin d'un meuble où ranger mes élastiques.

Je ris et continue à plaquer des Post-its sur ce qui doit disparaître.

— C'est mignon ce chignon, dis-je tandis que Micky caresse sa nouvelle coiffure avec un sourire.

En vérité, il pourrait se raser la tête qu'il serait toujours mignon. Cet homme est canon, un point c'est tout. Ses yeux brun clair rient en permanence et ses joues restent mal rasées en permanence. Il est sexy, mais pour moi, il s'agit simplement de mon meilleur ami.

— Merci.

Il bat des cils.

— Hé, on sort boire un verre samedi prochain. Tu te joins à nous ?

— Bien sûr, répond-il aussitôt. Lizzy et Nat seront là ?

Il remue un sourcil suggestif.

— Laisse tomber. Elles sont au courant que tu es une vraie traînée.

C'est plus fort que lui. Nat, Lizzy et moi sommes les seules femmes de Londres à être insensibles à son charme.

— Tu vas voir ! ricane-t-il en m'étranglant avec le bras.

— Mais lâche-moi, crétin !

Je me dégage, rajuste mes vêtements et le chasse lorsqu'il commence à danser autour de moi, les poings levés devant le visage.

— Ouh ouh !

La voix de ma mère surgit dans la pièce, suivie du bruit de ses talons cliquetant sur le plancher.

Je donne un rapide coup de poing dans le biceps de Micky qui pousse un petit cri espiègle. Me fiant à l'écho de sa voix, je trouve ma mère se faufilant entre les cartons qui bordent le couloir. Elle se dandine de peur de faire un accroc à sa jupe plissée.

— Oh, regardez-moi ce haut plafond ! roucoule-t-elle. Et ces cimaises !

18

Je pose l'épaule contre l'encadrement de la porte et la regarde avec un sourire se frayer un chemin jusqu'à moi. Micky me rejoint et appuie le torse contre mon dos.

— Michael ! s'écrie-t-elle avant d'accélérer le pas. Viens là que je te serre dans mes bras !

Impatiente de lui mettre la main dessus, elle me bouscule presque au passage.

— Fais-moi voir ta belle frimousse.

Lorsqu'elle lui empoigne les joues, j'éclate de rire.

— Où étais-tu donc passé ? Je ne t'ai pas vu depuis des semaines !

— Trop de boulot, June.

Maman lui sourit et relâche son visage.

— Et quand feras-tu de ma fille une femme respectable ?

Micky me regarde lever les yeux au ciel.

— Dès qu'elle voudra bien de moi.

Il me lance un sourire malicieux, tout à fait conscient de ce qu'il fait. Il adore jouer le jeu lorsque ma mère commence à divaguer au sujet de notre amitié.

Micky n'a aucune envie de sortir avec moi. Il est trop occupé à jouer les coureurs et je suis trop occupée à me bâtir une carrière. Notre relation est purement platonique – chose qui nous satisfait tous les deux. Il n'y a jamais eu plus que de l'amitié entre nous. Aucune étincelle. Aucune alchimie. Rien. Je me demande souvent si un homme provoquera un jour quelque chose en moi, parce que, si Micky Letts n'en a pas été capable, il est possible qu'aucun mec ne le soit. Les femmes se jettent à ses pieds dès qu'il esquisse le moindre sourire. Alors que moi, je ne ressens rien. Je ne suis peut-être pas normale.

Maman glisse soigneusement la lanière de son sac à main dans le creux de son bras et me tend un sac de courses rempli de produits ménagers.

— Je suis venue en renfort !

— Dans cette tenue ?

Je contemple son chemisier crème, sa jupe plissée et ses chaussures à talons.

— Il ne faut jamais négliger son apparence, ma chérie. Ton père sera bientôt là avec sa boîte à outils. Bon, par où commençons-nous ?

— Je file, lance Micky en saisissant un carton orné d'un Post-it jaune, avant de déposer un baiser sur la joue de ma mère et de franchir la porte d'entrée, les mains pleines.

Il m'envoie un baiser au passage.

Je souris et me tourne vers ma mère, armée d'un flacon de nettoyant, les mains protégées par des gants en caoutchouc jaunes.

— C'est parti ! chantonne-t-elle avec enthousiasme.

2

Mes ongles sont tout abîmés – résultat d'une semaine de ménage et de travail manuel entre deux rendez-vous avec mes clients, rédactions d'e-mails et dessins. Mais mon nouvel appartement est maintenant étincelant. Chaque chose a trouvé sa place et chaque pièce a été repeinte. Tous mes ouvrages de référence sont alignés sur les étagères de mon atelier, mon ordinateur et mon imprimante sont installés, et mon bureau a été placé sous la fenêtre. Je suis folle de cet endroit. Et, à présent, je suis plus que prête à décompresser avec les filles et me lancer dans cette petite virée nocturne.

Le volume de mon iPod est au maximum et je danse dans ma chambre enveloppée dans une serviette. Les fenêtres grandes ouvertes, je m'égosille sur *Like A Prayer* de Madonna en sirotant du vin.

Après m'être fait un superbe regard ombrageux, j'enfile une petite robe noire, les talons noirs les plus hauts que je possède et je m'attache les cheveux en chignon bas désordonné. J'attrape ensuite mon sac à main et me dirige vers la porte au moment où Lizzy se met à frapper.

— Ravissant.

Elle hoche la tête d'un air approbateur bien qu'elle semble un peu ailleurs.

— Ça va, toi ?

— Ouais, pas mal, répond-elle tandis que nous sortons.

Lizzy est naturellement magnifique. Ce soir, ses cheveux noirs au carré sont ondulés et ses yeux marron sont soulignés d'un trait épais d'eye-liner. Sa courte robe rose et sa veste de motarde en cuir sont audacieuses à la perfection. Tout à fait son style.

— Tu es splendide, toi aussi, lui fais-je remarquer en passant le bras dans le sien.

Nous descendons l'allée ensemble.

— Oh, j'ai enfilé ce qui me tombait sous la main, lâche-t-elle, ignorant mon compliment. Nat nous rejoint là-bas. Surtout, quoi qu'il arrive, dis-lui que tu adores sa coiffure.

— Pourquoi, qu'est-ce qu'elle a fait ?

Je regarde Lizzy avec épouvante. La chevelure de Nat fait sa fierté et sa joie. Épaisse, blonde, brillante et longue jusqu'aux fesses, elle est encore plus bichonnée que les corgis de la reine.

— Le gamin de John lui a collé un chewing-gum dans les cheveux.

— Oh, merde.

J'imagine très bien la tête de Nat. Et elle est en colère. Très, très en colère. Nat a rencontré l'homme de ses rêves, mais celui-ci lui a été livré avec un petit supplément : un garçon de six ans un peu pénible. Je rectifie : il est archi pénible. Et Nat n'a pas vraiment l'instinct maternel.

— Combien ?

Je grimace en attendant la réponse puis pousse un petit cri lorsque les doigts en ciseaux de Lizzy effleurent son épaule.

— Oh non.

— Et j'ai rompu avec Jason.

J'ouvre la bouche, sidérée.

— Quoi ?

Lizzy secoue la tête, au bord des larmes.

— Je n'ai pas envie d'en parler ce soir.

Je referme rapidement la bouche et, bien que ce soit difficile, je me retiens d'insister.

— D'accord.

Elle a besoin d'une soirée entre filles et je vais me faire un plaisir de la lui offrir.

— Attends. Nat est au courant ?

Elle acquiesce d'un signe de tête et tamponne rapidement la peau sous ses yeux.

— Contentons-nous de nous amuser ce soir, d'accord ?

— Pas de problème.

Déterminée à la distraire le temps d'une soirée, je l'attrape par le bras et recommence à marcher tout en réfléchissant à ce qui a pu se passer.

* * *

C'est difficile, mais je parviens à ne pas m'étrangler lorsque je découvre la transformation radicale et imprévue de Nat. Sa longue chevelure n'est plus, et, à en juger par son air renfrogné, elle ne s'est pas encore faite à cette idée.

— Dis-lui que c'est magnifique, marmonne Lizzy tandis que nous nous dirigeons vers elle.

— C'est magnifique ! fais-je en posant les fesses sur l'un des hauts tabourets.

Un silence s'installe autour de la table. Lizzy lève les yeux au ciel et Nat ronchonne. Je me tasse sur mon siège et demande :

— Qu'est-ce qu'il y a ?

— J'ai l'air d'une quinquagénaire.

— Mais pas du tout ! répondons-nous en chœur, Lizzy et moi, d'un ton carrément exagéré.

Elle paraît vraiment plus âgée. On ne lui donnerait peut-être pas la cinquantaine, mais elle fait assurément plus que ses trente ans.

— Moi, j'adore ! dis-je, contente de mon ton relativement sincère.

Nat porte aussitôt les mains à ses cheveux et tâte ses courtes mèches.

— C'est vrai ? demande-t-elle, cherchant à être rassurée.

— Oui, cette coiffure te donne l'air plus sophistiqué.

Elle sourit, reconnaissante. Lizzy me donne un coup de coude, sa façon de me féliciter pour le travail accompli.

— Je vais commander des boissons, déclare-t-elle. Qui veut quoi ?

— Du vin ! lançons-nous, Nat et moi.

Lorsque notre amie s'éloigne en direction du bar, j'en profite pour interroger Nat, assise de l'autre côté de la table.

— Qu'est-ce qui est arrivé à Lizzy et Jason ?

— Je n'en sais rien.

Elle hausse nonchalamment les épaules – Nat est la compassion incarnée.

— Elle refuse d'en parler.

— Mais je croyais que c'était du sérieux entre eux.

— Ouais, moi aussi. Apparemment, on s'est trompées, hein ?

— On dirait que tu t'en fiches.

Je lui lance un regard déçu, mais Nat se contente de hausser les épaules à nouveau. Elle n'est pas vraiment du genre sensible. Experte en sinistres pour une énorme compagnie d'assurances, elle est souvent amenée à employer la manière forte, ce qu'elle s'efforce de ne pas faire dans sa vie personnelle. Toutefois, elle intimide la plupart des hommes. La plupart des femmes aussi, à vrai dire. Cette grande blonde toute en jambes a un peu un cœur de pierre.

— On a massacré ma chevelure, réplique-t-elle. Alors je suis de mauvaise humeur.

Notre conversation est écourtée – peu importe, elle n'allait nulle part – par le retour de Lizzy qui fait glisser un plateau sur notre table, chargé non seulement de verres de vin, mais de shots aussi. Je regarde Nat, qui m'indique qu'elle m'a comprise par un hochement de tête. Lizzy est déterminée à se soûler à mort. Nous prenons toutes deux les shots qu'elle nous tend puis les buvons cul sec comme il se doit. Je tente ensuite de savoir laquelle de mes deux amies est la plus bouleversée et a besoin de mon attention. On pourrait croire que c'est une décision facile à prendre, mais Nat était sans doute aussi amoureuse de sa chevelure que Lizzy de Jason. Je les regarde tour à tour ; elles ont toutes deux la tête ailleurs. Nat caresse toujours son nouveau carré et Lizzy boit maintenant son verre de vin en rêvassant.

Tant pis. Je ne peux pas me retenir. Je pousse Lizzy du genou et lui demande :

— Qu'est-ce qui s'est passé ?

Elle sort brutalement de sa transe et me regarde. Ses yeux habituellement brillants perdent leur éclat. Ensuite, ils se mouillent et sa lèvre inférieure se met à trembler.

— Il m'a trompée ! gémit-elle avant d'éclater en sanglots. Et ce n'était même pas la première fois !

— C'est pas vrai !

Je bondis de mon tabouret pour la serrer dans mes bras. Elle tremble et sanglote bruyamment, incapable de garder son sang-froid plus longtemps.

— Mais pourquoi tu n'as rien dit ?

— Les fois d'avant, je lui ai pardonné, répond-elle en reniflant. Je me disais que ça ne se reproduirait pas et je savais comment vous réagiriez. Je ne voulais pas que vous ayez une mauvaise opinion de lui et que vous me preniez pour une dégonflée.

Je regarde Nat par-dessus la tête de Lizzy d'un air coupable. Elle est aussi mal que moi, car elle sait aussi que c'est exactement ce que nous aurions fait. J'articule le mot « salaud » et elle hoche la tête en montrant les dents.

Lizzy recommence à brailler, ce qui fait vibrer notre enchevêtrement de membres.

— Ça durait depuis des mois, sanglote-t-elle. Une pétasse de son bureau. Il travaillait tard de plus en plus souvent et j'ai découvert des messages sur son portable.

Nat et moi échangeons un regard noir, mais aucune de nous ne dit rien, sans doute parce que nous ignorons totalement quoi lui dire. Lizzy continue donc à s'épancher et à nous abreuver de détails sordides.

— Elle a vingt et un ans ! s'écrie-t-elle contre ma poitrine. Vingt et un ans, putain !

Aïe !

Nat affiche un air horrifié et j'imagine que mon expression est la même.

— Buvons un coup, dis-je, maintenant prête à me soûler afin de soutenir Lizzy.

* * *

Une heure plus tard... ou peut-être deux – je n'en suis pas sûre –, nous sommes toutes relativement pompettes, mais personne ne pleure plus. Cette ivresse est donc une très bonne chose. Micky est arrivé, ce qui n'a pas échappé à Lizzy. Il est à tomber et son chignon est parfait. Elle n'arrête pas de le coller comme une sangsue, mais ça ne pose aucun problème à Micky. Il ne cesse cependant de me lancer des regards méfiants, certain que je vais lui faire les gros yeux. Mais ça n'arrivera pas. Pas ce soir. Lizzy a besoin de distraction et je suis trop éméchée pour m'en préoccuper. Ce petit flirt innocent ne peut pas lui faire de mal.

Après avoir liquidé un énième verre, je cherche Nat du regard. Elle se trouve toute seule sur la piste de danse et balance un peu les hanches sur un morceau de Moby. Quelques verres et elle est toujours prête à danser, où que nous soyons.

Je me dirige vers le bar en me trémoussant pour aller chercher d'autres verres, car nous ne sommes clairement pas assez bourrés. Après avoir commandé quatre cocktails « Téton qui pointe » avec un sourire, j'agite la tête au rythme de la musique en attendant que le barman me serve. Je lui glisse un billet de vingt.

— Je pourrais avoir un plateau ?

— Tous partis, répond-il en s'éloignant avec mon argent.

Je baisse les yeux vers nos quatre verres sans savoir quoi faire. Il existe une solution très simple, mais je n'ai plus les idées claires et elle ne me vient pas à l'esprit. J'entreprends donc de caler les verres entre mes doigts, certaine de pouvoir tous les emporter en une seule fois et m'épargner un trajet supplémentaire jusqu'à notre table – qui ne se trouve qu'à six mètres, soit dit en passant.

— Merde.

Je cogne un verre contre le bar qui déverse son contenu poisseux partout sur ma main. Je commence à me lécher les doigts, histoire de ne rien gaspiller, puis je prends le verre entamé et le vide d'une traite, réduisant ma charge à trois verres. Beaucoup plus gérable. Quand on est totalement sobre. Ce qui n'est pas mon cas. Je ramasse la monnaie que le barman a fait glisser vers moi sur le bar.

— Merci !

Je commence à rassembler les trois verres dans mes mains, mais un autre se renverse. Une fois encore, je lèche le liquide sirupeux sur ma main.

— Quelque chose me dit que vous galérez...

Au son de cette voix amusée, je me retourne. Ma langue tendue vers mes doigts se fige et mes yeux s'écarquillent à la vue de l'homme qui se trouve à côté de moi au bar.

Putain... de merde.

Il est rare que je reste sans voix. Ça ne m'arrive jamais, en fait. Curieusement, c'est maintenant que je décide de me rattraper. Je n'arrive pas à comprendre si c'est l'abus d'alcool ou la stupeur qui me rend muette. Ce mec est sexy à mort ! Je contemple chaque centimètre de son corps, de ses pieds – qui, notons-le, portent des chaussures basses Jeffery West brun clair très stylées – au sommet de sa magnifique tête. Canon, y a pas d'autre mot. Je ne suis même pas sûre que ce terme suffise. Cet homme est d'une beauté classique.

Stupéfiante. Époustouflante. Aucun qualificatif ne semble convenir. Il est mal rasé. Joliment mal rasé. Une barbe d'au moins cinq jours, je dirais. Ses yeux gris sont ridiculement pétillants. Comme si de petites étoiles jaillissaient de leurs profondeurs. Ses cheveux sont coupés ras sur les tempes, mais plus longs sur le dessus et coiffés sur le côté. Juste assez longs pour les empoigner...

Je prends une grande inspiration afin de cacher mon émerveillement. Cet homme sait s'habiller. Décontracté. Désinvolte. Sa chemise joliment ajustée, col ouvert, manches retroussées, est sortie de son jean Armani moulant. Est-ce que j'ai déjà parlé de ses chaussures ?

— Un coup de main ? demande-t-il en me dévisageant d'un air...

Qu'est-ce qu'il vient de dire ? Un coup de main ? Où mettrais-je donc cette main ? Je réfléchis en silence, la tête penchée sur le côté, et regarde fixement ses mains. De grandes mains habiles, dont l'une tient une bouteille de bière. Soudain, mon regard remonte le long de cette bouteille et la suit jusqu'à ce qu'elle atteigne ses lèvres. Sa bouche s'ouvre. J'aperçois le bout de sa langue puis ses lèvres se referment sur le goulot et sa tête se renverse. Cette gorge. Putain de merde, cette gorge ! Il avale. Expire sans bruit.

Une onde de choc colossale vient de faire frémir ma petite culotte.

Je tressaille et croise immédiatement les jambes. Je n'ai aucune putain d'idée de ce qui m'arrive. Cette explosion a l'avantage de mettre un terme direct à mon inertie ridicule.

— Bon, mes verres.

Je tends à nouveau les mains vers mes boissons.

— Hé, mais j'en ai commandé quatre, dis-je au serveur en lui lançant un regard noir par-dessus le bar.

L'homme à côté de moi se met à rire d'une voix grave et sexy.

Encore une onde de choc. Oh... bon sang. *Mais tais-toi donc !*

— À quel point êtes-vous bourrée au juste ? me demande-t-il.

Je le regarde et découvre qu'il m'observe.

— Je suis parfaitement sobre, merci, rétorqué-je en détachant rapidement mon regard de son visage, avant que mes yeux sautent à nouveau sur l'occasion de m'embarrasser. J'en ai commandé quatre.

— Et renversé deux, me fait-il remarquer.

Je baisse les yeux, vois les deux verres vides... et tout me revient. Mais combien de temps ai-je donc rêvassé ? Plané ? Bavé ?

— Oh.

— Vraiment pas bourrée ?

Je garde mes yeux sur le bar. On ne peut pas leur faire confiance.

— Comme je le disais, parfaitement sobre.

Je rassemble les verres restants et m'apprête à me retourner en testant ma stabilité. Ce n'est pas que je sois têtue ni rien. Mais je ne suis pas ivre.

— Ça vous dirait de me le prouver ? demande-t-il.

Je m'arrête net. Un défi ?

Du coin de l'œil, je risque un regard de son côté et découvre le sourire le plus magnifique sur son visage tout aussi magnifique. Mais d'où sort donc ce mec ?

Il veut que je lui prouve que je suis sobre ? Ma curiosité l'emporte.

— Comment ?

— Apportez les verres à vos amis.

Il agite la tête sur le côté. Là-bas, mes potes sont tous rassemblés autour de la table haute. Micky agite théâtralement les bras en l'air, ce qui fait rire les filles. Il ne m'échappe pas que Monsieur le Canon sait avec qui je suis.

Depuis combien de temps est-il là ? Il est impossible qu'il ait échappé au radar des filles.

— Revenez me voir ensuite, si vous voulez, ajoute-t-il à voix basse.

Si je veux... Est-ce que je le veux ? Je lui jette encore un coup d'œil. Il sourit toujours. Et son sourire est dangereux. Très dangereux. Trop beau pour être inoffensif.

Je m'éclipse en balançant les hanches sans la moindre pudeur, mais je résiste à l'envie de vérifier s'il me regarde. C'est ce qu'il fait, j'en suis certaine. Je me sens à la fois tout excitée et agacée.

Lizzy bondit sur moi comme un tigre sur sa proie dès que j'atteins la table.

— Non, mais qui est ce mec ? demande-t-elle, les yeux écarquillés d'excitation en prenant un verre.

— J'en sais rien, répliqué-je, avant de boire le dernier au lieu de le céder à l'un de mes amis.

Je sens le charme magnétique de l'homme derrière moi. Il m'est si difficile de ne pas me retourner pour le regarder que mon corps est tendu comme un arc.

— Annie, je sais que tu es assez insensible aux hommes, mais là, tu me fais marcher. Il te regarde.

Insensible ? Je ne crois pas que c'est le terme que j'emploierais. C'est juste que je n'ai jamais rien ressenti de spécial. Bordel, mais comment se fait-il que ça me picote partout et que je tremble comme une idiote tout à coup ? On ne peut pas dire que je sois vraiment insensible, finalement.

— Eh bien, qu'il me regarde.

Lizzy me regarde bouche bée.

— Si tu ne vas pas lui parler, c'est moi qui le ferai, puisque je suis célibataire maintenant.

Elle passe devant moi, affiche un grand sourire et se dirige vers le bar, vers *mon* mec.

Je ne sais pas du tout ce qui me prend : l'instant d'après, ma main s'élance, saisit Lizzy par le poignet et tire un coup sec pour qu'elle s'arrête. Je ferme les yeux, agacée par mon attitude.

— Une petite minute.

J'inspire profondément et me tourne vers elle.

— Tirer un coup avec un inconnu pour oublier un mec n'a jamais été la bonne solution.

Lizzy réprime un sourire, qui lui fendrait sans doute le visage s'il lui échappait. Elle m'a bien eue. Pour la première fois – de toute ma vie, sans doute –, un homme attire mon attention. Je ne devrais pas en tirer trop de conclusions. J'imagine qu'il attire les regards de toutes les femmes, ce petit salopard de canon. Se penchant vers moi, Lizzy approche la bouche de mon oreille alors que mes yeux se posent encore une fois sur lui. Il me regarde toujours. D'une façon intense, presque avec défi.

— Je suis sûre que c'est un coup d'enfer, murmure Lizzy en gloussant.

Puis elle s'écarte de moi et me lance un regard faussement pudique.

— Comporte-toi un peu comme une femme et envoie-toi en l'air.

Elle agite la tête sur le côté.

— Avec lui.

Abandonnant ma copine, je cède à la force qui me pousse irrésistiblement vers lui.

— Je vais juste lui parler.

J'inspire profondément et marche à pas réguliers, relâchant ma lèvre inférieure après avoir réalisé que je la mordais.

Le visage sérieux, il me regarde, nonchalamment appuyé au bar.

— Je crois vous avoir vue tituber légèrement, dit-il en haussant les sourcils.

La beauté de cet homme le perdra, putain. Et moi aussi, sans nul doute. J'articule le mot « sobre » et m'appuie contre le bar à côté de lui.

Sans détacher le regard du mien, il appelle le barman.

— Deux tequilas, s'il vous plaît.

— De la tequila...

Je regarde par-dessus mon épaule lorsque le sel et le citron atterrissent derrière moi.

— Est-ce mon défi ?

— Vous déclarez forfait ? me provoque-t-il, avant de chercher dans sa poche pour en sortir quelques billets.

— Jamais de la vie !

Je me retourne vers le bar. Je ne sais pas à quoi il joue, mais j'ai bien envie de jouer. Avec lui.

— Vous me demandez de vous prouver que je suis sobre en vidant un verre cul sec ?

Je plisse les yeux et prends l'air taquin.

— Ou bien est-ce un plan pour me soûler et profiter de moi ?

Il paye le barman avec un petit sourire.

— Je n'ai pas l'impression que vous êtes le genre de femme dont on peut profiter.

— De quel genre de femme ai-je l'air dans ce cas ? dis-je doucement.

Il se tourne vers moi et m'observe quelques instants.

— Je n'en sais rien, mais je serais ravi de le découvrir.

Je soutiens son regard quelques secondes, mais aucune réplique ne me vient. Je crois que j'aimerais aussi qu'il le découvre, autant que j'ai envie de découvrir quel genre d'homme il est. Mon regard quitte ses yeux gris étincelants et glisse le long de son corps grand et mince jusqu'à ses pieds.

Oh... putain...

— Jouons, lance-t-il en se rapprochant de moi.

Il pousse ensuite un verre dans ma direction. Sans le vouloir, j'éloigne brusquement le bras lorsqu'il l'effleure, surprise par les picotements de plaisir qui parcourent ma peau. Ce bref contact m'indique que les sensations seraient aussi délicieuses avec lui que la vue de son corps. En plus – je vais défaillir –, il sent extrêmement bon. Son odeur est à la fois virile, naturelle et carrément exquise.

Le silence qui s'est brusquement installé devient légèrement gênant. Je sens qu'il me regarde.

— Que dois-je faire ? dis-je encore d'une petite voix, presque essoufflée.

Il se racle la gorge.

— Vous n'êtes pas ivre ?

— Pas le moins du monde, rétorqué-je en relevant le menton.

— Parfait. Dans ce cas, vous allez relever ce défi les doigts dans le nez.

Il pose l'index sur le bord d'un des verres.

— Tenez-vous des deux mains au bord du bar, m'ordonne-t-il d'une voix douce.

Je le regarde et découvre son air sérieux.

— Allez.

Les sourcils froncés, j'obéis.

— Comme ça ?

Il pose les mains sur mes hanches. *Mes hanches, putain !* Je m'immobilise de la tête aux pieds et déglutis en attendant la suite. Mon estomac exécute une série de saltos tandis que le chaos s'installe dans mon esprit.

— Reculez un peu, dit-il en tirant légèrement sur mes hanches jusqu'à ce que j'obéisse.

Oh, la vache. Je suis sur le point de m'enflammer. Un inconnu me fait prendre une position très suggestive au beau milieu d'un bar, et moi, Annie Ryan, « l'insensible-aux-hommes », je le laisse faire. C'est comme s'il m'avait jeté un sort. C'est à n'y rien comprendre. Je n'ose pas regarder derrière moi. Je ne suis pas assez stupide pour croire que Lizzy ne savoure pas la vue de cet homme en train de manipuler mon corps à son gré.

— Vous êtes tendue, observe-t-il.

Il me relâche puis revient à côté de moi.

Je ne le nie pas ; mais je ne le confirme pas non plus. C'était si agréable de sentir ses grandes mains sur mes hanches. À tel point que je dois résister à l'envie de lui demander de les remettre au même endroit. Impossible de ne pas remarquer que je manque d'air. L'idiote que je suis lui demande :

— Et maintenant ?

— Maintenant...

Il prend sa bière et sourit.

— Je vais pouvoir me vanter partout de vous avoir pelotée cinq minutes après vous avoir rencontrée.

Il boit une gorgée sans cesser de sourire et j'entends le rugissement d'un homme au bar qui se tord de rire.

Non, mais quel connard ! D'un côté, je ne peux m'empêcher d'être admirative. D'un autre, j'ai envie de le gifler jusqu'à ce qu'il s'effondre ; je me fous qu'il soit beau à tomber. Et d'un autre côté encore, j'ai envie de lui arracher ses vêtements et de violer ce sale sournois.

Je n'arrive pas à croire que je suis tombée dans le panneau ! Combien de femmes a-t-il bernées de cette façon ? Je baisse la tête et la secoue de honte.

Je savais bien que ce sourire était dangereux. Un homme qui peut manipuler une femme à son gré aussi facilement et aussi rapidement ne peut être que redoutable. Et dire qu'il m'a eue à son petit jeu pervers ! Je lui tire mon chapeau. Il faut reconnaître qu'il est doué, et comme je n'ai plus la moindre dignité pour le moment, je décide de ne pas le gifler. Et de ne pas lui vider un verre sur la tête ni de le couvrir d'injures.

Non, je vais faire la chose à laquelle il s'attend le moins.

Je me redresse et me tourne vers lui, incapable de cesser de sourire face à son air amusé. Soutenant son regard, je me lèche lentement le dos de la main, cherche à tâtons la salière sur le bar, en saupoudre une pincée sur ma peau et saisis un verre de tequila. Mais alors que je porte la main à ma bouche afin de lécher le sel, il saisit mon poignet et prend le shot que tient mon autre paume. Les battements de mon cœur s'accélèrent. Nos regards sont plongés l'un dans l'autre tandis qu'il s'approche de moi et lève lentement ma main à sa bouche. Je le regarde faire, captivée, lorsqu'il lèche tranquillement le sel, les yeux dans les miens, puis boit la tequila cul sec. Je peux bien mourir maintenant, car il vient assurément de faire de moi une femme heureuse. Sa langue sur ma peau... Ses yeux plongés dans les miens... Sa main autour de mon poignet... Je dois avoir l'air d'une statue – incapable de parler, de bouger ou de penser clairement.

— Il reste une tequila, dit-il en inclinant la tête vers le bar sans me quitter des yeux. Elle est à vous.

Oh, mon Dieu. Mon cœur bat la chamade tandis que je le regarde lécher le dos de sa main et le saupoudrer de sel. Ensuite, il me la tend. Je fixe sa main puis lève lentement les yeux vers lui. Je pourrais me noyer dans ces yeux gris scintillants.

— J'ai bon goût, chuchote-t-il.

Je n'en doute pas un instant. Prenant mon courage à deux mains, j'approche la sienne de ma bouche, et lorsque ma langue sort, je ferme les yeux et me prépare mentalement. Ce n'est pas le goût du sel que je sens, mais le sien. Et c'est sans doute le goût le plus enivrant que j'aie jamais senti. J'avale ma salive sans lâcher sa main puis prends le verre de tequila et le vide d'une traite sans même grimacer lorsque l'alcool brûlant coule dans ma gorge.

Il hoche la tête d'un air approbateur.

— Je vous l'avais bien dit, murmure-t-il en baissant la main.

Je m'efforce de revenir sur terre et détourne les yeux avant de m'enflammer sur place.

— C'était sympa de jouer avec vous, dis-je dans un murmure en me détournant. Il faut que j'aille aux toilettes.

Et vite.

— Holà !

Il glisse une main autour de mon poignet et m'immobilise. Mon corps tout entier se tend à nouveau. Après son petit jeu pathétiquement masculin, toutes mes réactions physiques auraient dû arrêter net leur délire agaçant. Par la suite, il m'a léchée. Et je l'ai léché. Les picotements qui me parcourent sont si violents que je dois me retenir de me frotter la peau.

— Restez encore un peu, dit-il doucement.

Je lève les yeux vers lui, surprise, et, l'esprit embrumé par le désir, je tente de faire appel à ma raison. Je n'ai pas couché avec un homme depuis très, très longtemps. Disons un an, deux mois et une semaine, pour être précise. L'ami d'un ami de Jason.

— Et que prévoyez-vous de faire de moi si je reste ?

J'examine rapidement sa main à la recherche d'une alliance, histoire de vérifier.

Il n'en porte pas. Comment est-il possible qu'aucune femme n'ait mis le grappin sur cet homme ?

— Je prévois de discuter avec vous, répond-il d'une voix douce en m'observant avec un soupçon de curiosité.

— Plutôt que de me lécher ?

— Mon jeu ne vous a pas plu ? demande-t-il sur le même ton sérieux.

Quelque chose persiste dans son regard. Quelque chose de tentant. Quelque chose qui me rend un peu... méfiante. Et très excitée.

Sa main, toujours serrée sur mon poignet, me laisse le temps de réfléchir. La chaleur de nos peaux est impossible à ignorer. Je suis intriguée par cet homme, ne serait-ce que parce qu'il a attiré mon attention et l'a retenue, même après sa combine sournoise. Discuter. Il veut discuter.

J'écarte doucement le bras et il me lâche lentement, sans jamais détacher son regard du mien. Ensuite, il tire un tabouret à l'aveuglette et m'indique de m'asseoir.

— Je vous offre un verre ? Ou en avez-vous bu assez ?

Je pose les fesses sur le tabouret et lui lance un regard las. Enfin, je ne crois vraiment pas que je devrais boire davantage. Surtout qu'il va vraiment falloir faire preuve de présence d'esprit maintenant.

— Un verre d'eau, s'il vous plaît.

Il appelle le barman d'un signe de la main et commande mon eau ainsi qu'une bière. Je regarde mes amis, mais aucun ne regarde dans ma direction. À part Micky. Il incline la tête d'un air interrogateur et je hoche la tête pour le rassurer. Tout va bien. Tout va parfaitement bien.

L'inconnu s'assied sur un tabouret devant moi, un pied posé sur le sol, l'autre sur le repose-pieds, et s'accoude au bar. Sa chemise se plisse un peu autour de son ventre. J'ai l'impression que l'impeccable tissu blanc cache de jolis abdos. Et son bras plié laisse deviner des biceps plutôt solides.

— Comment vous appelez-vous ? demande-t-il, attirant mon regard vers son visage.

Son air toujours sérieux contraste avec le sourire insolent qu'il affichait la première fois que j'ai posé les yeux sur lui.

— Annie. Et vous ?

— Jack.

Il me tend la main, le regard fixé sur moi, tandis que j'hésite à le toucher à nouveau. Ce n'est absolument pas une bonne idée. Au contraire, je devrais battre en retraite, m'éloigner, voire le quitter sur-le-champ. Je lis une certaine intention dans son regard sérieux et elle est tout à fait déchiffrable ; cette intention devrait m'effrayer – il m'est donc impossible de comprendre pourquoi je tends la main et la pose doucement dans la sienne. Je suis captivée. Fascinée. C'est une révélation, et je trouve ça très plaisant.

Dès que le contact s'établit, peau contre peau, il saisit rapidement ma main. Stupéfaite, je lève aussitôt les yeux vers les siens. Je m'attendais à découvrir un sourire insolent, mais il me regarde toujours aussi sérieusement.

— Je vous tiens, murmure-t-il en resserrant sa grande paume autour de ma main.

Je cesse de respirer. Mon cœur s'emballe. Ma peau se réchauffe. Putain de merde, il me tient bel et bien.

Il commence à me serrer lentement la main, de bas en haut, de haut en bas, en prenant tout son temps. Je déglutis plusieurs fois, la gorge sèche, tandis qu'il maîtrise mes mouvements.

Je vous tiens ?

Ses lèvres se courbent peu à peu comme s'il lisait dans mes pensées puis son sourire et son regard pétillant réapparaissent.

— Je l'ai léchée, alors elle m'appartient, fait-il, l'air malicieux.

Tandis que je secoue la tête d'étonnement, il pose ma main sur ma jambe nue et en profite pour passer les doigts sur ma cuisse. Je sursaute sur mon tabouret puis tends la main vers mon verre d'eau.

— Et vous léchez souvent les femmes ?

Ma question à peine posée, je me réprimande intérieurement. Ça ne me regarde pas du tout et, franchement, je n'ai aucune envie de le savoir.

Son expression se fait soudain sérieuse.

— Lécher les femmes dans les bars n'est pas mon truc, d'habitude.

— Et leur faire prendre une position suggestive devant tout le monde ?

Un petit sourire se dessine sur ses lèvres, comme s'il lisait dans mes pensées.

— Je ne sais pas ce qui m'a pris, admet-il avec un petit rire.

Il porte la main à sa mâchoire et caresse sa barbe.

C'est une bonne nouvelle, parce que je ne sais pas non plus ce qui m'a pris.

— Quel est votre métier, Annie ?

— Je suis architecte, confié-je aussitôt.

Discute avec lui. Contente-toi de discuter.

— Je réalise surtout des projets résidentiels, mais je me tourne peu à peu vers le monde de l'entreprise.

— Vous travaillez à votre compte ?

J'acquiesce d'un signe de tête.

— C'est impressionnant pour une personne de...

Jack laisse sa phrase en suspens, la tête inclinée d'un air interrogateur.

Ce mignon stratagème visant à apprendre mon âge me fait sourire.

— J'ai vingt-neuf ans.

— Ouah, très impressionnant. Bravo. J'aime voir les gens réussir.

— Merci.

— Et vous êtes mar...

— Non, réponds-je en riant.

— Prise ?

Je ne réponds pas aussi vite cette fois. Je ne sais pas pourquoi. Sans doute parce que ma réponse risque d'ouvrir la voie à… quoi ?

— Non.

Je lis un certain soulagement dans son regard. Du soulagement, ça ne fait aucun doute.

— Vous êtes de celles qui aiment profiter de la vie ? demande-t-il, le ton légèrement allusif.

— Eh bien, d'habitude, je ne laisse pas les inconnus me tripoter dans les bars et me lécher, si c'est là que vous vous voulez en venir.

— Je suis flatté.

Jack sourit, satisfait.

— Alors qu'est-ce que vous faites d'habitude pour vous amuser ? Quand je ne suis pas là pour vous tripoter et vous lécher, je veux dire.

Avec un sourire égal au sien, je bois une gorgée d'eau afin d'humidifier ma bouche de plus en plus sèche.

— Je travaille dur. J'ai de bons amis. C'est avec eux que je m'amuse.

— Par choix ou en raison d'une mauvaise expérience ?

— Cette conversation devient un peu trop personnelle, il me semble.

Je lui lance un regard interrogateur, le sourcil levé, et il sourit en haussant les épaules.

— J'essayais juste de vous cerner.

Son genou effleure le mien. J'éloigne aussitôt la jambe et mon cœur pathétique fait un bond. Me cerner ne lui sera d'aucune utilité et je suis ravie de le lui apprendre.

— Les hommes ne m'intéressent pas du tout en ce moment.

Allez savoir pourquoi, je ne peux m'empêcher de me mordre la lèvre et d'examiner sa réaction.

Il hoche lentement la tête.

— Voilà qui pourrait bien changer, songe-t-il à haute voix.

Sa franchise me stupéfie. Mon dos se redresse, mon souffle devient un peu saccadé.

— Qu'est-ce que vous voulez dire ? lui demandé-je à voix basse, en essayant de paraître juste intéressée.

J'essaie. La moindre des paroles que j'adresse à cet homme est mêlée de fascination. Et de désir.

— Je veux dire, commence-t-il, légèrement penché vers moi, que vous n'avez visiblement jamais été subjuguée par un homme.

Il se tait un instant, attendant que j'acquiesce, mais je ne le fais pas. Je suis obsédée par ce mec.

— Mais un jour, arrivera un homme qui vous subjuguera, Annie. Sans que vous l'ayez vu venir.

Ses paroles suggèrent une chose qui m'intrigue malgré moi. Toujours muette, je continue à le dévisager.

La panique fait bourdonner mes oreilles lorsqu'il se redresse et se tourne vers le bar en appelant le barman. Je n'entends pas ce qu'il commande. L'activité qui règne dans le bar n'est plus qu'un environnement flou et le vacarme n'est plus qu'un fond sonore lointain. Jack a un charme magnétique – il ne s'agit pas que de son physique, mais du personnage aussi, de sa voix... de ses paroles.

— Tenez.

Il retire le verre d'eau de ma main molle et me tend un shot. Le contact de nos doigts m'arrache à ma transe, et je regarde autour de moi, étonnée que le monde continue de tourner. Faisant tinter son verre contre le mien, il m'adresse son beau sourire – celui qui m'a rendue accro à l'instant où je l'ai vu.

— Aux rencontres surprises ! dit-il en levant son verre.

Il le vide cul sec puis le pose bruyamment sur le bar et s'essuie la bouche du dos de la main. Mes yeux suivent chacun de ses mouvements tandis que je tente de lire entre les lignes, de débrouiller ses paroles et de leur donner un minimum de sens. Bien sûr, leur sens est parfaitement clair, mais j'ai l'impression qu'elles veulent en dire plus. Peut-être est-ce la légère dureté de son ton. Peut-être sa façon de me regarder.

— Buvez.

Le bout de son doigt se pose sur le fond de mon verre et m'encourage à le porter à mes lèvres. Il me regarde alors que je verse peu à peu le liquide dans ma gorge, totalement chamboulée.

J'ai envie de lui.

Pour la première fois de ma vie, j'ai vraiment, *vraiment* envie d'un homme. Je ressens... quelque chose.

— Et vous, quel est votre métier, Jack ?

Je décide de suivre mon instinct et d'en apprendre plus sur cet homme qui m'excite et m'agace en même temps.

— J'ai de nombreux talents.

Je réprime un sourire.

— C'est-à-dire ?

— Oh, la liste est sans fin. Vous avez un peu de temps devant vous ?

Toute la vie ! J'ordonne aussitôt à mon cerveau de se reprendre. *Non, mais franchement, Annie ! Ressaisis-toi !*

— Vous êtes mignon, raillé-je malicieusement.

Ce mot mal choisi me fait aussitôt grimacer. Jack est loin d'être mignon ; c'est plutôt un beau mâle, un homme grand, bien fait, bien charpenté.

Un petit sourire aux lèvres, Jack détourne les yeux un bref instant.

— Vous êtes vous-même très mignonne.

Pétillant comme jamais, son regard se pose à nouveau sur le mien.

— Comment se fait-il que vous soyez célibataire ?

Je devrais lui retourner la question.

— Parce que c'est ce que je souhaite. Parce que les histoires d'amour exigent des efforts que je préfère investir ailleurs.

Le regard plongé dans le mien, Jack hoche la tête.

— Dans votre carrière ?

— Oui, réponds-je franchement, au risque de passer pour une égoïste.

Peut-être changerai-je d'avis si le bon mec se présente un jour. Qui sait ? Mais à ce stade de ma vie, il n'y a aucun homme, et je me satisfais très bien de cette situation.

— Je me suis fait des promesses que je tiens à tenir.

Jack inspire profondément et tripote l'étiquette de sa bouteille de bière.

— Je vous admire. Votre bonheur compte pour vous, et vous êtes visiblement heureuse.

Je recule un peu sur mon siège et tente d'évaluer son humeur.

— Vous n'êtes pas heureux ?

— Là, maintenant, je le suis follement.

Voyant mon expression amusée, Jack m'adresse un sourire insolent, tend la main et la pose sur mon genou puis le serre doucement. Mon sourire faiblit une seconde et mes yeux se posent sur ses doigts en contact avec ma chair nue. De la chaleur se répand partout en moi, telle une traînée de poudre. L'eau déborde de mon verre. Je tremble tant que je suis obligée de le poser sur le bar. Je serre la main autour dans l'espoir de dissimuler mes frissonnements.

Mes yeux se lèvent vers ceux de Jack. Son sourire a faibli et tout amusement a disparu de son regard. Lentement, il retire la main de ma jambe. Mon Dieu. Toute ma vie est partie en vrille pendant qu'il me tenait. Pendant ces quelques secondes de bonheur, j'ai oublié mon nom, mon travail, mes ambitions. Soudain, Jack – l'idée de le toucher, de lui parler, de l'écouter – est devenu ma seule motivation. Cet inconnu m'a arrachée à ma vraie vie et emmenée ailleurs. Dans un endroit distrayant. Un endroit captivant.

Captivant. Jamais rien ne m'avait captivée avant, à part le travail. Je n'ai passé que quelques minutes avec Jack et, déjà, je me sens un peu dépendante de l'intensité qui émane de lui. Tout ça m'est étranger... c'est effrayant. J'ai été totalement prise par surprise.

Les battements de mon cœur retrouvent leur rythme normal et je me secoue un peu. Je dois me concentrer sur ma vie. Ma *vraie* vie.

— C'était sympa de discuter avec vous, Jack. Mais il faut vraiment que j'y aille, dis-je doucement en me laissant glisser de mon tabouret.

Vu la pagaille qui règne dans ma tête, il est grand temps que je m'échappe. En plus, mes réactions face à lui m'effraient totalement. Je lui tends la main avec politesse.

Compréhensif, il hoche lentement la tête.

— Vous prenez sans nul doute la plus sage décision pour nous deux.

Jack prend ma main et – je le jure – une explosion se produit. Oui, ce truc stupide qui n'arrive que dans les livres, ce truc qui nous fait lever les yeux au ciel parce qu'il est totalement ridicule de penser qu'une connexion aussi puissante puisse se produire entre deux personnes. *Aux rencontres surprises !*

— Tenez.

Il ouvre mes doigts et dépose quelque chose dans ma paume.

— Un petit souvenir de moi.

Je baisse les yeux et découvre une capsule de Budweiser.

— Pourquoi voudrais-je me souvenir de vous ? demandé-je en lui lançant un regard.

— Parce que cette soirée restera dans les annales.

Avec un sourire, il oblige mon poing à se fermer et serre la capsule dans ma main.

Il a raison. Impossible que j'oublie un jour ma rencontre avec Jack.

— Et quel souvenir aurez-vous de moi ?

Il tend la main et passe un doigt sur ma joue. Mon cerveau implose aussitôt.

— Ceci, murmure-t-il en posant l'index sur sa tempe. Tout est enregistré ici.

Mes genoux faiblissent, mon sang bouillonne. Je n'ai pas besoin de cette capsule parce que le souvenir de son visage est également stocké dans un lieu sûr de mon esprit. Jack se penche vers moi et pose les mains sur le haut de mes bras afin que je reste face à lui.

Lorsque sa poitrine rencontre la mienne, mes genoux cèdent pour de bon et je gémis. Mon front tombe sur son épaule. Oh mon Dieu, mais qui est cet homme ?

Ses lèvres s'approchent des miennes et, pendant quelques instants incroyables, il respire sans parler.

— Si jamais je repose les yeux sur vous un jour, Annie, je ne peux pas vous promettre que je serai sage et que je passerai mon chemin.

Il s'écarte de moi et s'en va après avoir fait signe à son ami, un homme blond, qui lui emboîte le pas. Celui-ci m'adresse un regard interrogateur au passage, ayant visiblement remarqué mon état. Mais dans quel état suis-je au juste ? Sous le choc. C'est la seule façon de le décrire. J'ai l'impression qu'on m'a plaquée au sol sans prévenir. J'ai le souffle coupé.

Lorsque mes poumons commencent à me brûler, je me dépêche de respirer. L'air circule à nouveau si vite et si abondamment que je perds l'équilibre et m'agrippe au bar.

— Hé, est-ce que ça va ?

Lizzy apparaît à côté de moi. Elle me regarde puis observe Jack qui quitte le bar.

— Oui, parviens-je à articuler.

Ensuite, les tremblements s'installent, conséquence de ma rencontre fortuite avec l'homme le plus beau et le plus fascinant que j'aie jamais croisé.

— Dis donc, on n'a pas souvent l'occasion de mater un aussi joli petit cul ! s'exclame Lizzy en me souriant.

Sa gaieté disparaît peu à peu, remplacée par un froncement de sourcils inquiet.

— Hé, tu es sûre que ça va ?

Bon sang, il faut que je me ressaisisse.

— Oui, oui, ça va.

M'efforçant de retrouver mon sang-froid, je vide mon verre d'eau à une vitesse impressionnante.

— Où est-il donc parti ? demande-t-elle.

— C'était juste un sale con prétentieux, réponds-je entre mes dents, faussement indignée.

C'est la seule tactique à adopter. Ce serait une erreur d'avouer à Lizzy que mon corps se consumait de désir, non seulement chaque fois que Jack me touchait, mais aussi à chaque mot qu'il prononçait.

— Ç'aurait pu être le lot de consolation dont j'ai besoin, soupire Lizzy, consternée.

— Tu n'es pas sérieuse.

— Mais si ! Quel gâchis. Tu le regretteras.

— Peut-être, dis-je en coulant un regard vers l'entrée du bar.

Jack a disparu. Il est parti et je n'arrive pas à comprendre pourquoi mon estomac se serre à cette pensée.

— Enfin bref, comment te sens-tu ?

Mieux vaut changer de sujet. Il faut que j'oublie la demi-heure qui vient de s'écouler. La meilleure décision que j'ai jamais prise était donc de partir. Mais qu'est-ce qu'il voulait dire par « la plus sage décision pour nous deux » ?

— Parfaitement bien, répond Lizzy en me prenant par le bras avant de m'emmener vers notre table.

Je la regarde.

— Micky ne doit *surtout* pas être ton lot de consolation.

— Nous ne faisons que flirter.

Le regard qu'ils échangent tandis que nous approchons ne m'échappe pas, mais je suis trop distraite pour fournir à la situation l'attention qu'elle mérite, encore parcourue de picotements de la tête aux pieds. Je lance à nouveau un regard vers la porte, alors que ses dernières paroles repassent en boucle dans ma tête.

Si jamais je repose les yeux sur vous un jour, Annie, je ne peux pas vous promettre que je serai sage et que je passerai mon chemin.

3

La soirée se termine sans autres rebondissements pour moi, mais il y a du mouvement du côté de mes amis. Tous les autres sont bourrés, mais comme je n'ai bu que de l'eau depuis ma rencontre captivante avec le plus sublime des hommes, mon niveau d'ébriété est raisonnable. J'ai été mise K.O. et il m'a fallu le reste de la soirée pour retrouver mes esprits.

Lizzy n'a cessé de me reprocher d'avoir soi-disant échoué à mettre ledit homme dans mon lit ; Micky a flirté de manière éhontée avec elle, qui a fait de même avec lui ; et Nat a littéralement usé le plancher de la piste de danse.

Il est maintenant temps de prendre un taxi.

— C'était la meilleure soirée de ma vie ! chantonne Nat tandis que je les pousse vers la file d'attente.

Elle jette les bras en l'air et secoue les cheveux.

— Et je suis dingue de ma nouvelle coiffure ! Elle te plaît ?

Nat regarde Micky qui cravate une Lizzy affaiblie.

— Je suis dingue de ta nouvelle coiffure, répond-il en hoquetant.

— Je trouve qu'elle te vieillit, intervient Lizzy d'une voix traînante.

— Non, elle me donne l'air sophistiqué ! s'écrie Nat, indignée. Hein, Annie ?

— Tout à fait, acquiescé-je en riant. Allez, en voiture !

J'ouvre la portière d'un taxi à l'arrêt et les fais monter un par un. Par miracle, aucun ne se prend les pieds dans la marche, mais tous atterrissent lourdement sur leurs sièges. Le chauffeur me regarde. Fort de ses années d'expérience, il devine que je suis celle avec qui il faut communiquer.

— Bonsoir, dis-je en me penchant pour entrer.

Mais lorsque je lève le pied du trottoir, quelque chose attire mon attention de l'autre côté de la rue. Je me redresse afin de regarder par-dessus le toit du taxi, tandis qu'un courant chaud parcourt mes veines et accélère brutalement les battements de mon cœur. *Si jamais je repose les yeux sur vous un jour, Annie, je ne peux pas vous promettre que je serai sage et que je passerai mon chemin.*

Il se tient de l'autre côté de la rue, les mains à demi enfoncées dans les poches. Et il me regarde fixement. Je vois ses yeux gris briller avec intensité, même depuis l'autre côté de la rue. Mon estomac commence à se nouer.

— Allez, Annie ! hurle Micky en cherchant ma main posée sur la portière. Monte !

Le reste du groupe commence à s'exciter. Mes amies m'ordonnent sans doute aussi de monter dans le taxi, mais je ne les entends pas. Je n'entends pas non plus le bruit de la circulation ; les voitures qui passent entre Jack et moi ne forment que des taches floues.

Je ne sais pas quoi faire. Monter dans le taxi – la solution raisonnable – ou fermer la portière et envoyer mes amis chez eux – la solution stupide. Mais je ne suis pas stupide. Je ne l'ai jamais été.

Jack est aussi immobile qu'une statue sur le trottoir. Il attend que je me décide, les yeux fixés sur les miens. Ensuite, il hoche la tête, un mouvement si léger qu'il m'échappe presque. Il devine que je suis tiraillée. Il m'ordonne silencieusement de rester où je suis, car malgré ce qu'il a dit, c'est peut-être moi qui vais passer mon chemin. Qui vais décider pour nous deux.

C'est à moi de choisir. Comment savoir si je prends la bonne décision pour nous deux ? Impossible de peser le pour et le contre dans ma tête. Je suis trop subjuguée par *lui*.

Je déplace la main sur la portière, prête à la refermer.

— À demain tout le monde ! dis-je sans regarder mes amis.

— Quoi ? s'écrient-ils en chœur.

Cependant, je les ignore et me penche vers le chauffeur afin de lui énumérer leurs adresses.

Toutefois, mes yeux restent fixés sur Jack de l'autre côté de la rue. Je claque la portière au milieu des marmonnements confus de mes amis. Le chauffeur démarre avant qu'ils puissent protester davantage. D'habitude, il est hors de question pour eux de me laisser rentrer seule un soir de beuverie, mais l'alcool joue en ma faveur ce soir. Je regarde le taxi s'éloigner et vois Lizzy m'observer à travers le pare-brise, sa confusion évidente. Ensuite, elle tourne la tête vers l'autre côté de la rue et reste bouche bée. Je vois juste ses lèvres s'étirer avant que le taxi tourne au coin de la rue.

Mon portable sonne deux secondes plus tard. Je ne réponds pas, mais envoie un message à Lizzy, lui assurant que ça va et que je sais ce que je fais. C'est un mensonge. Je n'en ai pas la moindre idée.

La tête baissée, je regarde Jack à travers mes cils. Une rue nous sépare – lui, sur un trottoir, moi, sur celui d'en face – et les voitures filent entre nous. Il pose le pied sur la chaussée, après avoir jeté un œil des deux côtés, et je commence à reculer à mesure qu'il avance, jusqu'à ce que mon dos rencontre un mur de brique. Mon souffle devient saccadé et mon corps tremble comme une flamme dans la brise.

Lorsque Jack m'atteint, ses deux paumes se posent sur le mur de chaque côté de ma tête. Je regarde fixement son cou, trop effrayée pour lever les yeux vers son visage maintenant qu'il est tout près.

— Pourquoi ne suis-je pas rentré tout droit chez moi ? s'interroge-t-il avec une frustration évidente. Pourquoi est-ce qu'il a fallu que je m'arrête, putain !

Parce que tu as ressenti la même chose que moi ! J'ai la tête qui tourne à cause de son odeur enivrante – de sa proximité, de la sensation de son entrejambe qui effleure ma robe.

Son regard inflexible me transperce le cœur tandis que son visage se baisse lentement vers le mien. Je retiens mon souffle et le laisse effleurer mes lèvres, nos yeux toujours ouverts, nos regards toujours fixés l'un sur l'autre. Son souffle est aussi saccadé que le mien. Soudain, il s'écarte de quelques centimètres et passe la langue sur la lèvre inférieure comme s'il savourait ce qu'il vient de goûter. Sa poitrine se presse contre la mienne lorsqu'il inspire profondément.

— Ordonne-moi de partir, murmure-t-il, provoquant des frissons qui remontent le long de ma colonne vertébrale. Ordonne-le-moi.

— Va-t'en.

— Aucune chance, putain.

Il fond sur moi et s'empare de ma bouche comme si elle lui appartenait – profondément, passionnément et avec une conviction impénétrable. Je me perds aussitôt dans un brouillard de désir tandis qu'il se presse contre moi. Nos langues se battent en duel, nos corps s'écrasent l'un l'autre. Je n'aurais jamais cru pouvoir atteindre un jour un tel niveau de plaisir.

Je lève les bras pour les passer autour de son cou et m'accroche à lui tandis que nous nous embrassons comme si jamais plus nous n'en aurons l'occasion. L'une de ses grandes paumes glisse jusqu'à l'arrière de ma cuisse et la soulève afin d'amener ma jambe au niveau de sa taille. J'inspire ses grognements, je les avale et les loge dans les parties les plus profondes de mon être, gémissant chaque fois qu'il presse ses hanches contre les miennes et me pousse plus fort contre le mur.

Putain de bordel de merde, je suis perdue.

— Il m'en faut plus, lâche-t-il d'un ton désespéré en promenant ses lèvres jusqu'à mon oreille, avant de lécher lentement le contour sans cesser de haleter. Je veux te voir nue. Je veux te pénétrer. J'ai une putain d'envie de toi tout de suite. Où est-ce que tu habites ?

J'hésite un instant. Mon désir est aussi irrépressible que le sien, mais il me reste tout de même un soupçon de bon sens. Hors de question de le ramener chez moi. Je dois quand même faire preuve de sagesse.

Ça ne me ressemble pas. Je ne suis pas insouciante d'habitude, mais tout à coup, il me semble impossible d'en rester là. C'est peut-être dû à la spontanéité de notre élan ; au côté illicite de la chose ; au frisson, au danger, à l'inconnu. Ou c'est peut-être une chose aussi simple qu'une alchimie grisante. Tout ce que je sais, c'est que j'en veux plus.

— Allons chez toi, rétorqué-je en frottant le nez contre son cou, mais je le sens secouer la tête.

— Je ne tiendrai pas aussi longtemps.

Il s'écarte de mon corps tout tremblant, heureusement soutenu par le mur.

— Allons à l'hôtel.

Je hoche la tête, car c'est la meilleure solution à tous points de vue. Un terrain neutre. Sans perdre une minute, il glisse la main dans le bas de mon dos et tire. Grâce à son aide, je réussis à me décoller du mur, mais le tremblement de mes jambes est impossible à maîtriser, tandis que nous avançons d'un pas pressé dans la rue. Je l'observe du coin de l'œil. Il se concentre sur le chemin, la mâchoire crispée. Malgré les miens, je suis certaine de percevoir ses tremblements. Nous sommes tous deux comme montés sur des ressorts, plus pressés que jamais de nous jeter l'un sur l'autre. Cet état est nouveau pour moi – bizarre, excitant.

Le trajet jusqu'à l'hôtel le plus proche est cruellement long. Jack file vers la réception et demande une chambre. Et, bien que la dame m'examine d'un air entendu, je ne rougis pas une seconde.

Jack obtient une carte magnétique, m'entraîne vers l'ascenseur et me pousse presque à l'intérieur. Il n'attend même pas que les portes se referment pour se jeter sur moi. Il m'embrasse brutalement, me clouant contre la paroi du fond, et fait en sorte que je sente ce qui se cache derrière la braguette de son jean. Puis il roule sur lui-même et m'entraîne. Nos bouches se déchaînent comme des lions affamés. Le petit espace s'emplit de gémissements, de grognements, de geignements et de cris passionnés.

Lorsque les portes s'ouvrent, nous tombons pratiquement dehors, nos bouches toujours collées, puis il me fait reculer dans le couloir et vérifie rapidement le numéro de la chambre, avant d'enfoncer la clé magnétique dans la serrure et d'ouvrir la porte du pied. Interrompant notre baiser, il me pousse à l'intérieur. Je titube à reculons, hébétée, désorientée... excitée comme jamais auparavant.

Jack commence à déboutonner sa chemise tout en marchant vers moi, et dès qu'elle est ouverte, il la fait glisser d'un coup d'épaule.

J'inspire à fond lorsqu'apparaissent les surfaces lisses de son torse. La perfection de son corps me donne le tournis. Cet homme ne peut pas être réel. Est-ce qu'il l'est vraiment ? Suis-je en train de rêver ?

Sa façon de me regarder – sa faim, sa détermination ! Curieusement, je ne me suis jamais sentie aussi désirée. C'est une révélation très satisfaisante. Mais j'éprouve aussi un sentiment étranger, auquel je devrais sans doute consacrer un peu plus d'attention. Comment puis-je avoir autant envie de lui tout de suite ? C'est un inconnu !

Ses mains commencent à déboutonner son jean lorsqu'il s'arrête à moins d'un mètre de moi. L'élastique de son boxer dépasse de son jean, tissu robuste couvrant un ventre robuste. Mes yeux se fixent sur ses doigts tandis qu'ils me révèlent paresseusement davantage de son corps et me torturent. Son souffle se fait aussi court que le mien. Pourquoi ralentir ainsi maintenant ? Pourquoi faire traîner les choses ? Lorsque mon regard désespéré se lève vers le sien, je découvre qu'il m'observe. Soudain, son jean atterrit sur le sol. Suivi de son boxer.

Les muscles de mes jambes faiblissent alors que je le contemple, entièrement nu et plus que stupéfiant. Ça ne me ressemble pas. Je ne me plie jamais à la volonté des hommes, mais cet homme m'a fait plier à la seconde où il m'a trouvée dans ce bar. Je ne sais pas très bien si je déteste cette idée ou l'adore. Ce qui est sûr, en revanche, c'est que je ne peux rien y faire. Et que ça m'est totalement égal. Une nuit de sexe cru et obscène s'offre actuellement à moi. Ses yeux gris brillent de promesses illicites. J'ai bien l'intention de foncer tête baissée.

Dès que j'aurai retrouvé ma tête.

Se débarrassant de ses chaussures, de son jean et de son boxer tombés sur ses pieds, il me prend délicatement les mains comme s'il sentait que j'ai besoin d'un moment de tendresse et de paroles rassurantes.

— Prête, Annie ? demande-t-il doucement. Parce que je ne peux plus me retenir.

Jack n'attend pas ma réponse. Il doit lire la certitude dans mon regard. S'approchant de moi, il me presse contre la fenêtre, frotte le côté de son visage râpeux contre ma joue, empoigne le bord de ma robe et la relève entre nous. Mes bras se lèvent aussitôt, tandis que mon esprit cherche désespérément à s'apaiser. Il faut que j'agisse comme lui par gestes calmes et mesurés. Mais c'est impossible.

Jack ralentit le rythme et savoure chaque instant, chaque mouvement, chaque son. Ma robe s'est envolée, mais il est toujours pressé contre moi et promène les mains dans mon dos. Je sens s'ouvrir les agrafes de mon soutien-gorge puis Jack recule et fait glisser les bretelles sur mes bras, les yeux posés sur mon corps.

Il déglutit.

Péniblement.

Il cligne des yeux.

Lentement.

Il pousse un grognement grave.

Ensuite, il laisse tomber mon soutien-gorge sur le sol et son regard se pose sur ma toute petite culotte noire. La vue de son grand corps nu me fait oublier ma timidité. Sa présence puissante me fait oublier que je devrais faire preuve d'un peu de retenue.

Mes doigts cherchent les côtés de ma petite culotte et la baissent sur mes cuisses, lui dévoilant ma nudité la plus totale.

Ensuite, j'attends.

Et j'attends encore.

J'attends une éternité qu'il fasse un geste, tout en me demandant où j'ai la tête. Elle s'est envolée, emportée par une tornade de témérité. Je ne peux rien faire d'autre qu'admirer ce qui se trouve devant moi.

— Tu as déjà ressenti ça avant ? me demande-t-il à voix basse. Cette alchimie ? Ce désir ?

— Non.

Ma réponse est simple et sincère.

— Moi non plus.

Jack s'avance, me plaque contre la fenêtre puis reprend le baiser fou et passionné qui avait commencé dans la rue et s'était poursuivi dans l'ascenseur. Le plaisir me donne le tournis.

Il est nu. Je suis nue. Nous nous touchons partout où peuvent se toucher deux personnes. Son sexe en érection calé contre mon bas-ventre palpite au même rythme que mon corps. Jack gémit contre mes lèvres, puis ses mains descendent jusqu'à mes fesses et se posent sur mes cuisses sans cesser de me serrer contre lui. J'entoure ses larges épaules de mes bras et le laisse me prendre.

D'un geste rapide, Jack me soulève au niveau de sa taille avec un gémissement, sa queue prête à me pénétrer. La vitre derrière moi devient glissante et mon dos moite n'adhère plus à la surface lisse.

— Écarte les jambes, m'ordonne-t-il lorsqu'il sent le resserrement de mes cuisses.

Sans réfléchir un seul instant, je me détends et le laisse me presser contre la fenêtre avec son corps. Parvenant à retrouver un soupçon de bon sens malgré ma soif de lui, je murmure dans sa bouche :

— Préservatif.

— Je n'en ai pas.

Jack continue à m'embrasser et mon cœur se serre.

— Enfin merde, ça ne faisait pas partie de mes projets pour la soirée, Annie ! Tu en as un ?

J'enroule ma langue autour de la sienne et enfonce les ongles dans ses épaules.

— Je n'en ai pas non plus. On devrait s'arrêter.

— Est-ce que tu prends la pilule ?

— Oui, mais le problème n'est pas réglé pour autant.

Je continue à l'embrasser et à parler dans sa bouche.

— On devrait s'arrêter.

— Je sais.

Jack prend mes mains sur ses épaules, les lève contre la vitre et lâche brièvement ma bouche afin de mordre ma lèvre. Il replonge ensuite sa langue à l'intérieur et m'explore minutieusement.

— Il faut qu'on s'arrête.

— En effet, dis-je entre deux gémissements de plaisir.

Il glisse ses doigts entre les miens au-dessus de ma tête, puis ses lèvres se promènent sur ma joue et dans mon cou.

— Dis-moi d'arrêter, exige-t-il faiblement, sans la moindre conviction, tout en suçant et mordant ma chair.

— Oh, mon Dieu ! Jack, il faut que tu arrêtes.

Je renverse la tête contre la vitre et mes cuisses se resserrent autour de sa taille.

— D'accord. C'est ce que tu veux ?

— Non !

Jack fait pivoter ses hanches et me pénètre avec un cri rauque de satisfaction, les dents légèrement serrées sur la peau de mon cou. Mon univers tout entier explose et un plaisir puissant m'envahit tandis que je pousse vers le plafond un long cri désespéré et satisfait. Il est immobile à présent, mais son souffle est irrégulier. Je sens son long membre épais entièrement en moi. Cette sensation de plénitude brouille mes pensées, une chaleur emplit mes veines et fait bouillir mon sang. Nous semblons si complémentaires qu'il m'est impossible de repousser Jack. Ses mains fermées sur les miennes au-dessus de ma tête me tiennent solidement ; mes jambes sont enroulées autour de lui comme du lierre.

— Mon cœur bat comme un fou, avoue-t-il, alors que ses efforts pour rester immobile font trembler ses hanches. J'ai l'impression qu'il va éclater, putain, c'est tellement bon. Mais de quelle planète viens-tu, Annie ?

Je lui retournerais la question si je n'avais pas perdu toute capacité de parler. Je presse donc le visage contre le sien, ferme les yeux et savoure la sensation de nos corps connectés.

Deux inconnus.

Deux parfaits inconnus. Le fait que cette union soit aussi enivrante dépasse la raison. Toute cette situation *me* dépasse. Posant le menton sur mon épaule, je regarde par la fenêtre derrière moi. La ville en bas brille de mille feux, les gens vaquent à leurs occupations. Et je suis tout là-haut au-dessus d'eux, plaquée contre une fenêtre avec la queue d'un inconnu enfouie en moi.

— Est-ce que ça va ?

Sa question, posée d'une voix douce, m'oblige à m'interroger, car je crois que la tête que j'ai perdue ne reviendra plus jamais.

Et ça ne me pose aucun problème.

Je me frotte contre lui au lieu de répondre, ce qui le fait sursauter en poussant un gémissement. C'est si bon que je recommence, accélérant la friction autant que je le peux sans que Jack bouge.

— Oh merde, marmonne-t-il.

Il lève la tête et ses yeux gris se posent sur moi. Des étincelles jaillissent. Un désir encore plus fort m'envahit. Je perds tout contrôle de mon univers. Il me regarde en se retirant d'un mouvement lent, assuré et minutieux. Lorsqu'il s'arrête et qu'il ne reste que le bout de son sexe en moi, j'inspire et retiens mon souffle afin de me préparer à la suite.

Soudain, Jack m'empale d'un coup de hanche et je pousse un cri. Jack grogne et prend de la vitesse – finis l'attente, les scrupules, les doutes. Il va et vient brutalement en moi, me pilonne encore et encore, ajoute un frottement de temps à autre, afin que je ne devine jamais ce qui va suivre. Mes cris de plaisir sont incessants, nos sueurs se mêlent ; ses mains autour des miennes serrent plus fort et gardent mes bras droits comme des i au-dessus de ma tête. C'est totalement dingue. Cette union déchaînée, crue, charnelle m'incite à me demander, au milieu des sensations grisantes, si cette unique nuit de passion me suffira. Je retiens l'orgasme de toutes mes forces, car il est trop tôt pour en finir. Avec un peu de chance, Jack est dans le même état d'esprit.

— Putain ! s'écrie-t-il.

Il lâche mes mains, saisit mes fesses, décolle mon dos de la vitre et se tourne.

Il m'emporte ensuite vers l'autre côté de la chambre, puis passant un bras sous mes fesses, il débarrasse le dessus du bureau, me dépose sur le bois et se couche sur moi afin de ne pas rompre notre connexion. Je pousse un petit cri et me tortille sur le bois verni tandis qu'il me soulève et se redresse en empoignant mes cuisses. Mes mains passent au-dessus de ma tête et agrippent le bord du bureau.

Les dents serrées, il se retire et renverse la tête, mais ses yeux restent rivés aux miens. Il commence ensuite à aller et venir en moi. Au milieu des claquements de peau moite s'élèvent pêle-mêle nos cris de plaisir bruyants.

Pourtant, je continue à empêcher l'orgasme imminent de m'envahir.

Le bureau craque sous la force des va-et-vient. Au moment où je pense qu'il va céder, le bras de Jack se glisse sous mon dos et me soulève. L'avant de mon corps s'écrase contre le sien et je pousse un cri. Je m'accroche à lui tandis qu'il recule et se laisse tomber sur le dos sur le lit. À présent, mon corps le chevauche.

— Baise-moi, Annie, exige-t-il, la voix rauque, affamée et excitée. Baise-moi fort.

J'ai reçu un ordre. Pas question de le faire attendre. Mes hanches s'agitent et je me balance d'avant en arrière, les paumes plaquées sur son torse ferme. Ses doigts agrippent mes cuisses. Son visage est tendu.

— Oh merde, grogne-t-il, tandis que ses hanches s'agitent au rythme des miennes.

La vue de son corps, l'effet que je lui fais, tout est addictif. Je suis à la fois épuisée et pleine d'énergie. Mon corps agit sans réfléchir. Après une courte pause, je recommence à bouger. Les muscles du ventre de Jack se tendent ; il se redresse puis nous rapproche du bord du lit et m'installe sur ses genoux. Il guide mes jambes derrière son dos de sorte que je l'enveloppe. Ses mains se posent sur mes hanches, puis enfin, il me soulève et me laisse retomber en exhalant un souffle saccadé.

Je pousse un petit cri, car cette nouvelle position lui permet de me pénétrer plus profondément. Mon cou soutient à peine ma tête, mais je refuse de le quitter des yeux tandis qu'il me guide énergiquement et me laisse retomber sur ses genoux à maintes reprises. Je ne sais pas combien de temps encore je pourrai repousser l'orgasme. Les stimulations sont si nombreuses ! Je halète et ma tête tombe en avant, si bien que nos fronts se touchent.

— Jack !

Me sentant proche de l'orgasme, il me retourne, me couche sur le dos et se dépêche de me pénétrer. Je pousse un cri. Jack rugit. Le corps et l'esprit en miettes, je suis presque effrayée par le potentiel de l'orgasme qui va m'emporter. Il promet d'être puissant. Jack se baisse et s'appuie sur les avant-bras, puis mes cuisses se referment sur sa taille et Jack entame les derniers mouvements qui nous mèneront à l'explosion.

Lorsqu'il m'interroge du regard, je lui réponds par un hochement de tête. Les derniers coups semblent le faire souffrir, car son visage se tord, tout comme le mien certainement. Les veines de son cou se gonflent, sa queue enfle, et basculant dans un abîme de plaisir, je hurle tandis que mon clitoris explose.

Mon esprit se vide, mon corps se détend et Jack s'effondre sur moi, m'écrasant contre le matelas tandis que nous balbutions et haletons. Comme par réflexe, mes bras se lèvent, lui entourent le dos et rapprochent son corps lourd du mien tandis que nous surfons sur les vagues de plaisir qui se propagent à travers nos corps. Sa poitrine comprime la mienne et sa peau mouille mes mains sur son dos.

Ouvrant les yeux, je regarde le plafond de la chambre, les oreilles emplies des sons de nos halètements. Jack est capable de me couper le souffle de bien des façons.

Le silence est agréable ; aucun de nous n'est pressé de le rompre, et je commence à me demander s'il fait la même chose que moi maintenant. Essaie-t-il de comprendre ce qui vient de se passer ? Essaie-t-il en silence de mesurer la folie extrême de l'incroyable moment que nous venons de partager ? Mon esprit commence à s'emballer tandis que je trace distraitement de petits cercles sur son dos.

Un petit rire m'interrompt. Jack se tortille sur moi. Incapable de me retenir, je souris.

— Chatouilleux ?

Il soulève le torse en frissonnant puis baisse les yeux vers moi. Ses yeux. Mon Dieu, ses yeux pétillent comme du champagne !

— D'habitude, non. Mais tes mains semblent provoquer pas mal de choses en moi.

Je me retiens de lui dire que c'est réciproque, même si je sens qu'il le lit dans mon regard, car il tend la main vers mon visage et trace une ligne parfaite de ma joue à mon menton en souriant. Jack a l'air pensif, et je donnerais n'importe quoi pour savoir à quoi il pense.

— Annie l'architecte, murmure-t-il en me regardant dans les yeux. Je suis content de ne pas être rentré directement chez moi.

Il se penche et dépose un doux baiser sur mes lèvres, qui me coupe à nouveau le souffle.

— On peut dire que tu me distrais agréablement de la vie réelle.

J'adopte le rythme de son baiser et le laisse avec plaisir me distraire de la vie telle que je la connais aussi.

Juste le temps d'une soirée.

4

La texture du drap sur lequel je suis allongée m'est étrangère. Tout comme l'odeur du coton. Mes muscles sont douloureux lorsque je m'apprête à me retourner. Je gémis, le corps tout endolori, puis je cligne lentement des yeux. Les sourcils froncés, je ne peux réprimer une grimace lorsque je recommence à bouger afin de me redresser. Bon sang, mais où est-ce que je suis ?

Le son d'une inspiration profonde et tranquille pénètre ma confusion. Je baisse les yeux et découvre le corps long et nu d'un homme. J'examine l'étendue de ses muscles fins puis mes yeux se promènent jusqu'à son visage stupéfiant.

— Oh mon Dieu, dis-je à voix basse.

Quel magnifique visage ! Une barbe de plusieurs jours couvre sa mâchoire, ses cils sont longs, ses lèvres légèrement écartées ; un bras épais et parfait se tend au-dessus de sa tête en travers de l'oreiller blanc.

Jack.

Des flashs.

Tellement de flashs ! Contre la fenêtre, sur le bureau, au bord du lit, moi sur lui, lui sur moi. Ses yeux baissés vers mon corps. Son petit rire tandis que je lui caresse le dos. Ses paroles. Ses baisers. Et puis d'autres orgasmes explosifs – sous la douche, contre la porte de la salle de bains, à nouveau dans le lit. Je lève la main et tâte mes cheveux mouillés, puis je serre les cuisses avec une grimace de douleur.

Sans préservatif.

Non, mais qu'est-ce qui m'a pris ? Cet homme est un inconnu. Un parfait inconnu. Le fait que Jack m'ait semblé parfaitement familier tout le temps où nous nous sommes explorés est sans intérêt maintenant. Notre puissante connexion se noie dans un océan de regrets.

Jetant un coup d'œil au réveil, je découvre qu'il est quatre heures et quart. Le soleil ne va pas tarder à se lever.

Je me rapproche aussi discrètement qu'une souris du bord du lit puis, dans la faible lumière, je cherche à tâtons ma robe sur le sol et la trouve près de la fenêtre. Je traverse la moquette sur la pointe des pieds, le corps entièrement tendu, ce qui ne soulage en rien mes courbatures. La vache, j'ai l'impression qu'un putain de bus m'est passé dessus. Je me dépêche d'enfiler ma robe, glisse mes pieds dans mes chaussures à talons puis ramasse mes sous-vêtements et mon sac.

Enfin, comme si je risquais d'être frappée par la foudre au moindre bruit, je me glisse hors de la chambre – que Jack a payée pour que nous puissions nous envoyer en l'air – et referme la porte le plus doucement possible. Je cours jusqu'à l'ascenseur comme une dératée et appuie sur le bouton d'appel. Lorsque les portes s'ouvrent, de nouveaux flashs-back m'accueillent à l'intérieur. Je me revois pressée contre la paroi du fond, tandis qu'il m'embrasse avec une passion folle ; une pure extase se lit sur mon visage.

Je rabats un couvercle sur ces pensées et grimpe dans l'ascenseur.

J'ai couché avec un putain d'inconnu.

* * *

Arrivée chez moi, je file tout droit sous la douche. L'idée que l'eau chaude efface les preuves de cette aventure imprudente ne me réconforte que légèrement. Je ne peux pas vider mon esprit du reste et je doute d'y parvenir un jour. Mes muscles protestent à chacun de mes mouvements tandis que je savonne mon corps encore et encore. L'eau me frappe violemment la peau, plus chaude que je ne la tolère d'habitude.

Contre la fenêtre. Son corps immense et ferme touche le mien partout.

Je secoue la tête et me savonne plus énergiquement, concentrée sur le besoin obsessionnel de me frotter jusqu'au sang. Je me sens sale. J'ai honte d'avoir été aussi insouciante. Pire encore, je me sens submergée par le souvenir du lien puissant qui nous a unis ; les sensations sont toujours présentes, comme s'il était avec moi sous la douche.

Sur le bureau. L'expression de ses yeux gris.

Les dents serrées, j'écrase l'éponge dans mon poing et la jette sur le sol de la douche avant d'attraper le shampoing et d'en faire couler dans ma main. Je lève les mains vers mes cheveux et frotte avec rage et acharnement.

Avec rage et acharnement. Quelle sensation ! Il me prend avec une telle puissance.

Je hurle et me laisse tomber dos au mur. Mes muscles endoloris se relâchent et je m'effondre sur le sol de la douche. Assise là, les yeux levés vers la pomme de douche et l'eau qui dégouline sur moi, je revis chaque seconde folle et intense que j'ai passée avec Jack. Avec un peu de chance, une fois que j'aurai revécu toute la scène, mon esprit cédera et sera suffisamment satisfait pour oublier Jack. Oublier l'homme qui m'a momentanément fait dévier du cours de ma vraie vie.

* * *

Je reconnais ces draps. Au toucher, à l'odeur. Je me retourne en poussant un grognement. La douleur semble empirer. D'après mon portable, il est neuf heures et demie. Après m'être torturée sous la douche à grand renfort d'eau chaude et de souvenirs, j'ai grimpé dans mon lit et me suis assoupie. Cependant, mes rêves ne m'ont laissé aucun répit.

J'ai vu ses yeux gris, entendu sa voix de velours, senti sur moi ses lèvres douces et ce corps fait pour commettre des folies. Ce n'était qu'une aventure d'un soir. Qu'une aventure sans lendemain.

Lorsqu'un fracas retentit dans la cuisine, je me redresse brusquement.

— Il y a quelqu'un ?

Je bondis de mon lit et enfile un T-shirt.

— Merde !

Le juron de Micky m'apaise un peu, mais je me pose tout de même des questions. Que fait-il ici aussi tôt un dimanche matin ? Je me dirige vers la cuisine et le trouve agenouillé sur le sol, en train de ramasser des grains de café. En boxer.

— Mais qu'est-ce que tu fais ?

J'enjambe les dégâts afin de lui donner la pelle à poussière.

— C'est pour ça que je vais au Starbucks, grommelle-t-il en levant les yeux vers moi.

Son petit chignon étant défait, sa tignasse blonde longue jusqu'aux épaules est tout emmêlée. Toujours accroupi, il plisse des yeux soupçonneux et me regarde en marmonnant.

— À quelle heure es-tu rentrée, espèce de petite dévergondée ?

Je commence à reculer et écrase des grains de café au passage.

— Euh...

J'avale ma salive puis regarde par-dessus mon épaule. Je dois avoir l'air parfaitement coupable.

— Tiens, c'est qui sur le canapé ?

Incrédule, j'aperçois un mouvement sous une pile de couvertures dans le salon. Je pivote sur mes talons et découvre un Micky à l'air aussi coupable que le mien un instant plus tôt.

— Euh... eh bien... tu vois...

Il se relève et pointe la balayette vers moi en se creusant la tête.

— Je t'ai donné une clé pour les cas urgents ! dis-je sèchement, agacée. Et t'envoyer en l'air n'en est pas un !

— Je suis venu ici pour m'assurer que tu étais bien rentrée ! réplique-t-il, le torse bombé. Alors, à quelle heure es-tu arrivée ?

Je fais un rapide calcul dans ma tête. Je les ai tous entassés dans un taxi à minuit et demi. Il lui a fallu une demi-heure pour arriver ici. Micky et Lizzy étaient totalement ivres ; je ne peux pas croire qu'ils ont fait ça pendant...

Mes pensées s'arrêtent net. Je me retourne en hurlant :

— Lizzy !

Elle sort la tête de sous un coussin en clignant des yeux, les cheveux en pagaille.

— Salut, croasse-t-elle avant de replonger sous les couvertures pour se cacher.

Les dents serrées, je me retourne lentement vers cette traînée de Casanova et le fusille du regard. Il a l'air tout penaud. Encore heureux.

— Espèce de connard.

— Ça t'était bien égal hier soir ! proteste-t-il en recommençant vite à balayer les granulés, toujours à moitié nu. Parce que tu étais trop occupée à te laisser tripoter dans ce bar !

Il me lance un regard dégoûté et j'évite son regard accusateur en pâlissant.

— Est-ce que tu vas me dire à quelle heure tu es rentrée, oui ou non ?

— Deux heures, mens-je.

Je me dirige ensuite vers le placard d'un pas lourd, l'ouvre d'un coup sec et sors un mug – le plus grand que je peux trouver.

— Je ne dormais pas à deux heures.

— À trois heures, alors. Je ne m'en souviens plus. Et je crois que tu es assez mal placé pour me juger, dis-je avec mauvaise humeur en allumant la bouilloire.

— Je suis un mec, Annie. Je peux me débrouiller tout seul. Tu ignorais totalement qui était ce mec.

— Je suis rentrée en un seul morceau, non ? Et on ne peut pas dire que tu te sois vraiment préoccupé de mon sort. Ça non ! Parce que tu étais trop pressé de parvenir à tes fins avec Lizzy. Cette fichue Lizzy !

— Oui ?

Mon amie sort à nouveau la tête de sous les couvertures en clignant des yeux.

— Rien ! crions-nous en chœur

Elle retourne aussitôt dessous, l'air penaud.

— Elle vient de rompre avec Jason ! Un flirt, d'accord, mais...

— Nous étions bourrés.

Micky me lance un regard agacé. Je le lui rends en passant à côté de lui et ferme la porte de la cuisine, la main serrée sur l'anse de mon mug vide. Je tremble, et maintenant que j'ai cessé de crier, mes courbatures me font à nouveau souffrir. De la tête aux pieds. Ça fait un putain de mal de chien.

L'inquiétude remplace l'agacement dans le regard de Micky lorsqu'il se promène sur mon corps.

— Est-ce que ça va ?

Je craque. Posant bruyamment mon mug sur le plan de travail, j'enfouis le visage dans mes mains et balbutie comme une hystérique. Moi qui ne pleure jamais ! Absolument jamais ! Pas même quand c'est le moment de verser une larme, à la fin des films les plus cucul. Je n'ai même pas versé une larme quand je suis partie à l'université sous le regard ému de ma mère.

JE NE PLEURE JA-MAIS.

— Hé !

Micky s'élance vers moi. Ses bras forts entourent mes épaules et me serrent contre lui. Je crois qu'il n'avait encore jamais eu l'occasion de le faire, sauf peut-être le jour où mon lapin est mort quand nous avions quinze ans.

— Qu'est-ce qui t'arrive, Annie ? Raconte !

— Rien.

Je sanglote en secouant la tête contre sa poitrine. Je ne sais pas ce qui m'arrive. C'est totalement ridicule, mais je n'arrive pas à chasser ces flashs ni à oublier les sensations incroyables provoquées par Jack. C'est dingue et carrément frustrant.

Micky m'embrasse sur la tête plusieurs fois avant de s'écarter et de regarder mes joues humides de larmes.

— Est-ce qu'il t'a fait du mal ?

— Non, pas du tout. C'était juste...

Je me tais, car je ne suis pas sûre de savoir comment l'exprimer.

— Intense. Je sais pas. Une connexion idiote. Une alchimie. Appelle ça comme tu veux.

Je m'essuie le visage, ravale cette émotion stupide et injustifiée, puis je ris.

— La vache, on s'est pris une sacrée cuite hier soir, hein ?

Micky rit doucement et agite le pouce par-dessus son épaule vers la porte, en direction de Lizzy.

— Je te le fais pas dire !

Je lève les yeux au ciel, car je connais cette expression. Traduction : « Mais qu'est-ce qui m'a pris de faire un truc pareil ? » J'espère juste que Lizzy regrette cette aventure autant que lui et qu'elle ne provoquera aucune gêne entre nous.

— J'ai besoin d'un café, dis-je en levant mon mug. Tu peux m'en préparer un ?

— Tout de suite.

Il prend la tasse de mes mains et me tapote les fesses lorsque je me tourne pour ouvrir la porte.

Je me dirige vers le canapé sur lequel se cache mon amie, atterris sur le bord et écrase ses pieds. Cependant, elle n'émet pas un son ni ne bouge un seul muscle.

— Tu peux continuer à te cacher, ça ne changera rien au

fait que tu es sur *mon* canapé dans *mon* appartement et que Micky se trouve dans la cuisine, tu sais.

Silence.

Je tâte les draps à l'endroit où doit se trouver sa tête.

Aucun mouvement.

Levant les yeux au ciel, j'attrape la couverture et tire. Aussitôt apparaît Lizzy... entièrement nue.

— Hé ! hurle-t-elle en m'arrachant la couverture des mains, avant de la ramener sur elle.

— Désolée ! dis-je en riant. Enfin, c'est pas comme si on t'avait jamais vue à poil, Micky et moi.

Lizzy remonte la couverture jusqu'à son menton et me regarde du coin de l'œil en faisant semblant d'arranger son lit.

— Tu es en colère contre moi ? demande-t-elle avec une moue.

Je secoue la tête et m'allonge. Comment l'être ? Elle tente simplement de se remettre d'une rupture.

— Quelle bêtasse.

— Je sais, concède-t-elle. Alors... qu'est-ce qui s'est passé ?

Je détourne les yeux, craignant que mon regard trahisse mes frasques de la nuit.

— J'ai bu un verre avec lui.

— Du potentiel ?

— Non.

Mon rire faiblit lorsque je repense à lui.

Micky entre et me tend mon mug géant en me lançant un regard. Je hausse les épaules et prends mon café tandis qu'il donne le sien à Lizzy.

— Je vous laisse, dit-il en repartant dans la cuisine.

Je crains le pire, car Lizzy mate ses fesses jusqu'à ce qu'il disparaisse. Je ne peux pas lui en vouloir. Il a un cul magnifique. Et un dos magnifique. Et un ventre magnifique. Et des jambes magnifiques.

— Dans ce cas, pourquoi ces larmes ? demande-t-elle en reportant son attention sur moi.

— Je suis fatiguée, répliqué-je en marmonnant. J'ai la gueule de bois, j'ai faim et j'ai besoin de caféine.

J'avale mon café bruyamment et entends mon portable sonner dans ma chambre. L'idée d'utiliser mes muscles pour me lever du canapé suffit à m'immobiliser. Je le laisse donc sonner. Dix secondes plus tard, Lizzy cherche son portable dans son sac à main. Elle vérifie qui l'appelle puis me lance l'appareil sur le canapé. Je découvre le nom de Nat qui semble me menacer depuis l'écran. De son côté, Lizzy affiche un petit air suffisant.

— Il se peut que je lui aie parlé de ton mec quand on l'a déposée chez elle en taxi.

Super.

— Pourquoi tu me regardes comme ça ? dis-je avec humeur. Tu ne crois pas que tes cochonneries vont l'intéresser aussi ?

Je pointe le doigt vers la cuisine et Lizzy replonge sous les couvertures.

— Allô ? fais-je d'une voix claire et enjouée.

— Je veux tout savoir, Ryan. Et où est passée cette foutue Lizzy ?

— Il n'y a pas grand-chose à dire, réponds-je machinalement, décidant que je ne parlerai plus jamais de cette histoire.

De toute ma vie.

— J'ai bu un verre avec lui.

C'est tout. Lorsque Micky me regarde et sourit, je devine qu'il ne trahira pas mon secret.

— Et Lizzy a dormi sur mon canapé.

— Avec ?

— Personne, mens-je à nouveau.

Je ne peux pas mentionner la présence de Micky tout de suite. Nat ne sera pas impressionnée.

— Où est Micky ?

— Chez lui, je suppose.

Décidément, je mens avec une facilité déconcertante. Juste au moment où je pense l'avoir tiré d'affaire et lui épargner une future leçon de Nat, Micky trébuche sur je ne sais quoi et fait valser son café.

— Et merde ! hurle-t-il en sautillant dans la cuisine. Putain de sa race, c'est bouillant !

Je m'affaisse sur le canapé.

— Chez lui, hein ? demande Nat avec lassitude. Je suis là dans une minute. Non, mais franchement ! Qu'est-ce que vous avez tous foutu ?

— Passe d'abord au Starbucks ! dis-je juste au moment où elle raccroche.

* * *

Nous paressons toute la journée. Affalés dans mon salon, nous regardons des émissions de télé idiotes et mangeons de la bouffe spéciale gueule de bois. Chacun de nous a la tête dans le pâté. Bien calée tout au bout du canapé, les pieds pendant sur les épaules de Micky qui est assis par terre devant moi, je suis incapable de tirer un trait sur les événements de la nuit dernière et ça me frustre de plus en plus. Je ne cesse d'y repenser. Les images repassent dans ma tête, encore et encore, sans arrêt, jusqu'à ce que je décide que j'ai besoin d'air.

Sans bruit, je me glisse hors de l'appartement dans mon jardin et inspire à fond pour retrouver mes esprits. Ou du moins j'essaie. Je me demande à quelle heure il s'est réveillé. Ce qu'il a pensé. S'il était soulagé ou déçu que je sois partie. Ces questions me rendent totalement dingue.

Une aventure d'un soir. C'est tout. Je sais comment ces choses-là fonctionnent. Mais avec un homme que je connaissais depuis une demi-heure ? Et dans un hôtel ? Et sans protection ? J'ai dû perdre la tête hier soir. Cependant, il était si facile de la perdre avec Jack. Il m'a privée de ma raison.

M'a fait capituler. Cette attitude me ressemble si peu ! Et couper les cheveux en quatre de cette façon encore moins.

Je lève les yeux vers le ciel. Si j'ai quitté cette chambre d'hôtel, c'est parce que j'avais une bonne raison de le faire. Le problème, c'est qu'elle m'échappe totalement. Suivant mon instinct, je suis partie comme une flèche. Ce serait facile à accepter s'il ne s'était rien produit – aucune étincelle, aucune connexion, aucune alchimie. Mais il y a eu des étincelles. De l'alchimie. Il y a eu une connexion profonde et inexplicable. Et ça m'a effrayée. C'est la seule explication possible à cette fuite.

— Ressaisis-toi, putain ! me dis-je lentement en claquant la paume de ma main sur mon front.

Partir avant qu'il se réveille était la meilleure décision. Aucun regard embarrassé au réveil. Aucune interrogation sur la suite. Parfait. Alors pourquoi mon esprit tente-t-il d'en faire un méli-mélo de complications ? Ça me dépasse.

Il faut que je mette fin à cette stupide obsession parce qu'aucun homme aussi doué et séduisant ne peut être un bon parti pour une femme. Voilà pourquoi je l'ai quitté.

Je retourne dans l'appartement et fais un saut aux toilettes afin de jeter un œil à mon visage. Je me passe les mains sur les joues. Elles sont toujours rouges. Comme après un orgasme. Secouant la tête, je vais chercher mon sac sur mon lit pour prendre mon portable. Mes doigts hésitent lorsqu'ils se posent sur quelque chose d'autre. Je sors la main et contemple la capsule Budweiser au centre de ma paume.

Un souvenir de lui.

La nuit dernière va vraiment rester dans les annales. Mes annales. C'était une soirée mémorable et je suis triste de n'avoir que ce souvenir de lui. Une capsule de bouteille. Et les sensations de cette nuit-là.

5

La semaine a passé vite. Le travail a accaparé tout mon temps, mais j'ai réussi à retrouver Micky pour un déjeuner et Lizzy pour un dîner. Micky s'est comporté comme je m'y attendais : les événements du week-end entre Lizzy et lui le laissent de marbre. J'ai rencontré Lizzy le lendemain en espérant qu'elle aurait la même réaction. Pleine de regrets, elle a levé les yeux au ciel lorsque je lui en ai reparlé.

— Tu peux me croire, c'était juste un coup avec un pote. C'est déjà de l'histoire ancienne.

Si seulement je pouvais me convaincre que c'est la même chose avec Jack. De l'histoire ancienne. Mais son foutu visage n'arrête pas de me venir à l'esprit, ainsi que toutes les magnifiques parties de son corps. C'est comme s'il s'était tatoué dans mon cerveau. Lui et les souvenirs de cette nuit-là me tourmentent au quotidien – je n'ai aucun espoir de les oublier. Revivre toutes ces sensations est à la fois frustrant et excitant. Mon corps est encore courbaturé, mais la douleur est plus savoureuse maintenant. Bientôt, toute preuve physique de mon aventure avec Jack aura disparu. Pourtant, je sais que les souvenirs resteront aussi frais qu'ils l'étaient le lendemain matin. On est vendredi, merde ! Ça fait presque une semaine entière. Quand est-ce qu'il foutra enfin le camp de ma tête ?

— J'adore ! dit Colin Pine en examinant le dessin revu et corrigé de la façade de sa nouvelle galerie.

C'est un homme appliqué. Toute sa vie tourne autour de l'art. Il crée et nourrit son imaginaire du maximum d'informations possible. Il a constamment le nez plongé dans toutes sortes de manuels, magazines ou journaux culturels.

— Et tu penses que le service de l'urbanisme sera d'accord ? demande-t-il en remontant ses lunettes sur son nez, les yeux levés vers moi.

Je pose mon café et souris.

— Le règlement stipule que la façade doit être en adéquation avec la rue et le quartier.

Je pointe le dessin du doigt et les fenêtres à guillotine.

— Nous ne modifions pas tellement la façade et, vu l'état du bâtiment, tout ajout ne peut que l'améliorer.

Colin rit.

— On aurait pu croire que la municipalité se réjouirait que quelqu'un rénove enfin cet endroit, mais au lieu de ça, elle ne cherche qu'à imposer sa loi. Ce bâtiment est pourtant une horreur.

— Tu as raison, c'est sans doute pour ça qu'ils ont accepté ce projet.

Il me regarde, stupéfait.

— Ils l'ont accepté ?

Je souris.

— Après deux rejets, je suis passée aux bureaux, histoire de dire deux mots à l'agent de l'urbanisme. Et le projet que tu as sous les yeux est maintenant réalisable.

— Enfin ! s'écrie-t-il en m'applaudissant.

— Et cette toiture au fond sera l'élément qui le distinguera de toutes les autres galeries.

— Assurément.

Colin soupire en secouant la tête d'un air désespéré.

— Mais le prix, Annie...

Je souris. Je savais que le coût potentiel lui poserait problème. C'est pour cette raison que j'ai fait quelques recherches.

— J'ai une proposition.

— Laquelle ?

— J'ai entendu parler d'une boîte installée en France et j'ai passé un coup de fil au gérant. Le prix qu'il m'a proposé est deux fois moins élevé que celui du fabricant anglais. Du coup, nous respectons parfaitement notre budget.

Mon excitation est à peine répressible.

— Ma seule inquiétude, c'est le transport depuis la France jusqu'à Douvres.

— Une bonne société de transport devrait pouvoir nous le livrer sans encombre, non ?

— Je l'espère, car s'il est endommagé en arrivant sur le chantier, tout notre planning tombera à l'eau et les maçons ne seront pas contents. Toi non plus, j'imagine, car le timing est serré si on veut être prêts pour ta soirée d'ouverture.

— La moitié du prix, quand même !

— Le montant variera en fonction des dernières mesures, mais je suis sûre que le devis est exact.

— Dans ce cas, c'est tout vu.

— Fantastique !

Colin se lève et ramasse sa serviette.

— Je laisse mon projet entre tes mains habiles, Annie. Fais-moi signe si tu as besoin de quoi que ce soit. Et je veux bien une copie de ces dessins pour mon entrepreneur. Il pourra ainsi me fournir un devis définitif. Les coordonnées de cette entreprise française pourraient aussi lui être utiles au moment où il devra entrer en contact avec elle.

— Je t'envoie tout ça ce soir.

— Tu peux me les apporter lors de notre rendez-vous lundi matin, autrement. Je devrai être à la vente aux enchères à dix heures, alors que dirais-tu de me retrouver au bistrot au coin de la rue à neuf heures et demie ?

— Ça marche.

Rassemblant mes affaires, je lui tends la main et Colin la serre fermement.

— On se voit demain soir de toute façon ?

Colin fronce les sourcils.

— Demain soir ?

— Je t'ai invité à ma pendaison de crémaillère !

Je souris et passe mon sac sur mon épaule.

— Mais ce n'est pas grave si tu as oublié.

— Merde, je dois dîner avec l'entrepreneur en bâtiment qui se chargera des travaux ici. C'est juste un dîner informel avant qu'on donne le coup d'envoi les choses lundi à la réunion. Je m'éclipserai dès que possible.

— Hé, tu n'as qu'à venir avec lui. Ce serait pas mal qu'on fasse connaissance avant lundi.

— Oui, très bonne idée !

— C'est réglé alors. On se voit demain.

Je souris et me mets en route.

* * *

Portant la cuillère à mes lèvres, j'avale le mélange bruyamment et fais tourner le liquide dans ma bouche.

— Plus de rhum, dis-je en inclinant la bouteille au-dessus du saladier, avant de mélanger.

Je lève la cuillère, goûte à nouveau et réprime une grimace. Costaud. C'est parfait ! Je porte le saladier de punch jusqu'à la grande table et lèche mes doigts poisseux avant d'aller chercher les verres dans le placard et de les aligner afin qu'ils soient facilement accessibles. Je veux que tout soit à portée de main, histoire de ne pas avoir à courir dans tous les sens toute la soirée. J'ai envie de m'amuser et de me soûler jusqu'à ce que les souvenirs persistants de Jack s'effacent totalement de ma mémoire. J'ai bien besoin de cette soirée – amis, alcool et rigolade. Lorsqu'on frappe à la porte, je cours afin de laisser entrer la bande, mais trouve Lizzy seule sur le seuil. Personne d'autre, juste Lizzy.

— Où sont les autres ?

— En chemin.

Me poussant sur le côté, elle se dirige vers la cuisine.

— J'avais envie de te parler avant qu'ils arrivent.

— Pourquoi ? Qu'est-ce qui ne va pas ?

Est-il arrivé quelque chose à Jason ? Je la suis, ouvre une bouteille de vin et remplis deux verres.

— Toi, Annie. C'est toi qui ne vas pas ! Tu as été bizarre toute la semaine. Silencieuse. C'est à n'y rien comprendre.

Je me ferme comme une huître, le regard affolé. Je ne peux pas nier que j'étais dans tous mes états. Même Micky a fait un commentaire au déjeuner, et lorsque j'ai répondu d'un seul mot au message de Nat hier, elle m'a appelée pour savoir ce qui m'arrivait, elle aussi.

— J'ai l'esprit occupé, c'est tout, dis-je sans conviction en buvant du vin.

— Par quoi ? me demande Lizzy d'un ton soupçonneux et curieux.

Ça ne me plaît pas du tout.

— Le travail. Toutes les choses à faire dans cet appartement.

— Je ne te crois pas, lâche-t-elle, vexée. Tu n'es plus la même depuis samedi soir. Qu'est-ce qui s'est passé ? Et je t'en prie, ne te fous pas de moi en prétendant que vous avez juste passé un moment agréable.

— Mais c'était un moment agréable, fais-je en haussant les épaules.

— Annie !

— Bon, d'accord !

Frustrée, je repose bruyamment mon verre.

— Je me suis tapé ce mec. Enfin, il m'a sautée. C'était incroyablement bon. *Il* était incroyablement bon, mais ses capacités mises à part, il y a eu...

Je me tais. Un chapelet de petits cris choqués s'échappe de la bouche de mon amie.

— Quelque chose.

— Quelque chose ? répète-t-elle à voix basse. Qu'est-ce que tu veux dire ?

— J'en sais rien, réponds-je d'une voix rauque, avant de reprendre mon verre et d'avaler une longue gorgée de vin. Une alchimie. Une connexion. Une chose que je n'avais jamais vécue avant.

— Oh merde, murmure-t-elle.

— Tu m'aides beaucoup.

— Je n'arrive pas à croire que tu m'as caché une chose pareille, Annie !

— Eh bien, comme Jason et toi...

— On s'en fout de Jason et moi ! Ce n'est qu'un sale porc. Comment vous êtes-vous quittés ? Est-ce qu'il t'a donné son numéro ? Vous vous êtes donné rendez-vous ?

Je grimace.

— J'ai filé pendant qu'il dormait.

— Quoi ? s'écrie Lizzy en posant bruyamment son verre à son tour. Non, mais tu te fous de moi ?

— Non. Mais j'aimerais bien.

Cette réponse spontanée me surprend. Mais oui, je regrette bel et bien d'être partie et de ne lui avoir laissé aucun moyen de me contacter.

— Je n'arrête pas de penser à lui, Lizzy. Ça me rend complètement dingue !

— Ouah. C'était si bien que ça ?

Je m'effondre sur une chaise, épuisée par ces aveux.

— C'est fou, non ?

Je me demande pour la millième fois si Jack pense à moi. J'aime penser qu'il est aussi troublé que moi et qu'il revit sans cesse cette nuit-là, obsédé par le lien qui s'est établi entre nous et ce qu'il peut signifier.

— Tu as cherché son nom sur internet ?

Je ris.

— Je n'ai pas beaucoup d'éléments. Il s'appelle Jack et...
ma foi, c'est tout.

— Mais tu as envie de le retrouver ?

Voilà la question clé. Elle ne cesse de résonner dans ma
tête, bien enfermée, et m'oblige à revivre la perfection de
cette soirée nuit et jour... et ça me rend de plus en plus
folle. Je ne devrais pas tenter quelque chose de stupide et
risquer de gâcher ces souvenirs. En essayant de le retrouver par exemple, pour finir par apprendre que c'est un con.
En m'apercevant que la boisson a faussé mon jugement.
En découvrant qu'il n'est pas du tout comme dans mes
souvenirs. Mais, imaginons que ce soit le contraire ? Que
les étincelles jaillissent à nouveau et que je me sente toute
chamboulée ?

Lizzy se lève. Je la suis des yeux et rencontre son regard.
Elle sourit d'un air entendu.

— Ce soir, on se bourre la gueule, et demain, on fait une
recherche sur Google, histoire de voir si on peut retrouver
l'homme qui fait marcher ma copine en canard.

Et merde. Impossible maintenant qu'il foute le camp de
ma tête.

— D'accord.

Je me dirige vers la porte lorsque la sonnette retentit
et laisse entrer Micky, Nat ainsi qu'une poignée d'autres
personnes derrière eux. Tous agitent leurs bouteilles, leur
ticket d'entrée. Je ris et laisse passer devant moi le troupeau
qui me chante un bonjour. J'attrape Nat par le coude.

— Où est John ?

Je passe en revue les visages afin de m'assurer que je ne
l'ai pas raté.

— Pas là.

— Ah bon ?

Je lui lâche le bras afin qu'elle retire son léger blazer.

— Annie, je ne suis simplement pas faite pour m'occuper des gamins.

Elle lève les yeux au ciel.

— Surtout ceux qui mâchent des chewing-gums. La mésaventure de ma chevelure m'oblige à prendre position.

J'affiche une expression compatissante, histoire de dissimuler ma consternation.

— Il y a une bouteille ouverte dans le frigo.

— Super !

Elle file dans le couloir.

— Maintenant, on est toutes célibataires ! chantonne-t-elle en débarquant dans la cuisine, en mal d'alcool.

Je la suis avec un sourire, laissant Lizzy m'embrasser sur la joue au passage.

— Ça va ? demande-t-elle d'un ton hésitant en essuyant la trace de son rouge à lèvres rose.

— Parfaitement bien.

Je fais tinter mon verre contre le sien et descends la première d'une longue série de boissons.

* * *

Une heure plus tard, Micky a coiffé sa casquette de DJ et chacun lui crie le titre des morceaux de son choix. L'alcool coule à flots et les conversations sont animées. Les rires emplissent mon nouvel appartement. Debout dans le jardin, je regarde tous mes amis faire connaissance, un verre à la main. Nat arrive de la cuisine en parcourant la foule du regard. Elle me repère puis agite un bras en l'air.

— Encore des invités ! crie-t-elle en pointant le couloir du doigt, avant de filer vers Micky, ravie d'apercevoir des shots.

Je me précipite à la porte et l'ouvre en grand. Colin se trouve sur le seuil.

— Salut ! dis-je en lui montrant le chemin. Bienvenue, entre.

— Salut Annie ! répond-il joyeusement. Merci pour l'invitation.

Il pénètre dans mon vestibule et me serre chaleureusement dans ses bras.

Lorsqu'il me relâche, une belle dame en robe argentée me saute aussitôt dessus, une bouteille de vin à la main, dont elle tapote le côté avec un long ongle rouge.

— Comme nous tapons l'incruste, je vous ai apporté ça.

Colin rit.

— Annie, je te présente Stephanie.

Je prends la bouteille qu'elle me tend.

— Enchantée, Stephanie.

— Et voici son mari, Jack.

Colin agite la tête vers une personne située derrière moi.

— Mon entrepreneur.

Je me tourne vers la porte, les sourcils froncés. Mon cerveau met une éternité à comprendre.

Jack ? Entrepreneur ?

Son mari ?

Mon sang se glace, puis la bouteille de vin glisse entre mes doigts et vole en éclats à mes pieds, tandis que mes yeux se posent sur un regard familier d'un gris intense.

6

— Jack, parviens-je tout juste à murmurer, la bouche sèche, la main serrant la poignée de la porte dans l'espoir d'arrêter de trembler.

— Oh non ! s'écrie Stephanie, aussitôt à mes côtés. Est-ce que ça va ?

Elle se baisse et commence à ramasser les morceaux de verre.

— Oh là là, il y a du vin partout !

Je le dévisage sans réagir. Tout comme il me dévisage. Je sais que Stephanie est en train de parler, mais je ne distingue pas un mot de ce qu'elle dit. Je n'entends que la voix de Jack dans les flashs qui m'assaillent, plus nets et réels que jamais.

Je cligne rapidement des yeux, le souffle saccadé. Il faut que je me ressaisisse. Et vite. Détachant le regard de Jack, je m'accroupis et commence à ramasser les morceaux de verre sans prendre de précautions, l'esprit chamboulé.

Il est là ? Oh, mon Dieu, il est vraiment là ! Et il est *marié* ? Je commence à transpirer.

— Je suis vraiment désolée, dis-je en regardant le sol.

Une vive douleur me vrille soudain le doigt. Laissant tomber les éclats que j'avais maladroitement rassemblés, je retiens mon souffle et regarde distraitement le sang couler de la coupure. Les larmes me montent aux yeux, mélange de douleur et de désespoir, lorsque Stephanie m'agrippe le bras.

— Vous vous êtes coupée, dit-elle avant de m'aider à me relever. Laissez-moi regarder.

Elle doit sentir mes tremblements sous sa main.

— Je suis désolée, dis-je machinalement en levant la tête vers elle.

Comme elle me regarde dans les yeux, je détourne aussitôt les miens, de crainte de ce qu'elle risque de lire dans mon regard.

— Hé, Jack, emmène donc Annie désinfecter sa coupure dans la salle de bains pendant que je nettoie les dégâts.

— Non, ça va ! dis-je en retirant rapidement ma main de la sienne, affolée. Je vous jure, c'est trois fois rien. Il faut que je passe la serpillière.

— Je vais le faire, propose Colin. Va chercher un pansement.

— Venez.

La voix de Jack me parvient brutalement, puis sa main se pose sur mon poignet.

Je sursaute comme un animal effrayé et recule de quelques pas. Ensuite, je fais une chose totalement stupide. Je le regarde et découvre ses yeux gris pleins d'inquiétude.

Il se contente de me regarder d'un air interrogateur, avant de murmurer :

— Où est la salle de bains ?

Je pointe le couloir du doigt, incapable de parler. Avant que me vienne l'idée de protester, Jack pose la main dans le creux de mon dos puis me pousse vers ma chambre. Ce contact me fait l'effet d'une flamme dans mon dos ; elle me brûle à travers le tissu de ma robe.

Nous allons nous retrouver seuls. Que va-t-il dire ? Que vais-je dire ? Il est donc marié ? Et il est là, chez moi, avec sa putain de femme ! Et c'est l'entrepreneur de Colin ! Mon estomac se noue.

Jack choisit de ne pas refermer la porte de la chambre derrière nous, il la pousse juste un peu. Ensuite, il m'emmène vers l'autre côté de la pièce, me tirant par la main d'une manière pressante. Après avoir jeté un regard par-dessus son épaule, il referme la porte de la salle de bains derrière nous et, bien que je sois une loque intérieurement, je réalise que cette porte fermée risque de paraître suspecte si sa femme vient nous voir. Je m'avance pour la rouvrir, mais Jack m'intercepte et me bloque le passage de son grand corps bien bâti. Encore des flashs, mais dans ces souvenirs, son corps est nu.

Je refuse de le regarder. Intérieurement, c'est la déban-dade totale – je suis perdue, blessée et furieuse –, mais un désir qui ne m'est que trop familier me domine. Et me terrifie. Ce n'était pas l'alcool, l'autre soir. Ce n'était pas mon imagination. C'était bien réel, et soudain, toutes les sensations me reviennent. Elles feraient mieux de dispa-raître, pourtant.

Jack ne parle pas. Il laisse le silence imprégné de non-dits s'emplir de désir puissant. Je savais bien que je devais garder mes distances ! Je sentais que c'était plus raison-nable. Oh, mon Dieu, il est marié ! J'ai vérifié s'il portait une alliance l'autre soir. Et je n'en ai vu aucune !

— Il faut que j'y aille.

Je le bouscule afin qu'il me laisse passer, mais Jack m'agrippe par les bras et me maintient en place, le souffle haletant et laborieux.

— Tu es l'architecte de Colin ? demande-t-il, la voix puissante et douce, bien qu'elle exprime une inquiétude satisfaisante.

— Oui, réponds-je d'un ton bref et sec, sans enchaîner avec une seule des questions dont je devrais le bombarder.

Faisons comme si je ne le connaissais pas. Faisons comme si je n'avais jamais posé les yeux sur lui de ma vie. C'est la seule issue.

— Pourquoi tu ne m'as pas dit que tu étais marié ?

Je suis finalement incapable de me retenir.

Ses mains se resserrent sur mes épaules.

— Je n'ai pas pu, répond-il simplement. Je n'ai physiquement pas pu prononcer ces putains de mots parce qu'à ce moment-là, Annie, j'aurais tout donné pour ne pas l'être. Jamais je ne l'avais souhaité avec une telle force.

Parce que c'est déjà arrivé ? Je secoue la tête avant que cette question m'échappe et me retienne dans cette pièce plus longtemps.

— Il faut vraiment que j'y aille.

— Non, grogne-t-il en me secouant un peu.

Mon angoisse monte en flèche. Je peux seulement faire comme s'il ne s'était rien passé entre nous s'il m'y autorise, mais son attitude me dit qu'il n'en a pas l'intention. Ou peut-être craint-il que j'en touche un mot à sa femme. Sa *femme* ! Sa femme qui est actuellement occupée à balayer des éclats de verre sur le sol de mon vestibule !

La colère monte depuis mes orteils et je trouve le courage de le regarder. Son beau visage me fait l'effet d'un coup de poing dans le ventre, mon pauvre ventre déjà malmené. Je suis au bord de la nausée.

— Je ne dirai rien, si c'est ce qui t'inquiète.

— Tu es partie, murmure-t-il en m'entraînant vers le lavabo, la main serrée autour de mon bras.

Il ouvre le robinet et approche ma main du filet d'eau. Ce n'est pas douloureux. Ma stupéfaction est telle que je ne sens rien.

— Quand je me suis réveillé, tu avais disparu. Pourquoi ?

Son audace me sidère. Comme si je devais me justifier auprès de lui !

— Cette question est un tout petit peu déplacée, tu ne crois pas ?

Furieuse, j'éloigne brutalement la main du lavabo et attrape une serviette afin de l'envelopper.

Je suis tellement stupide ! Je parie qu'il passe la plupart de ses week-ends à attirer des femmes dans des hôtels grâce à sa délicieuse beauté, aux bons mots, à son regard pétillant et son badinage charmeur. Et il s'en tire sans être inquiété parce que sa femme lui fait visiblement confiance. Elle n'a pas réfléchi deux secondes avant de l'envoyer ici seul avec moi. Quel connard ! Soudain, je m'en veux amèrement d'avoir passé toute une semaine à ressasser chaque petit détail de notre aventure, à tout décortiquer et tenter de comprendre. Combien de femmes sont-elles déjà tombées dans son piège au juste ?

Jack se rapproche, se penche un peu et son parfum emplit mes narines. Je retiens mon souffle afin de l'éviter. Afin de m'empêcher de le savourer.

— Il n'y avait rien de déplacé dans cette nuit-là, Annie. Je ne pense à rien d'autre depuis.

Sa main se lève et se pose sur ma joue, puis son pouce trace de légers cercles sur ma peau.

Tout mon corps se détend. La sensation de ses doigts si tendres coupe court à ma colère, et je recommence à respirer, son odeur masculine emplissant aussitôt mon nez. Elle me donne le tournis.

— Il s'est passé quelque chose là-bas entre nous, murmure-t-il. Putain de merde, quelque chose s'est emparé de moi. Je n'arrive pas à t'oublier, Annie. Je suis retourné dans ce bar tous les putains de soirs pour te retrouver.

Lorsque son visage s'approche du mien, son souffle réchauffe ma joue tandis que je ferme les yeux et entre en transe.

— Tu l'as senti aussi, n'est-ce pas ? Il ne s'agissait pas que de sexe. Dis-moi que tu l'as ressenti aussi.

Il m'effleure la peau de sa joue mal rasée et je gémis malgré moi, soudain catapultée dans cette chambre d'hôtel.

— Je pensais que je ne te reverrais jamais, dit-il.

Je déglutis en faisant de mon mieux pour ne pas laisser l'idée qu'il y a pensé aussi me submerger. C'est sans intérêt pour le moment. Mais ce contact... il ramène mes souvenirs au premier plan et me les fait revivre en boucle.

— Cette nuit-là, souffle-t-il. Tandis que tu étais pelotonnée contre moi, je n'avais plus aucune inquiétude. Aucun problème. Tu étais la seule à compter, et putain, c'était parfait, Annie.

J'avale ma salive et ferme les yeux.

— Parfait jusqu'à ce que je découvre que tu es marié.

Ces mots sont douloureux. Bien que je veuille reculer, échapper à son contact parce que je sais que je ne devrais pas aimer cette sensation, je ne le fais pas. Je reste où je suis, réticente, voire incapable de me défaire des sensations incroyables que j'ai rêvé de revivre.

— Tu l'as gardée, dit doucement Jack, m'obligeant à ouvrir les yeux.

Il prend la capsule de bouteille sur l'étagère au-dessus de mon lavabo et la manipule pendant quelques secondes. Il l'étudie en le retournant entre le bout des doigts. Je ne dis rien, consciente qu'il me regarde.

— Tu n'as pas cessé d'y repenser, toi non plus.

Nous nous dévisageons quelques instants tandis qu'à tâtons, il remet la capsule à sa place. Ensuite, il se rapproche de moi et presse son corps contre le mien. Explosions. Sa bouche se baisse tranquillement vers la mienne. Je hurle intérieurement et m'ordonne de le repousser. Mais mon cœur palpite et mon corps reprend vie. Ses lèvres. Son contact. Sa voix. Son visage. Ses baisers. De doux baisers qui se font de plus en plus voraces. Je veux juste encore un de ces baisers passionnés. Rien qu'un de plus. Oh oui, rien qu'un. Ses lèvres effleurent les miennes et je me détends contre lui.

— Jack !

Mon imprudence prend brutalement fin lorsque la voix de sa femme pénètre dans la salle de bains. Je recule en même temps que Jack, tandis que la porte s'ouvre et que Stephanie apparaît.

— Est-ce que c'est grave ? demande-t-elle en s'approchant de moi.

Sa présence fait revenir mon bon sens en un clin d'œil.

— Ce n'est rien, réponds-je avec un sourire crispé. J'ai des pansements dans la cuisine.

— Il faut peut-être commencer par appliquer un baume antiseptique, suggère doucement Jack.

Je le regarde. Ses intenses yeux gris sont fixés sur moi.

Stephanie rit et pose une main délicate sur l'avant-bras nu de Jack. Il ne m'échappe pas que tout son corps se tend instantanément.

— Toujours si prudent, dit-elle d'un air songeur, tandis que mes yeux se posent sur la main en contact avec la peau de Jack.

Des bras solides appuyés de chaque côté de ma tête tandis qu'il me pilonne.

Non !

Je chasse ce flash et parviens à retrouver un peu de sang-froid je ne sais comment.

— Quel charmant début de soirée, ris-je en voyant Jack éloigner son bras de la main de sa femme, avant de lui lancer un regard nerveux.

Le regard de Stephanie ne l'est pas. Elle plisse simplement les yeux. La tension monte.

— Retournons à la fête.

Je fais un geste vers la porte, soulagée lorsque Stephanie affiche un sourire et part devant, suivie de Jack.

Je sors derrière eux. Eux. Stephanie et Jack. Couple marié.

Les épaules de Jack sont raides. Son profil m'apparaît toutes les quelques secondes lorsqu'il jette un œil derrière lui. Je regarde ailleurs à chaque fois, fondant intérieurement, assaillie par une foule de sentiments. Je ne sais pas quoi en faire. La culpabilité : c'est le sentiment le plus puissant de tous. Et puis ma panique augmente lorsque je vois Lizzy revenir du jardin.

Oh merde, l'arrivée de Jack m'a tellement stupéfaite que j'ai oublié que mes amis étaient aussi présents dans ce bar ce soir-là. Horrifiée, je la vois s'arrêter lentement et regarder Jack derrière Stephanie. Jack. Son sourire disparaît. Je m'empresse de le dépasser, lui heurtant le bras au passage, rejoins Lizzy puis la force à reculer.

— Tu ne le connais pas, lui dis-je à l'oreille tout en faisant volte-face, un sourire forcé aux lèvres. Je vous présente Lizzy ! Lizzy, voici Jack, l'entrepreneur en bâtiment de mon client, et sa *femme*, Stephanie.

Je fais attention de ne pas prononcer ce mot d'un ton contrarié, mais au cas où Lizzy mettrait du temps à comprendre, il faut que je lui indique clairement dans quelle situation sordide je me retrouve.

Lizzy tend la main à chacun d'eux en souriant de toutes ses dents. Sa feinte décontraction est bien plus crédible que la mienne.

— Quel plaisir de vous rencontrer ! s'écrie-t-elle, se tournant vers moi une fois que les salutations sont terminées.

Ses yeux foncés sont écarquillés. Grands comme des soucoupes. C'est compréhensible.

— Je vais changer la musique.

Elle incline la tête sur le côté en me regardant. Je lis dans ses pensées comme dans un livre. Elle va faire en sorte que Nat et Micky ne me mettent pas dans le pétrin. La vache, j'espère qu'ils ne reconnaîtront pas Jack ; ils étaient tous relativement bourrés, mais je ne peux prendre aucun risque.

— Je pense que Micky sera le seul à le reconnaître, me chuchote Lizzy en passant.

Espérons-le. Colin apparaît dans l'entrée.

— Est-ce que ça va ?

— Ce n'est rien, ne t'en fais pas. T'es-tu servi un verre ?

— Oui.

Il lève son verre de rouge.

— J'étais en train de servir Jack et Stephanie, quand j'ai été distrait par ton ami Micky. Il m'a appris qu'il était coach personnel. Moi qui en cherchais justement un !

Colin contracte un biceps inexistant et retourne dans le jardin.

— Va donc chercher ces verres et rejoins-nous.

Ouvrant le placard afin de sortir ma trousse de secours, je demande à Stephanie :

— Que souhaitez-vous boire ?

— Un verre de vin, ce sera parfait, merci. Du blanc, s'il vous plaît.

— Jack ?

Je déteste ma façon de prononcer son nom. Il prend une profonde inspiration derrière moi, un son qui ne m'échappe pas.

— De la bière, s'il vous plaît, répond-il, tandis que je colle rapidement un pansement sur ma minuscule coupure. Une Budweiser, si vous en avez.

Mes doigts occupés tremblent. Une Budweiser. Je le vois porter une bouteille à ses lèvres, puis je me vois, moi, fascinée par sa gorge tendue. Et la capsule. Un petit souvenir de lui.

— Tout à fait.

Je range la trousse de secours dans le placard et croise son regard au moment où je me retourne.

— Merci.

Je m'efforce de passer à l'action lorsqu'il détourne les yeux.

Je les sers sans trop me dépêcher afin de laisser le temps à Lizzy de mettre le reste de mes amis au parfum. Lorsqu'elle réapparaît dans l'entrée en hochant légèrement la tête, je pousse presque un soupir de soulagement.

— Et si nous passions au jardin ?

Je passe devant puis présente Jack et sa femme à quelques personnes. Il me semble que son regard ne me quitte pas un instant.

Nat n'a visiblement aucun souvenir de Jack, mais Micky change nettement de posture au moment où il pose les yeux sur lui. Je dévisage mon plus vieil ami jusqu'à ce qu'il me regarde, puis je lui adresse un regard suppliant en espérant qu'il voie et comprenne ma prière silencieuse. L'air aussi perturbé que moi par cette situation, il secoue la tête, avant de reporter son attention sur Colin.

Il faudrait être dans le coma pour ne pas sentir la tension qui règne partout dans mon petit jardin. Je suis sûre qu'elle n'échappe à personne. Pourtant, lorsque je regarde autour de moi, tout le monde bavarde naturellement. Je laisse Stephanie et Jack en compagnie de Nat et me précipite dans la cuisine afin d'aller me chercher un autre verre de vin, certaine que je ne resterai pas seule bien longtemps.

— Mais c'est quoi ce bordel ? siffle Lizzy.

Elle me rejoint devant le plan de travail alors que je me sers d'un geste tremblant.

Je secoue la tête avec découragement, porte le verre à mes lèvres et le vide à moitié.

— Dis-moi que tu n'étais pas au courant.

— Je n'étais pas au courant, réponds-je calmement, sans me sentir insultée par sa question.

J'avale une gorgée de vin, me retourne et appuie les fesses contre le plan de travail.

Micky débarque dans la cuisine, les yeux écarquillés et inquiets.

— Annie, est-ce que ça va ?

J'acquiesce d'un signe de tête et sirote mon vin.

— Il est marié, dis-je machinalement en regardant dans mon verre. Mon super coup d'un soir est marié, il se trouve dans ma maison avec sa saleté de femme et c'est l'entrepreneur de mon client.

Je lève les yeux vers mes amis.

— Il va falloir que je travaille avec lui, dis-je en riant. Putain, ça ne s'invente pas !

— Quel connard, crache Micky en posant bruyamment son verre sur le comptoir.

— Nat était trop occupée à danser et se soûler pour le remarquer au bar, explique Lizzy, qui jette un œil dehors afin de s'assurer que nous pouvons parler en toute tranquillité, sans doute.

— Je n'arrive pas à y croire. Tout ce temps que j'ai perdu à penser à lui !

— Tiens.

Lizzy remplit mon verre, puis Micky nous rejoint et passe un bras autour de mes épaules.

— Je suis tellement idiote.

— Mais non, répondent-ils en chœur.

— Mais si. Je me suis quasiment jetée dans ses bras, et maintenant, je dois regarder sa femme dans les yeux en sachant que j'ai couché avec son mari.

Cette pensée déclenche à nouveau une vague de panique en moi et je me remets à trembler. Le vin tangue dans mon verre.

— Ce n'est pas ta faute, m'assure Lizzy, les dents serrées. Regarde-moi.

J'obéis.

— Calme-toi. Tente de tenir bon toute la soirée, et nous en reparlerons demain matin.

— Mais qu'est-ce que je vais faire ? Je ne peux pas travailler avec lui !

Je vais devoir abandonner le projet de Colin. Je m'apprêtais à réaliser le projet de mes rêves, et je vais devoir laisser tomber !

— Pour le moment, ne laisse pas cet homme gâcher ta soirée. Demain, nous...

Le silence s'installe dans la pièce lorsque chacun de nous sent une nouvelle présence. Nous regardons tous vers la porte. Jack se tient dans l'entrée sans réagir aux regards noirs qui lui sont adressés.

— Il faut que je parle à Annie, déclare-t-il d'un ton assuré.

— Quoi ? s'exclame Micky, presque amusé par son insolence. Mais tu fous quoi ici avec ta putain de femme au juste ?

— Je ne dois d'explications qu'à une seule personne, répond calmement Jack. Cinq minutes, Annie, s'il te plaît.

Il pose sur moi ses yeux gris pleins de désespoir. Je me force à ignorer son abattement flagrant. En effet, il me doit une explication.

— Cinq minutes, dis-je en lançant un regard à Micky et Lizzy, tout à fait consciente d'être aussi folle qu'ils le pensent probablement. Ça va aller.

J'ai besoin d'entendre ce qu'il a à dire. J'ai besoin de pouvoir tourner la page.

Tous deux nous laissent à contrecœur. Une fois que nous sommes seuls jaillit cette énergie entre Jack et moi – cette énergie qui m'effraie. Elle est si puissante que je file de l'autre côté de la pièce afin de mettre le plus de distance possible entre nous et, peut-être, de donner à la situation l'air tout à fait normale au cas où quelqu'un entrerait. Comme si nous discutions simplement affaires dans ma cuisine.

— Vas-y, Jack. Explique-toi.

Autant en venir tout de suite au fait. Mais son hésitation est évidente.

— Avant que je t'explique quoi que ce soit, il faut que tu saches que je n'avais encore jamais trompé ma femme. Absolument jamais, Annie. Jusqu'à cette nuit-là.

Je laisse échapper un grognement, incapable de me retenir.

— Et c'est censé tout excuser ?

— Ce n'est pas ce que j'ai dit. Je veux juste que tu saches que je n'ai pas pour habitude de tromper ma femme.

Il s'avance de quelques pas. Je lève la main, lui interdisant en silence de s'approcher davantage de moi, puis je jette un œil dehors par-dessus mon épaule. Sa femme bavarde avec Lizzy. Mon amie tente de l'occuper pendant que son mari est ici avec moi. Je grimace et ravale mon sentiment de culpabilité croissant.

— Est-ce que tu as pensé à moi ? me demande-t-il.

Mon regard se pose brutalement sur Jack.

— Non.

Il serait stupide de l'admettre.

— Ne me mens pas, m'avertit-il, l'air extrêmement sérieux. Ne fais pas comme si tu n'avais rien ressenti.

— Mais qu'est-ce que ça peut faire maintenant ? Tu m'as menti. Où était donc ton alliance ?

Il lève la main et me montre son annulaire, toujours nu.

— Je n'en porte pas. Je me suis cassé une articulation avec un outil de travail et je n'ai jamais pu la remettre.

— Dans ce cas, tu aurais dû me le dire !

J'imagine des tas de femmes se jetant à son cou. Il devrait se coller une pancarte sur le front ou quelque chose comme ça, une sorte de signe visible indiquant qu'il ne faut pas l'approcher.

— Te le dire ?

Il rit presque.

— Je te l'ai déjà expliqué, Annie. J'en étais incapable. Je n'arrivais même pas à prononcer ces mots dans ma tête. Je ne voyais que toi. J'étais obsédé par mon désir pour toi. Tout le reste n'existait plus. Tout ce que je vois maintenant, ce sont tes yeux verts fixés sur les miens. Tout ce que je sens, c'est ta peau contre la mienne. Ton souffle dans mon oreille.

— Arrête !

Certes, j'ai eu la même réaction, mais je suis célibataire. J'ai le droit de ressentir ces choses. Lui non. Il n'est pas disponible !

— Non.

Jack me rejoint, et à nouveau, je jette nerveusement un œil derrière moi, avant de le regarder. Il est trop près. C'est dangereux. Mais l'idée que sa femme débarque ici n'est pas la seule à m'effrayer, à vrai dire.

— Je ne peux pas m'arrêter, Annie.

Je secoue la tête et m'éloigne de lui, puis j'ouvre un placard et sors un paquet de bretzels, prête à tout pour m'occuper et avoir l'air naturelle.

— Tu es marié, point final, dis-je d'un ton ferme et neutre.

Ses paroles ne doivent pas entamer ma détermination.

— Tu veux vraiment passer à autre chose ? demande-t-il, me surprenant un peu.

Je ne réponds pas aussi vite que je le devrais, distraite tandis que je verse les bretzels dans un bol.

— Suggères-tu que nous ayons une liaison ?

— Je te demande si tu es curieuse de ce qui pourrait se passer entre nous.

— Il n'y a pas de nous, réponds-je en chuchotant, avant de jeter un œil alentour.

— Et s'il devait y en avoir un ?

Je le regarde, stupéfaite.

— Quoi ?

— J'ai mené une lutte acharnée contre ma conscience toute la semaine, Annie. Je me répète que ce n'est pas la bonne façon de mettre fin à mon mariage. J'ai essayé, j'ai fait tout mon putain de possible pour arrêter de penser à toi, et puis je me suis engueulé avec Stephanie et tous mes efforts ont été réduits à néant. Je suis obsédé par toi et ce que tu m'as fait ressentir. Les sourires que tu as provoqués sur mon visage. Les sentiments que tu as déclenchés. Tu brouilles tout mon univers.

Il s'est engueulé avec Stephanie ? Je déteste ma façon de vouloir savoir à tout prix pourquoi. Je ne peux pas lui poser la question. Je ne *dois* pas le faire.

— Ne t'approche plus de moi.

Je pivote sur les talons et quitte la cuisine avant que Jack puisse me retenir avec une autre phrase capable d'entamer ma détermination. J'entre dans le jardin, le sourire aux lèvres.

Il faut juste que cette soirée se termine, et enfin, je pourrai me laisser aller et craquer, car c'est à coup sûr ce qui va se produire. Il a ressenti exactement les mêmes choses que moi – cette connexion, cette alchimie irrésistible. Mais ce n'était que du désir, suscité et accru par l'alcool. Et la spontanéité. Il faut que je me répète ces mots. C'est le moyen le plus sûr de me sortir de là. Je n'avais jamais pensé que je le reverrais, qu'il survivrait dans mon esprit sous la forme d'un fantasme magnifique et frustrant. Que je comparerais à lui tous mes partenaires suivants. Je doute d'éprouver à nouveau cette attirance dévastatrice un jour. J'ai été mise en appétit puis soumise à quelque chose d'incroyable, avant de découvrir que ça ne se reproduirait plus jamais. Que ça n'aurait jamais dû se produire, en réalité. Se refuser le bonheur est une chose, mais se voir refuser le bonheur, c'est totalement différent. Ça ne fait qu'amplifier notre désir d'y accéder.

Je regarde Stephanie bavarder avec Colin. Jack se tient en silence à côté de sa femme, visiblement distrait. Quoi que je fasse, je ne peux empêcher mon regard d'errer vers lui. Chaque fois que je croise le sien, je m'empresse de détourner les yeux et tente de faire taire mon cœur qui cogne bruyamment dans ma poitrine. Je fournis de gros efforts pour rester concentrée sur la conversation en cours, mais je suis sans arrêt ailleurs. Je vois les lèvres remuer, mais n'entends pas le moindre mot. Ma tête est pleine de souvenirs. De choses que Jack m'a dites. De la façon dont il m'a touchée et m'a fait l'amour.

Je jette un nouveau coup d'œil discret de son côté, mais cette fois, il semble écouter attentivement sa femme qui lui parle. Colin lève les mains comme s'il capitulait et s'éloigne prudemment du couple avant de se diriger vers moi. Stephanie a l'air un peu énervée, mais, bien que je fasse de mon mieux pour lire sur ses lèvres, je ne devine pas ce qu'elle dit à son mari. Son mari. Jack. Le mari de Stephanie.

— Dis donc, ça barde là-bas, rit Colin, un peu éméché, en me rejoignant.

— Ah bon ?

Mieux vaut jouer les innocentes. Je garde un œil sur Colin, l'autre sur Jack.

— Jack est un type charmant, mais apparemment, les rumeurs disent vrai.

— Quelles rumeurs ? dis-je, les sourcils froncés, en voyant le visage de Stephanie se rapprocher de celui de Jack.

Il recule un peu, secoue la tête et ferme les yeux. Il s'arme de patience.

— Eh bien, commence Colin. C'est la première fois que je rencontre sa femme, mais je vois ce que veulent dire les gens. Elle est un peu... pénible.

Pénible ? Je n'arrive pas à les quitter des yeux. Jack tente clairement d'apaiser Stephanie. Il se penche vers elle pour lui parler puis pose une main réconfortante sur son bras. Mes yeux se jettent sur cette main, et je la sens me toucher partout. Qu'est-ce qui lui arrive ? A-t-elle des soupçons ? A-t-elle senti qu'il y avait un désaccord entre Jack et moi ?

Mes yeux passent de l'un à l'autre, tandis que je tente désespérément de comprendre ce qui se passe. Jack croise mon regard et inspire profondément tandis que Stephanie repousse sa main et vide son verre de vin avec un rictus. Lorsqu'elle s'éloigne afin d'aller se resservir, je me retrouve figée sur place. Je veux partir d'ici, mais j'en suis incapable.

Je commence à trembler, inquiète de mon incapacité à maîtriser mon corps – et pire, mon esprit – dès que je pense à Jack.

— Mieux vaut ne jamais se mêler des querelles de couple, songe Colin, avant de pointer mon verre du doigt. Je te ressers ?

Je fais de mon mieux pour sourire.

— Merci, je vais juste faire un saut aux toilettes.

Malgré mes jambes tremblantes, je m'efforce d'entrer dans mon appartement puis de prendre la direction des toilettes. Je ferme la porte, me laisse tomber contre elle et tente de respirer à fond pour me calmer.

La pression provoquée par la présence de Jack semble sur le point de me faire craquer. Le cerveau en surchauffe, je me demande si la tension qui règne entre nous est flagrante. Je me demande aussi quel est le problème de sa femme. Je ne suis pas du genre paranoïaque ni excessif. Pourtant, j'ai soudain l'impression de porter une pancarte dans le dos qui énumère tous mes péchés.

— Annie ?

On frappe à la porte derrière moi et la voix inquiète de Lizzy pénètre dans la pièce.

— Est-ce que ça va ?

— Oui.

Je me précipite vers le lavabo, asperge d'eau mes joues rouges, puis je repère la capsule de bouteille sur l'étagère. Plus jamais je ne regarderai une Budweiser de la même façon. Les dents serrées, je saisis la capsule et la jette à la poubelle.

— J'arrive.

— Ils sont partis, dit-elle à voix basse à travers la porte.

Je pivote sur moi-même et l'air s'engouffre dans mes poumons soulagés.

— C'est vrai ?

— Oui, à l'instant. Sa femme semblait un peu ivre.

J'ouvre la porte et découvre la bouche pincée de mon amie qui tente de sourire. Elle y échoue totalement.

— Un peu ?

— Bon, d'accord. Complètement pétée.

Lizzy m'observe prudemment.

— Franchement, elle descendait ses verres de vin comme si elle buvait de l'eau.

Je grimace.

— Je crois qu'ils se disputaient. Imagine qu'elle soit au courant !

Je recommence à trembler.

— Elle ne l'est pas, Annie. Calme-toi.

J'essaie d'inspirer profondément. Lizzy me prend par le bras.

— Viens.

Elle m'entraîne hors de la salle de bains. Sans elle, j'y serais bien restée cachée le reste de ma vie.

— Micky vient de préparer des shots. À mon avis, tu devrais t'en envoyer au moins dix.

* * *

Je passe le reste de la soirée à faire semblant d'écouter les conversations des autres tout en me demandant sans cesse ce que pense Jack, ce qu'il fait et ce qu'il dit à sa femme.

Micky et Lizzy se trouvent une excuse pour traîner un peu lorsque tout le monde part. Étrangement, l'interrogatoire impitoyable qui se prépare ne me terrifie pas autant qu'il le devrait. J'ai besoin de leur soutien. Et puis Lizzy a passé presque toute la soirée à discuter avec Stephanie. Qu'a-t-elle découvert ? Ai-je besoin de le savoir ? Ou, plus important encore, ai-je envie de savoir quoi que ce soit sur eux ? Parce qu'il s'agit bien d'*eux*. D'un couple. Marié.

Je ferme la porte derrière mes derniers invités puis me retourne et trouve Micky et Lizzy debout dans le vestibule. Tous deux sobres, ils attendent... quelque chose, mais je ne sais pas quoi. Alors je me contente de hausser les épaules, de plus en plus consciente des répercussions de cette soirée sur mon état.

— Je n'arrive pas à le croire, commence Lizzy en secouant la tête.

— Quelle chouette crémaillère, ironisé-je avant de flâner vers eux.

Tous deux s'écartent et me laissent entrer dans le salon, où je ramasse quelques coussins et les lance sur le canapé avant de passer dans la cuisine. Je me sers un dernier grand verre de vin et avale une longue gorgée tout en regardant par la fenêtre de la cuisine.

— Qu'est-ce qu'on s'est amusés ! poursuis-je sans sourire.

Lizzy se racle la gorge et vient se placer à côté de moi, Micky de l'autre, comme s'ils percevaient mon besoin de soutien. Je les regarde tour à tour et esquisse un petit sourire désespéré.

— Ça va, mon cœur ?

Micky glisse une main sur mon épaule et la serre.

— Oui, réponds-je avec détermination. Parfaitement bien.

Je secoue la tête et termine mon vin en espérant qu'il m'assommera et me fera oublier ma tristesse.

Mes deux amis m'examinent avec scepticisme, ce qui est sans doute justifié. Car je ne vais pas bien. Comme l'indiquent ma voix et mon expression, probablement. Mon existence stable, maîtrisée a été fortement ébranlée, et ça m'effraie. Encore plus que ne m'a effrayée la connexion dévastatrice qui a eu lieu entre nous.

Parce que nous voulons tous ce que nous ne pouvons avoir.

7

Ce lundi matin arrive beaucoup trop vite. Je ne me sens pas du tout assez en forme pour mon rendez-vous avec Colin et son entrepreneur. Jack.

J'ai fait quelques recherches sur son entreprise hier soir et j'ai découvert que Joseph Contractors a été créée par Jack en 2009, quand il avait seulement vingt-huit ans. J'ai noté dans un coin de ma tête que ça lui fait trente-cinq ans aujourd'hui. Pendant des années, il a travaillé comme maçon, ce qui pourrait expliquer ce physique stupéfiant – un physique qu'il prend clairement soin d'entretenir –, avant de lancer sa propre entreprise de maçonnerie qui marche de mieux en mieux. À en juger par ce que j'ai lu, c'est une chance pour n'importe quel architecte de collaborer avec lui. Quant à moi... je suis juste morte de trouille.

Je n'ai pas cessé de chercher comment faire pour réussir à travailler avec lui. J'ai abandonné dix fois le projet de Colin dans ma tête, puis je l'ai réintégré autant de fois. La perspective de dire adieu à une opportunité pareille me prive de tout courage, de toute volonté. Mais je ne suis pas une femme faible, il est hors de question de laisser un homme me persuader du contraire. Il faut que j'avance pour le bien de ma carrière. Et pour mon bien *à moi*.

Certes, Jack est l'entrepreneur. Mais il n'est *que* l'entrepreneur : je ne vais pas laisser ses mensonges et sa fourberie nuire au projet pour lequel je me suis cassé le cul.

J'ai donc enfilé une robe droite gris pâle, laissé mes cheveux ondulés détachés, puis j'ai pris le dossier de Colin et me suis mise en route.

En chemin vers le métro, j'appelle Lizzy en espérant quelques paroles d'encouragement.

— J'ai une épilation du maillot dans deux minutes, dit-elle en décrochant. Alors, venons-en tout de suite au fait. Comment vas-tu te comporter avec lui pendant ce rendez-vous ?

— Je vais faire comme si je ne l'avais jamais rencontré avant samedi soir, réponds-je, la voix peu assurée à la simple pensée de ce qui va se passer. C'est un menteur, un tricheur, et franchement, je le hais. Je ne devrais pas avoir de mal à rester professionnelle.

— Parfait.

J'entends un léger brouhaha et Lizzy lâche quelques jurons.

— Merde ! Je viens de renverser de la cire chaude, il faut que je te laisse. Bonne chance !

Je raccroche, redresse les épaules et me rends à ma réunion.

* * *

Mon plan était d'arriver en avance, de m'installer à une table et de boire un café – et peut-être de me calmer un peu – avant que les hommes arrivent, mais lorsque j'entre dans le bistrot, je les trouve tous deux déjà assis à une table du fond.

Ils discutent en examinant de la paperasse, et quand j'arrive à moins d'un mètre de lui, Jack se retourne lentement pour me faire face, comme s'il avait senti ma proximité. À la vue de son visage, je cesse de respirer et mes pieds ralentissent tandis que je m'efforce de retrouver mon souffle. Son expression sérieuse ne me donne aucun indice sur l'accueil que je vais recevoir et ça me rend encore plus nerveuse.

Ce torse qui ondule au-dessus de moi, qui ondule tandis qu'il va et vient en moi à un rythme régulier.

Je chasse ce flash mal venu et jette un coup d'œil au visage de Jack, dont la perplexité m'indique que mon trouble ne lui a pas échappé.

Je prends une profonde inspiration et me force à avancer.

— Annie. Viens, assieds-toi.

Colin désigne une chaise à côté de Jack, mais j'opte pour l'autre côté de la table. Gardons nos distances.

— Bonjour !

Je les salue en souriant à Colin et pose mes dossiers sur la table.

— Jack, dis-je d'un ton formel sans le regarder.

— Annie, répond-il de la même façon avant de soulever sa tasse de café et de la porter à ses lèvres.

Je surprends le léger tremblement de sa main lorsque je suis involontairement la tasse du regard jusqu'à sa bouche. Je le revois aussitôt buvant cette bouteille de Budweiser, le cou tendu, presque une invitation à lui lécher la gorge. Et puis, moi, appuyée au bar, ses grandes mains sur mes hanches.

— C'était une super fête ! lance Colin.

Je redescends aussitôt sur terre et Jack me regarde le regarder.

Je fournis un gros effort pour revenir à la réunion, me répétant de me concentrer, de ne pas le laisser me distraire.

— En effet. Merci d'être venu.

Je souris et songe que je ne veux plus jamais repenser à cette soirée.

Lorsque le serveur s'approche, je commande un grand café crème et refuse les viennoiseries qu'il me propose. Je suis incapable d'avaler quoi que ce soit ; mon estomac ne cesse de faire des sauts périlleux et je m'en veux de ne pas réussir à le maîtriser.

Colin baisse les yeux vers sa montre.

— Je dois être à une vente aux enchères dans une demi-heure, alors mettons-nous d'accord sur le planning.

D'un geste, il désigne mes dossiers.

— As-tu apporté les dessins corrigés pour Jack ?

— Absolument.

Je les sors et les pousse sur la table en évitant de croiser le regard de Jack, un véritable défi, car je le sens me dévisager. C'est tellement étrange. J'ai passé une nuit dans un hôtel avec cet homme, la nuit la plus incroyable de toute ma vie, et maintenant je fais comme si je n'avais jamais posé les yeux sur lui, ni même sur son corps nu.

Tout ce formalisme, cette distance ne me viennent pas naturellement. Il paraissait si juste et facile d'être captivée par Jack – de le regarder, de l'admirer, de lui parler, de l'écouter. Ça semblait si naturel.

— Les coordonnées du fabricant de la toiture sont là aussi.

— Merci, dit Jack en dépliant le premier dessin, avant de l'examiner rapidement. Je rapporterai tout ça au bureau et les passerai en revue avec Richard. C'est le chef de chantier qui supervisera les travaux.

— Très bien.

Je note dans un coin de ma tête le nom de Richard.

— Différentes machines arrivent demain afin de commencer à déblayer le terrain.

Jack replie le dessin, le pose sur la table avec les autres, cherche mon regard et me fixe.

— Il nous faudra quelques semaines pour le mettre entièrement à nu.

Entièrement à nu. Ma peau se couvre peu à peu de chair de poule. Je détourne les yeux et prends quelques notes sur mon bloc-notes.

— D'accord. Le site sera donc conforme à mes dessins d'ici...

— La troisième semaine, me coupe Jack, m'obligeant à lever les yeux.

Il sourit. Je dois prendre une profonde inspiration et me forcer à me concentrer sur mon bloc-notes. Je poursuis péniblement.

— Et d'ici la quatrième semaine, vous aurez...

— Creusé les tranchées des fondations.

Mon stylo chancelle sur le papier.

— Parfait, réponds-je doucement. Et les dalles de béton du sol devraient être posées...

— Avant la cinquième semaine, murmure Jack.

Je ferme brièvement les yeux et le supplie en silence d'arrêter de réagir au quart de tour. C'est le scénario parfait lorsqu'un architecte et un entrepreneur sont aussi en phase sur un projet, mais le problème, c'est que ça m'empêche sérieusement de le détester.

— C'était ce que vous aviez en tête, n'est-ce pas ? demande-t-il, presque songeur.

Je me force à sourire.

— En effet.

— Parfait.

Jack sort un agenda de sa serviette, l'ouvre à la page d'un planning et nous le présente. Il prend le relais et détaille soigneusement chaque phase du projet à partir de la semaine cinq, suivant la chronologie des prochains mois jusqu'à l'achèvement des travaux. Je déteste le fait que chaque étape, chaque minuscule détail qu'il a noté correspond parfaitement à ce que j'ai en tête pour ce projet. Chaque fois qu'il hésite, je parviens à terminer sa phrase et nous parlons déjà des légères modifications qui rendront les plans encore plus solides. Nous sommes totalement en phase.

L'image de nos corps brillants de sueur me traverse l'esprit ; ils bougent au même rythme, et nos cœurs battent à l'unisson. Je sursaute sur ma chaise et serre les dents sur le bouchon de mon stylo. Totalement en phase. Sur tous les plans. Je me concentre sur ce que dit Jack plutôt que sur le son de sa voix, luttant pour ne pas laisser son timbre grave me troubler. Pour ne pas laisser mon esprit déformer ses paroles – et entendre les mots qu'il m'a dits cette nuit-là. Je m'en sors assez mal – trop de souvenirs, puissants et nets, repassent en boucle dans ma tête. Éviter aussi de regarder ses gestes, qui accompagnent ses paroles, est très difficile. Horriblement difficile. Ces mains ont exploré chaque partie de mon corps. Tout comme sa bouche.

Arrête !

— Est-ce que je pourrais avoir une copie de ce document ? dis-je, la voix tremblante, en pointant son planning du doigt.

— Bien sûr.

Jack me regarde, l'air légèrement perplexe.

— Je le scannerai plus tard dans la journée. J'aurai juste besoin de votre e-mail.

Je sors une carte de visite de mon sac en me mordant la lèvre et la fais glisser sur la table. Je fais de mon mieux pour ne pas penser au fait que je viens de lui donner toutes les coordonnées dont il pourrait avoir besoin.

— Nous sommes donc tous au diapason ? demande Colin en se levant de sa chaise.

— Tout à fait, confirme Jack.

Je le regarde, parfaitement capable de lire entre les lignes.

— N'est-ce pas ? me demande-t-il en déglutissant péniblement. En tout cas, je sais où j'en suis.

Il sait où il en est. Je comprends parfaitement le message.

— Absolument, dis-je.

Un certain soulagement me parcourt tandis que je le remercie silencieusement de ne pas avoir rendu les choses plus difficiles qu'elles ne le sont déjà.

Jack hoche la tête d'un air entendu en refermant son agenda d'un coup sec.

— Super ! s'exclame Colin, avant de soulever un immense carton à dessins. J'ai l'impression que vous êtes faits pour vous entendre !

Il se faufile hors du bistrot sous mon regard stupéfait, tandis que Jack toussote au-dessus de sa tasse de café.

Il me regarde, le visage inexpressif.

— Faits pour nous entendre, répète-t-il.

Je lutte pour ne pas me noyer dans les profondeurs de ses yeux pétillants.

— Professionnellement ? Peut-être, dis-je en prenant mon sac sur le dossier de ma chaise.

Je résiste de toutes mes forces à l'envie de lui faire remarquer que nous ne pouvons pas être faits pour nous entendre... puisqu'il est marié. Cette pensée me retourne l'estomac alors que j'ouvre ma besace en cuir, à la recherche de mon porte-monnaie.

Jack sort son portefeuille de sa poche intérieure.

— Range ton argent. C'est pour moi.

Lorsqu'il saisit ma main afin de l'empêcher d'entrer dans mon sac, je sursaute si violemment que ma chaise recule. Sous le choc, Jack me relâche.

— Désolé. Je ne voulais pas te faire peur.

Il a l'air sincère, et je me sens totalement stupide. Mais ce contact... Oh mon Dieu, ce contact !

— Merci pour le café, dis-je en me levant, les yeux fixés sur la table.

— Pas de problème. Je te dépose quelque part ?

Je ne peux retenir un rire.

— Non, mais merci quand même.

— Qu'est-ce qu'il y a de si drôle ?

Jack se lève, se dresse au-dessus de moi et une nuée de flashs m'assaille. Nu, il se dresse au-dessus de moi et me demande si je suis prête.

Je chasse mes pensées et prends une profonde inspiration.

— Rien. Tiens, n'oublie pas ça.

Je lui tends mes dessins tout en m'efforçant de ne pas croiser son regard.

Lentement, *trop* lentement, sa main se lève et les prend.

— Je promets de rester professionnel, Annie, me dit-il d'un ton sincère.

— Très bien.

Ma voix tremble terriblement ; l'adrénaline afflue dans mon sang et fait battre mon cœur comme un fou. Je le sens qui me dévisage, et bien que ça promet d'être très difficile, je me dis qu'il ne faudra *plus jamais* le regarder. Du moins, pas dans les yeux. Je passe devant lui en le frôlant puis sors du bistrot et sens son regard sur moi jusqu'à ce que je disparaisse de sa vue. Il m'a peut-être promis de rester professionnel, ça n'empêchera pas mon être tout entier de réagir fortement à sa présence. Et ça n'effacera pas non plus les souvenirs.

* * *

De retour dans mon atelier, j'allume mon ordinateur portable, vais me chercher un café, continue à rédiger une demande de planning et envoie un e-mail à l'ingénieur du bureau de contrôle, avant de faire le tri dans ma boîte de réception. Tout en sirotant mon café, je prends des notes dans mon agenda et confirme quelques rendez-vous avec des clients potentiels. Les semaines prochaines sont pleines, je suis soulagée. Il faut que je reste occupée.

Lorsque minuit approche, mes yeux commencent à se fermer. J'envoie mon dernier e-mail et guide la flèche vers le coin de l'écran afin de fermer ma boîte, quand le signal sonore d'une notification m'arrête. L'icône d'un nouveau message appa-raît dans le coin en bas à droite. Les battements de mon cœur adoptent un rythme gênant dès que le nom de l'expéditeur apparaît devant mes yeux :

jack.joseph@josephcontractors.co.uk

Je m'éloigne lentement de mon ordinateur, pose mon mug sur le bureau et les mains sur mes genoux, puis tente de me préparer psychologiquement à l'ouvrir. *C'est juste un foutu e-mail, rien que des mots.* Je clique et le message s'ouvre.

Annie,

Tu trouveras ci-joint le planning détaillant les quatre phases de la réalisation du projet de Colin. Au moindre doute, appelle-moi. Richard et moi avons passé en revue les dessins corrigés. Il a quelques questions à te poser. T'est-il possible de le rencontrer sur le chantier demain afin que vous voyiez ça ensemble ?

Bien à toi,

Jack
PDG, Jack Joseph Contractors

Je m'adosse à ma chaise et relis son e-mail. Il est presque minuit. Je me demande ce qui lui prend de travailler aussi tard. Enfin, il est vrai que je travaille aussi. Son ton est formel. Si formel. Exactement comme il doit l'être, en fait, alors pourquoi mon cœur tambourine-t-il avec une telle nervosité ?
Les doigts tremblants, je commence à rédiger une réponse.
— Merde !
J'éloigne les mains du clavier et respire à fond plusieurs fois. Cette situation est tellement stupide.

Jack,

Merci beaucoup pour le planning. Je suis disponible à dix heures, est-ce que ça lui convient ?

Cordialement,

Annie
A.R. Architects Ltd

« Bien à toi » ? « Cordialement » ? C'est totalement ridicule étant donné ce que Jack et moi avons fait ensemble. Nous avons exploré chaque centimètre du corps de l'autre, dévoilé nos parties les plus intimes, et voilà que nous nous comportons comme si ce n'était jamais arrivé. Un e-mail vient d'arriver.

Annie,

Je te demanderais bien ce que tu fais encore debout à cette heure-là, mais ce ne serait pas professionnel, n'est-ce pas ? Demain dix heures, donc. Je passe actuellement en revue les dessins du jardin que m'a fournis le paysagiste. J'ai trouvé ces vitrines géantes en ligne (lien ci-dessous) et je me dis que quelques-unes fixées au mur de brique adjacent à l'extension produiraient un effet génial. Elles compléteraient parfaitement la toiture. Dis-moi ce que tu en penses avant que je soumette cette suggestion à Colin.

Bien à toi,

Jack
PDG, Jack Joseph Contractors

Son léger trait d'humour me fait hausser un sourcil sardonique et je clique sur le lien, immédiatement sous le charme. Ces vitrines murales aux ornements en aluminium sont d'une simplicité magnifique.

— Ouah, murmuré-je en passant en revue détails et dimensions.

Jack,

Tu as raison. En ce qui concerne les vitrines, je les adore et je suis certaine que ce sera aussi le cas de Colin. Super idée. Je vois donc Richard demain sur le chantier.

Cordialement,

Annie
A.R. Architects Ltd

J'éteins mon ordinateur et file me coucher, contente d'avoir fini cette journée en un seul morceau et d'avoir réussi à rester professionnelle. Mais si mon professionnalisme est au top extérieurement, intérieurement, c'est toujours le putain de chaos à cause de Jack Joseph.

8

Je suis une vraie boule de nerfs lorsque j'arrive sur le chantier le lendemain. Je me suis préparée psychologiquement pour ce rendez-vous toute la nuit, me répétant sans cesse que j'allais y arriver. Je vais y arriver. C'est Richard que je dois rencontrer. Pas Jack. J'espère que j'aurai surtout affaire à lui tout le long des travaux.

Un grand sourire aux lèvres, Colin vient à ma rencontre tandis que je monte la large allée.

— Et voici la femme de l'année ! lance-t-il en ramassant sa serviette sur les marches qui mènent au bâtiment. Je dois me rendre à un rendez-vous, alors je te laisse avec Richard.

Je me retourne afin de voir ce qu'il me montre du doigt et découvre un grand type aux cheveux blonds vêtu d'un gilet de sécurité qui guide un camion à benne sur le chantier. Mon cœur fait un bond lorsque je le reconnais.

— Richard, dis-je.

— C'est le bras droit de Jack.

C'est aussi le mec qui l'accompagnait le soir où je l'ai rencontré.

— D'accord, réponds-je en tentant de calmer mon cœur affolé. Jack n'est pas là ?

Dis-moi que non, je t'en prie !

— Pas que je sache. Richard connaît le dossier par cœur, alors vous devriez pouvoir avancer. Oh, attention !

Colin m'attrape par le bras et me tire sur le côté afin de me protéger du camion qui recule. Richard frappe le côté de la benne lorsque l'engin s'arrête, puis il se dirige vers nous. Je devine qu'il me reconnaît lorsqu'il incline la tête sur le côté.

— Hé, mais je vous connais.

Je parviens à sourire, tandis que les questions s'enchaînent dans ma tête. Jack lui a-t-il raconté les détails de nos ébats ou suis-je juste la fille avec qui il bavardait au bar ? Puisque je l'ignore, autant me débarrasser de cet air coupable sur-le-champ. Je tente du moins de le faire et passe en mode professionnel – chose que j'ai de plus en plus de mal à faire.

— Bonjour, moi c'est Annie.

D'un geste ferme et viril, Richard serre la main que je lui tends.

— Ravi de vous rencontrer. De façon officielle, je veux dire, ajoute-t-il.

Sa gentillesse me dit qu'il ignore tout de ma relation avec Jack. Ce qui est logique, puisqu'il est *marié*.

Colin sourit et commence à descendre l'allée.

— Je vous laisse. Appelez-moi si nécessaire.

— Bonne journée, lancé-je avant d'aller chercher mes clés de voiture dans mon sac. Je vais juste récupérer mon casque et mon gilet.

Richard se dirige vers une voiture à proximité et ouvre le coffre.

— Tenez, vous pouvez utiliser ceux-là.

Il sort un gilet de sécurité et un casque assorti.

— Ils sont sans doute un peu grands, mais ça fera l'affaire pour le moment.

— Merci, dis-je en enfilant ma tenue. Vous avez les dessins ?

— Oui, je viens d'y jeter un œil.

Il désigne l'entrée du bâtiment délabré qui sera bientôt transformé en magnifique galerie d'art.

— J'ai quelques questions. On peut commencer ?

— Bien sûr.

Je commence à gravir les marches en direction de la porte d'entrée avec Richard, mais m'arrête au sommet lorsque j'entends des roues déraper sur le gravier de l'allée. Richard et moi nous retournons. Cependant, de nous deux, je suis sûrement la seule à avoir des palpitations lorsque nous découvrons d'où vient le bruit : une Audi S7 gris métallisé conduite par Jack. Et merde. J'avale ma salive et inspire profondément afin d'apaiser mon angoisse. *Reste calme*, me dis-je. Si je suis ici, ce n'est pas pour voir Jack.

Il semble rester assis au volant une éternité et m'observe longuement, plantée en haut des marches.

— Enfin, marmonne Richard. Est-ce qu'il va rester là toute la journée à nous regarder ?

La question rhétorique de Richard me passe totalement au-dessus de la tête. Mes dossiers commencent à tressauter dans mes mains. Pourtant, j'ai beau savoir que je devrais avancer, entrer dans ce bâtiment et me mettre au travail, mes jambes refusent tout simplement de coopérer. Jack sort enfin de sa voiture. Il paraît nerveux. Un peu débraillé. L'impassibilité de son expression masque autre chose. Du stress. Ma déduction se confirme lorsqu'il passe une main frustrée dans ses cheveux et claque violemment sa portière.

— Putain, ça recommence, marmonne Richard en se dirigeant vers lui.

Je détache mon regard de celui de Jack et observe Richard. Sa mâchoire est crispée, il semble énervé. Ça recommence ? Que veut-il dire ? Jack fait quelques pas vers son bras droit en tirant sur sa veste, la tête baissée. La distance est trop grande entre nous pour que j'entende les chuchotements de Richard, mais il me paraît évident que quelque chose ne va pas chez Jack. Est-ce à cause de moi ?

Inutile d'être aussi curieuse. Je me retourne et entre dans le bâtiment. *Contente-toi de faire ton travail.*

Je repère la table ancienne sur laquelle Richard a disposé les dessins, puis je les contemple, histoire de m'occuper.

— Désolé d'être en retard.

La voix de Jack me glace le dos et fait se dresser tous les poils sur ma nuque.

— Tu ne m'avais pas dit que tu venais.

Les yeux fixés sur les dessins, je laisse tomber mes sacs sur le sol à côté de la table. Ses chaussures basses brun clair apparaissent dans mon champ de vision, les mêmes que ce soir fatidique. Je ferme les yeux et fais de mon mieux pour me calmer.

— Ah non ?

Il le sait parfaitement.

— Est-ce que Richard est au courant ?

Il faut que je sache où nous en sommes exactement.

— Non.

Je soupire de soulagement. Un bruit de bottes résonne dans la pièce.

— Bon, voyons...

Richard s'interrompt lorsque son portable se met à sonner.

— Oui ? Merde ! Ouais, j'arrive.

Il jure entre ses dents.

— Les échafaudages sont arrivés, mais le camion à benne bloque le passage. Commencez sans moi. Il faut que j'aille donner une leçon de conduite à ce foutu chauffeur.

J'ouvre alors les yeux et découvre deux mains familières posées sur la table devant moi. Deux grandes mains habiles. Des mains qui m'ont manipulée avec assurance, autorité et précaution. Je lève les yeux, regarde le mur de brique en face de moi et cherche quelque chose à dire concernant les travaux. Rien ne me vient. Aucun mot. Seules m'assaillent des images mentales de cette nuit-là. La situation était censée se simplifier, pas se compliquer !

— Comment vas-tu ? me demande calmement Jack.

— Super bien, merci, réponds-je d'une voix beaucoup trop aiguë.

Je m'en veux aussitôt de paraître si peu naturelle.

— Et toi ?

Mais pourquoi est-ce que je lui demande ça ?

— Je galère.

Lorsque son bras effleure le mien, je bondis loin de lui et pointe du doigt le dessin le plus proche de moi.

— J'aimerais qu'on revoie ces chiffres ensemble.

Je ne lui montre même pas de chiffres. Mon doigt pointe sur les caractéristiques techniques d'une foutue fenêtre.

Jack pose le sien à côté du mien près de la fenêtre et je l'entends inspirer profondément. Il règne ensuite un long silence gêné, puis Jack finit par le rompre.

— Ces dessins m'impressionnent vraiment, Annie. Richard et moi étions émerveillés hier soir.

— Merci.

J'ignore son compliment et me redresse, avant de me tourner vers lui et de regarder par-dessus son épaule.

— Peut-on faire le tour du chantier ? J'ai aussi quelques questions.

— Pourquoi refuses-tu de me regarder ?

Je baisse les yeux et lui crie intérieurement de tenir parole. Il a promis. Il a promis de rester professionnel !

— Par là, poursuis-je. Je crains qu'un des arbres représente un risque pour notre toit en verre.

Je le dépasse et me dirige vers l'arrière du bâtiment.

— Je vois.

Jack soupire et me suit. Franchissant les vieilles portes en PVC du patio, je pointe du doigt le marronnier colossal qui couvre un quart de l'espace extérieur.

Jack se promène autour du tronc, les yeux levés.

— Est-ce qu'on a vérifié si cette chose est protégée par une ordonnance de conservation ?

— Non. Mais à l'évidence, il vaut mieux éviter de le

couper, si c'est possible. Cela dit, si on veut profiter de l'effet total du toit, il faudra couper certaines de ces branches.

— En effet.

Jack passe une paume sur l'écorce de l'arbre et je ne peux m'empêcher de suivre sa main du regard. Mon foutu corps réagit comme s'il la sentait à nouveau sur lui. Je lève les yeux et rencontre les siens, mais je regarde aussitôt ailleurs, consciente qu'il lit dans mes pensées.

— Je vais faire venir l'élagueur, dit-il calmement.

— Merci.

— Pas de problème. Il faudra aussi faire attention aux racines quand nous creuserons les fondations de l'extension. Quelle bête !

Jack lève les yeux et tend le cou. Je grimace et regarde ailleurs, mais mes yeux se reposent instantanément sur sa gorge. Tiens, mais qu'est-ce que c'est que cette marque dans son cou ?

— Comment ça se passe ?

L'apparition de Richard attire l'attention de Jack, si bien qu'il baisse la tête et je perds la tache de vue. Ou n'était-ce qu'une ombre ?

— Mon vieux, il va falloir qu'on garde un œil sur ces racines, dit Jack en tapotant le tronc du nez de sa chaussure. Et qu'on appelle l'élagueur afin qu'il nous débarrasse de quelques branches.

— Ça marche. Je peux t'emprunter Annie une minute ? J'ai quelques questions à lui poser sur les poteaux en acier.

Oui ! C'est ça, emprunte-moi ! Emmène-moi loin d'ici !

— Bien sûr, répond doucement Jack

Cependant, je n'ai pas attendu son feu vert pour retourner dans le bâtiment. Je sens sur moi son regard incandescent jusqu'à ce que je disparaisse de sa vue. La température de mon corps a grimpé en flèche.

— C'est moi ou il fait vraiment chaud aujourd'hui ? dis-je au dos de Richard en tirant sur les pans de mon lourd gilet de sécurité.

— C'est vous.

Il rit et pointe du doigt un mur séparant deux pièces.

— Ceci est un mur porteur.

— Tout à fait. Et le mur de l'étage aussi, alors il va nous falloir des poteaux en acier très costauds. Les calculs apparaissent sur les dessins. Je suppose qu'on devra les faire fabriquer spécialement.

— J'en parlerai aux fabricants.

Richard cherche dans sa poche et en sort une carte de visite.

— Vous en aurez sans doute besoin.

— Parfait.

— De celle-ci aussi.

Une autre carte apparaît, tendue par les doigts de la grande main de Jack.

— Merci.

Je la prends sans le regarder et glisse les deux dans la poche de mon pantalon.

— Le résultat va être splendide, commente Richard.

Dans d'autres circonstances, cette remarque me rendrait fière, mais l'appréhension m'empêche de ressentir quoi que ce soit pour le moment.

— Colin vous a-t-il expliqué comment allait être livrée la toiture ?

Richard rit.

— Oui. Vous êtes une femme sacrément courageuse. Si ce toit nous parvient endommagé d'une façon ou d'une autre, les travaux prendront un retard fou.

— J'ai une question.

Jack s'avance et je ne peux m'empêcher de croiser son regard. Le gris dont je me souviens est voilé et terne, plus du tout pétillant ni scintillant. Je suis certaine d'y lire une grande souffrance et n'en tire aucune satisfaction. Car je souffre aussi.

— Oui ? dis-je avec hésitation.

À la simple pensée de toutes les questions qu'il a probablement en tête, dont aucune n'a le moindre rapport avec le travail, la tête me tourne.

Il lève un bras lourd et pointe ma poitrine du doigt.

— Est-ce que je peux récupérer mon gilet ?

Richard se met à rire et je me crispe de la tête aux pieds, le regard posé sur ma tenue.

— C'est le tien ?

Je me dépêche de retirer le gilet et le tends à Jack avec un sourire gêné.

Il le prend lentement, puis son bras se lève peu à peu vers moi. Je ne peux m'empêcher de reculer discrètement, tandis que mon regard suit ce bras tendu qui avance vers ma tête. Mais qu'est-ce qu'il fait ?

— Ça aussi, dit-il calmement en prenant le casque sur ma tête.

Je laisse mes muscles se détendre lorsqu'il recule.

— Merci de me les avoir prêtés.

— Ce n'est pas moi qui l'ai fait.

Il commence à enfiler le gilet puis s'immobilise, le bras passé dans une manche, et baisse le visage vers le col. Il fronce presque les sourcils. Je devine qu'il vient de sentir les effluves de mon parfum féminin sur le tissu.

— C'est Richard, finit-il en regardant son ami comme s'il le détestait.

J'ai l'impression qu'à l'instant où Jack rentrera chez lui, ce gilet ira tout droit dans la machine à laver, afin que disparaisse mon odeur persistante. Peut-être même finira-t-il à la poubelle. Lorsqu'il arrange le col, Jack tend le cou et je la revois. La marque. Mais cette fois, je me trouve beaucoup plus près. Je découvre ainsi quatre lignes parfaites. Des griffures ?

— Qu'est-ce qui t'est arrivé ? dis-je avant de pouvoir me retenir, la main levée vers sa gorge, prête à caresser délicatement l'une des traces rouges à vif.

Jack se fige et ses yeux plongent dans mon regard inquiet. Le silence règne pendant quelques secondes tendues ; même Richard ne dit pas un mot.

— Ce n'est rien.

Jack s'éloigne de ma main et retourne vers les dessins.

— Est-ce que les caractéristiques spécifiques de la porte pliante apparaissent ici également ? demande-t-il.

Je regarde Richard, les bras ballants. Il pose sur moi son regard plissé puis secoue la tête, les lèvres serrées de colère.

— Dans le coin en bas à droite, répond-il à ma place.

— Elles ont changé. Sur le dessin que j'ai reçu, la largeur indiquée est de cinq mètres.

— Colin souhaitait davantage de lumière, dis-je à voix basse.

La tête ne cesse de me tourner. Mais que s'est-il passé ?

— Demande un nouveau devis, ordonne Jack d'un ton sec. Il faut que j'aille quelque part.

Richard hoche la tête.

Sans un autre regard pour nous, Jack quitte le bâtiment en trombe et nous laisse, Richard et moi, dans un silence gêné. Je sais que ça ne me regarde pas et que je ne devrais vraiment pas lui poser la question, mais...

— Ne me demandez surtout pas ce qui lui arrive, grogne Richard, avant de suivre Jack d'un pas décidé.

Je reste immobile quelques instants, stupéfaite et silencieuse, puis lorsque me revient enfin la volonté de bouger, j'avance d'un pas lourd, ramasse mon sac et mes dossiers puis me dirige vers l'avant du bâtiment.

La voiture de Jack se trouve toujours dans l'allée. Il est assis au volant, la portière ouverte, et Richard est penché vers l'intérieur. Bien qu'ils ne fassent pas de bruit, je devine qu'ils échangent des paroles fortes. Richard pose ensuite la main sur l'épaule de Jack. Un geste de réconfort qui ne fait que renforcer ma curiosité. Je fais cependant de mon mieux pour la réprimer.

Sans bruit, je continue à observer leur discussion de loin. Jack baisse la tête un peu plus à chaque seconde, puis soudain, il la relève et me surprend en train de le regarder. Son expression stoïque et son regard dur me clouent sur place. Je soutiens son regard, tandis qu'il soutient le mien. Un courant électrique grésille entre nos corps distants comme s'ils se touchaient. Je revois tout, chaque seconde de cette nuit-là, en détails clairs et précis. Je commence à respirer lentement et vois la poitrine de Jack se soulever et s'abaisser aussi.

Ce n'est que lorsque Richard recule que nous sortons tous deux de notre transe. Jack attrape la poignée de sa portière et la referme d'un coup sec. Il exécute pratiquement un demi-tour sur place sur le gravier, tandis que mon esprit s'emballe et que Richard secoue la tête d'un air désespéré. Il revient vers le bâtiment.

— Tout va bien ? le questionné-je lorsqu'il passe à côté de moi, incapable de dissimuler mon inquiétude.

— Problèmes personnels, grogne Richard, avant de disparaître à l'intérieur.

* * *

Lorsque j'atteins péniblement le quartier de banlieue de mes parents en ce mercredi soir, je repère mon père occupé à tailler ses buissons sur la pelouse. La porte du garage est ouverte et sa vieille Jaguar se trouve dans l'allée, flambant neuve malgré ses vingt ans. Lorsque je m'arrête en bas de l'accès, il lève les yeux et fronce les sourcils.

— Ne te gare pas là ! crie-t-il en agitant les cisailles au-dessus de sa tête. Ça fait désordre dans l'impasse !

Je lève les yeux au ciel et lève les bras en l'air.

— Où est-ce que je me gare alors ?

Il marche jusqu'à sa Jaguar en soufflant comme un bœuf.

— Derrière Jerry.

— Derrière la petite Jaguar à son papa, dis-je entre mes

dents alors que je passe en première et remonte l'allée à toute allure.

Le visage de papa affiche une expression horrifiée. J'écrase la pédale de frein lorsque je me trouve à quelques centimètres du pare-chocs de sa précieuse possession, puis je sors d'un bond juste au moment où maman apparaît sur le seuil de la maison, un tablier soigneusement noué autour de la taille afin de protéger sa jupe froufroutante. Elle tient un saladier et une cuillère en bois.

— Salut maman !

— Annie, ma chérie ! chantonne-t-elle, ravie de me voir.

Je ferme la portière de ma voiture et dépasse mon père qui contemple toujours le pare-chocs de sa Jaguar, comme s'il craignait que mon vieux tas de boue tire la langue et souille sa peinture étincelante.

— Comment vas-tu ?

Je dépose un léger baiser sur la joue de ma mère en passant à côté d'elle.

— Merveilleusement bien !

Elle me suit jusqu'à la cuisine et l'odeur que je finissais par ne plus supporter quand j'habitais ici emplit mes narines. Je m'arrête et inspire profondément.

— Poulet rôti.

— Tu sais combien ton père est attaché à sa viande rôtie, chérie.

Elle pose son saladier sur le plan de travail et s'essuie les mains sur son tablier.

— J'en ai pour la journée quand il faut préparer la volaille et la pâte de son Yorkshire pudding.

Je ne sais pas pourquoi elle lève les yeux au ciel comme si ça la dérangeait. Elle adore le dorloter.

— Je meurs de faim, dis-je en allumant la bouilloire.

Voilà ce qu'il me faut. Un dîner maison de ma mère. De la nourriture réconfortante.

— Tant mieux ! s'exclame-t-elle.

Elle est ravie. Maintenant, ça lui fait deux personnes à dorloter.

— Et j'ai préparé un crumble !

J'en ai l'eau à la bouche. Le crumble de ma mère est à tomber.

— J'ai hâte de passer à table !

Elle me regarde d'un air légèrement soupçonneux.

— Tu as l'air stressée.

Je lui montre les dossiers que j'ai apportés.

— Le travail, mens-je.

Mon boulot ne me stresse pas. Je l'adore. Si je suis stressée, c'est à cause d'un beau gosse marié qui a omis de mentionner qu'il l'était.

— Ça te dérange si j'installe mon ordinateur sur la table de la salle à manger ?

Ma mère sourit et son air soupçonneux s'efface immédiatement. Elle est si facile à duper, accaparée comme elle l'est par son petit monde parfait, occupée à cuisiner et dorloter papa. Elle s'évanouirait si elle savait dans quel pétrin s'est mise sa fille. Un adultère. Le péché ultime.

— Attends une minute, je vais la débarrasser.

Elle disparaît aussitôt dans la salle à manger.

— Il faudra juste que tu t'installes au bout afin que je puisse mettre le couvert.

— Merci maman. Tu veux un coup de main ?

Je sors des tasses à thé du placard et m'empare de la théière avant que mon esprit recommence à explorer en long et en large l'étendue de mes péchés.

— Oui, prépare donc le thé, ma chérie. Et n'oublie pas que ton père le prend avec une demi-cuillerée de sucre.

— Je sais, le ciel me tombera sur la tête si j'ose y mettre un grain de trop, dis-je entre les dents en mesurant une demi-cuillerée parfaite avant de la verser dans la tasse.

— Pardon ?

— Rien, rien !

Je me demande comment j'ai fait pour vivre avec eux ces douze derniers mois. Je m'interroge ensuite pour la première fois de ma vie si maman aime vraiment être en permanence aux petits soins avec mon père. C'est son unique raison d'être, surtout depuis qu'il a vendu son entreprise et pris sa retraite. Le dorloter. Elle n'a jamais eu la moindre aspiration, la moindre ambition professionnelle, à part celle de devenir femme et mère au foyer. Maintenant que je suis adulte, elle passe son temps à le materner. Elle bichonne la maison, bichonne le jardin, bichonne mon père, et me bichonne, moi, quand je suis là. J'ai ses cheveux foncés et ses yeux vert clair, mais la ressemblance s'arrête là. Elle dorlote son entourage. Elle a une attitude saine. Contrairement à moi qui ai couché avec un homme marié.

— Tu devrais avoir honte ! aboie papa en entrant dans la cuisine, armé de ses cisailles.

Je sursaute. Lit-il dans mes pensées ? Oh bon sang, il est au courant. Il sait ce que j'ai fait ! Des gouttes de sueur – coupable – commencent à se former sur mon front. Mes parents vont me déshériter.

— Cette voiture est une honte absolue, poursuit-il.

Je pose les mains sur le bord du plan de travail afin de me soutenir. Merde, je suis trop parano.

— Tu peux la laver si tu veux, répliqué-je.

Me ressaisissant, je sers le thé et lui tends son mug, qu'il examine avec prudence parce que ce n'est pas ma mère qui l'a préparé.

— Une demi-cuillerée de sucre, lui indiqué-je avant qu'il le demande.

Il pose les cisailles sur le plan de travail, ce qui fait hurler maman d'horreur.

— Stanley, enfin ! Il va falloir que je renettoie tout le plan de travail maintenant !

Elle se précipite vers l'outil et l'emporte. Papa lève les yeux au ciel et pivote sur ses talons.

— Ça faisait au moins une heure que tu ne l'avais pas désinfecté, June. Je suis dans le garage.

— D'accord, chéri, chantonne ma mère sans le moindre agacement.

Je ne sais pas comment elle fait. Depuis qu'il est la retraite, il n'arrête pas de ronchonner.

— Si tu me cherches, je suis dans la salle à manger, annoncé-je, laissant maman frotter le plan de travail.

Je m'installe à la table en bois foncé que mes parents ont achetée dans les années 1990, puis j'allume mon ordinateur, l'esprit divaguant tandis qu'il démarre. Je devrais éviter d'y penser, mais les marques dans le cou de Jack m'obsèdent, tout comme son visage *et* celui de sa femme.

— Tu travailles trop, commente ma mère en flânant vers le buffet.

Elle essuie un minuscule grain de poussière sur la surface brillante.

— C'est comme ça que les gens réussissent, maman.

— Mais il n'y a pas que le travail dans la vie !

— Ah bon ?

— Trouve-toi un mari, fais des enfants. Quand deviendrai-je donc grand-mère ?

Des petits-enfants ? Je m'esclaffe intérieurement. Davantage de personnes à materner.

— Lâche-moi les baskets, maman.

— Ma foi, tu approches des trente ans.

Elle agite la tête vers les dessins étalés sur la table devant moi, tandis que je la regarde avec incrédulité.

— Est-ce que ça te rend vraiment heureuse, Annie ?

J'avale ma salive et baisse les yeux vers mon ordinateur.

— Oui. Très.

Je l'entends soupirer, puis elle s'éloigne sans bruit.

— Quand l'homme de ta vie se présentera, peut-être pense-ras-tu à autre chose qu'au travail.

Je ferme les yeux et me recroqueville sur ma chaise. Je pense déjà à autre chose qu'au travail. Sauf que ce mec n'est pas l'homme de ma vie.

* * *

Après un dîner agréable avec mes parents, je rassemble mes affaires, les embrasse et leur promets de passer ce week-end. Je fais défiler mes e-mails tout en me dirigeant vers ma voiture, afin de vérifier si je vais devoir travailler tard, ce soir encore. Un message de l'entreprise française qui fabrique ma super toiture en verre me saute aux yeux. Je fronce les sourcils en l'ouvrant. Espérons que la fabrication n'a pris aucun retard.

— Oh, merde, soufflé-je en parcourant l'e-mail. Non, non. Non !

J'ouvre la portière de ma voiture, jette mes sacs sur le siège passager et me laisse tomber derrière le volant.

— Mais comment peut-on faire une erreur de calcul pareille ?

Je plonge la main dans ma sacoche de travail afin de débus-quer ma calculatrice et mes dessins, puis je tape rapidement sur les touches sans cesser d'espérer qu'ils se sont trompés en admettant avoir fait une erreur. Si la toiture pèse deux cents kilos de plus qu'ils l'ont stipulé, ça va foutre en l'air tous les calculs des ingénieurs.

— Putain !

Je donne un coup de tête dans l'appuie-tête lorsque ma calculatrice affiche les mêmes chiffres que les calculs corri-gés de l'entreprise.

— Bande d'abrutis !

Je démarre et descends l'allée rapidement en marche arrière. Je peux dire adieu à ma soirée tranquille.

* * *

La nuit tombe lorsque je m'arrête devant le chantier. La voie est encombrée de bennes, d'échafaudages et de matériaux de construction et les deux entrées sont fermées par des barrières de sécurité. Je me gare dans la rue et attrape mes affaires, sans cesser de chercher une solution à mon énorme problème. Je n'en trouve aucune, et l'idée de devoir dire adieu à mon toit en verre me donne envie de pleurer.

Je ne prête bien sûr aucune attention aux panneaux d'avertissement fixés partout sur les barrières qui m'interdisent de pénétrer sur le chantier, je me faufile entre deux grilles et me dirige rapidement vers l'arrière du bâtiment où sera construite l'extension à partir du mur extérieur. Après avoir appuyé sur un interrupteur, je sors les dessins où sont notés les calculs dont j'ai besoin ainsi que l'e-mail indiquant le nouveau poids de ma toiture. Il me faut environ dix secondes pour conclure que les poteaux en acier que j'ai proposés n'ont aucune chance de pouvoir le soutenir sans l'aide d'un autre mur porteur. Et il n'y a pas d'autre foutu mur porteur à proximité dont je pourrais me servir. Mon cœur se serre. Je porte la main à mon front dans l'espoir de soulager la migraine qui est apparue instantanément.

Craash !

Je sursaute et fais volte-face, la main tombant sur ma poitrine. Qu'est-ce que c'était ? Mon regard balaye l'espace avec méfiance.

— Il y a quelqu'un ?

Craash !

Mon cœur bat à toute vitesse.

Craash !

Je saisis mon portable et avance prudemment vers le son provenant de l'extérieur.

Craash !

Le bruit se poursuit à un rythme régulier, et je m'arrête. Mais qu'est-ce qui me prend de vouloir aller vérifier ?

Je ferais mieux d'appeler la police. Mais alors que je commence à reculer, prête à partir, j'entends un léger juron. Reconnaissant cette voix, je repars aussitôt en direction du son et passe dans la pièce voisine. La porte qui donne sur le jardin est ouverte. Le souffle coupé, je découvre l'origine du bruit et tends la main vers l'encadrement de la porte afin de me soutenir.

Craash !

Jack enfonce la pelle dans le sol, pose sa botte sur le dessus et l'enfonce, puis il la soulève et jette la terre sur le côté. Mon corps se détend ; mon téléphone tombe de ma main et heurte le sol à mes pieds. Jack pivote aussitôt et je tombe presque à la renverse en le voyant dans son vieux jean sale, le torse nu, et suant. Sa poitrine musclée luit dans la lumière sombre. Ses cheveux sont mouillés, son visage taché de boue. Oh, mon Dieu, pitié !

— Annie ?

Jack s'avance, les yeux plissés, comme s'il n'était pas sûr de ce qu'il voyait.

Je déglutis et détourne le regard de l'image captivante de son torse nu et de son visage merveilleusement souillé.

— Je suis désolée, je ne m'étais pas rendu compte qu'il y avait quelqu'un.

— Je suis juste...

Lorsqu'il s'interrompt, je lève les yeux vers lui.

— Je creusais juste une fosse-test.

— Tes ouvriers ne sont pas censés s'en charger ?

Je suis absolument sûre qu'aucun d'eux ne serait aussi beau que lui en train de creuser un trou.

Il jette un œil au tas de terre puis enfonce sa pelle dans le sol à côté de lui.

— J'aime bien mouiller la chemise une fois de temps en temps, répond-il à voix basse.

— À huit heures du soir ?

Jack lève les yeux vers moi lorsque je me baisse pour ramasser mon portable.

— Et toi, qu'est-ce que tu fais ici au juste ?

Les griffures sur sa gorge attirent à nouveau mon regard, bien qu'elles soient moins visibles qu'hier matin.

— J'ai un problème avec la toiture.

Son beau visage se plisse de confusion.

— Quel problème ?

— Oh, ce n'est rien.

Je hausse les épaules et recule, consciente de devoir partir. Il m'est déjà assez pénible de me retrouver en sa compagnie en temps normal, mais voilà que je le découvre à moitié nu, en sueur, les muscles saillants ! La situation est plus que périlleuse.

— Il faut juste que je vérifie quelques mesures.

— À huit heures du soir ? s'étonne-t-il, un petit sourire aux lèvres.

Il ne s'agit que d'un millième du sourire que j'ai vu et aimé, mais c'est tout de même merveilleux. Attirant. Rassurant. Quand il fait cette tête, il devient beaucoup trop facile de se confier à lui.

— Ce n'est pas vraiment rien, en fait.

Je lâche un soupir et me demande s'il faut vraiment lui en parler. Je devrais partir. Filer. M'extraire sur-le-champ de cette situation.

— Les fabricants ont fait une connerie monumentale. J'essaie de trouver un moyen de la réparer, mais je ne trouve pas grand-chose.

Je hausse les épaules.

Lorsque Jack s'avance, je recule par réflexe. Il s'arrête et m'observe.

— Tu veux me montrer ?

— Oui, accepté-je sans hésitation, ce qui me stupéfie. Avec plaisir.

Il sourit, plus largement cette fois. Le résultat est un peu plus proche du sourire éblouissant à la Jack Joseph. Je me surprends à le lui rendre, incapable de me retenir.

Il lâche sa pelle et s'approche de moi. Je ne le quitte pas des yeux un seul instant. Mon estomac joue au yoyo jusqu'à ce que Jack s'arrête à quelques pas de moi.

— Après toi, murmure-t-il.

Je me retourne rapidement puis me dirige vers l'intérieur, sans cesser de sentir sa présence dans mon dos. J'ai l'impression de perdre pied. Je ferme les yeux et prie silencieusement pour retrouver de la force. Pourquoi ai-je accepté son offre ? Je jette un œil par-dessus mon épaule tandis que nous entrons dans l'immense pièce au fond, et croise à nouveau son regard.

— Tu devrais enfiler un T-shirt, dis-je sans réfléchir, incapable de me retenir.

— Ah oui ?

Il baisse les yeux vers son torse.

— Est-ce que ma nudité te distrait ?

Son sourire taquin lorsqu'il me regarde à travers ses cils déclenche une explosion de pulsations dans mes veines.

Je secoue la tête et me concentre sur le travail qui nous attend. Hors de question de stimuler davantage son espièglerie.

— Très mignon.

— Tu es toi-même très mignonne.

Ces mots, un écho à la nuit que nous avons passée ensemble, me font vaciller. Impossible pour lui de ne pas le remarquer. *Ignore-le !* Je me sermonne intérieurement, me ressaisis puis me concentre en arrivant à la table sur laquelle sont étalés mes dessins. Je pointe ensuite un doigt tremblant sur celui qui détaille la toiture.

— Ils ont mal calculé le poids du toit.

Sa main apparaît, se glisse autour de ma taille et tout mon fichu corps s'enflamme. Je lève les yeux vers les siens, tandis que tous les muscles de mon corps se tendent afin de lutter contre la chaleur qui les envahit.

— Pourquoi trembles-tu ? demande-t-il en me serrant le poignet.

— Parce que tu me rends nerveuse, réponds-je avec franchise, avant de le regretter. Enfin...

Pas la peine de terminer ma phrase. Il n'y a aucun moyen de revenir en arrière.

— S'il te plaît, Jack. Est-ce qu'on pourrait s'en tenir au travail ?

Il retire lentement la main de ma taille et pose les deux paumes sur la table.

— D'accord. Le travail, répète-t-il en examinant le dessin. De combien se sont-ils trompés ?

Je le remercie intérieurement de se montrer professionnel, même s'il a choisi de ne pas couvrir son magnifique torse malgré ma demande. Son odeur est puissante et son corps touche presque le mien.

— Deux cents kilos.

Son sifflement confirme à quel point je suis dans le pétrin.

— Pas besoin d'être ingénieur en structure pour deviner que cette erreur nous met dans la merde jusqu'au cou.

Mes forces m'abandonnent pour de bon.

— En effet.

— Ça va sérieusement retarder la progression des travaux.

— Je sais.

Je m'effondre intérieurement.

— Et il ne nous reste que quatre mois avant l'ouverture de Colin. Le planning est déjà serré.

Je plaque les paumes sur la table et baisse la tête.

— Tu ne pourrais pas trouver quelque chose pour me remonter le moral ? Je comptais un peu sur un miracle.

Un adorable rire léger lui échappe alors.

— Je suis entrepreneur, pas magicien, Annie.

De plus en plus déprimée, j'esquisse une moue.

— J'ai envie de pleurer.

Mon édifice hallucinant ne sera plus qu'un bâtiment banal sans ce toit.

— Tu es magnifique quand tu boudes, dit doucement Jack.

Mes lèvres se détendent aussitôt.

— Toi, tu es magnifique tout le temps.

Je regarde autour de moi, alarmée, comme si cette phrase m'avait échappé. Jack rit et dédramatise aussitôt la situation. L'espace d'un instant, tout disparaît. La seule chose qui compte pour moi, c'est entendre ce rire.

— Reste professionnelle, s'il te plaît, me taquine-t-il.

— C'est toi qui as commencé.

Je secoue la tête de consternation. Le filtre censé intervenir entre mon cerveau et ma bouche ne fonctionne plus du tout. Sentant Jack contempler mon profil, je le regarde du coin de l'œil puis je le jauge, je l'admire.

— Qu'est-ce que tu fais sur le chantier à cette heure-ci ?

Tant pis, je réparerai ce filtre plus tard. Je ne crois pas un seul instant qu'il aime bien mouiller la chemise de temps en temps. Il y a autre chose et, bien malgré moi, je m'interroge de plus en plus au sujet de Jack et sa femme.

— Je suis ici parce que j'avais besoin d'air.

Sa réponse est très vague et, pour une fois, il ne me regarde pas dans les yeux. Jack se contente d'examiner les dessins.

Son attitude fuyante ne fait qu'accroître ma curiosité.

— Besoin d'air ?

— Quelque chose comme ça.

Tandis que j'observe son profil avec intérêt, ma main, de son propre gré, se lève vers son cou, comme attirée par les griffures. Jack l'attrape avant qu'elle se pose sur sa peau et mon regard se lève brusquement vers le sien. Ses yeux gris terne retrouvent un peu de leurs étincelles, tandis qu'il soutient mon regard et me tient la main, glissant doucement les doigts entre les miens.

Je me surprends à contempler nos doigts enlacés. Cette image cède place à celle de nos deux corps mouillés enlacés qui roulent sur un lit d'hôtel, nos bouches qui s'embrassent sauvagement, tandis que nos gémissements emplissent l'air. Je me perds dans ces pensées qui recommencent à m'obséder ; mon corps ressent à nouveau toutes ces sensations.

— Tu penses à l'hôtel, n'est-ce pas ? chuchote Jack, se baissant afin de rencontrer mon regard. Tu revis cette nuit-là comme je le fais chaque putain de minute de ma vie.

Je suis incapable de parler. Ou de bouger. Cette montée de sensations me paralyse ; je me retrouve à la merci de l'homme qui obsède mon esprit, mon corps et mon âme depuis notre rencontre dans ce bar.

— Je le lis dans tes yeux, Annie.

Jack s'avance, et la chaleur de son souffle sur mon visage se répand dans mon corps comme un feu de forêt. Il me captive, me prive de toute capacité de jugement. *Sa femme. Mais qu'est-ce que je suis en train de faire ?*

Je retire rapidement la main de la sienne et me tourne vers la table en m'agrippant au bord afin de me soutenir. Je baisse ensuite les yeux vers les dessins, alors que la tête me tourne.

— Tu m'as promis.

— Bon sang, Annie, mais comment tu fais ? On dirait que c'est facile pour toi.

— Mais ça l'est, répliqué-je, à bout de nerfs. Parce que je n'éprouve rien pour toi, alors cesse d'essayer de lire entre les lignes. Tu perds ton temps.

Mon ton cinglant me fait grimacer, mais il faut que je reste forte. Facile ? Il croit que c'est facile ? Cette pensée me rend folle.

— Je suis désolé, chuchote-t-il d'un ton peiné.

Sa sincérité affaiblit ma volonté. Je trouve difficile et douloureux d'avoir affaire à lui sur le plan professionnel, mais c'est faisable. À l'inverse, sentir la culpabilité me ronger, avoir honte de moi, c'est insupportable. Même si je lutte pour l'ignorer, notre lien sous-jacent est toujours là. Cependant, ça ne veut pas dire que je peux passer à l'acte.

— Je devrais y aller.

Je m'écarte de lui, agitée, mes soucis professionnels oubliés. Je n'ai plus qu'une chose en tête : échapper le plus vite possible à cette situation. J'attrape mes sacs en renonçant aux dessins, car il me faudra trop de temps pour tous les replier. Il faut que je sorte d'ici avant que mon attirance et mon désir prennent le dessus. Avant que je cède à la pression des efforts qu'il fournit. Il serait si facile de lui retomber dans les bras. Trop facile. De plus, les conséquences et le retour de bâton seraient extrêmement violents.

Je me dépêche de partir, impatiente de rentrer chez moi, de me raisonner et de retrouver ma volonté.

— Annie, attends !

J'ignore l'appel de Jack et continue à marcher, certaine d'être foutue si je lui cède.

— Annie !

Je sors dans l'air frais et descends les marches quatre à quatre, mais m'arrête brusquement lorsque Jack me dépasse et me bloque le passage.

— Jack, je t'en prie, ne fais pas ça.

Mon souffle est laborieux, et ce n'est pas seulement à cause de ma fuite.

— Je ne ferai rien, c'est promis.

Il recule, afin de me laisser respirer, les mains levées en signe de capitulation.

— Je suis désolé.

Je le dévisage et affiche une expression déterminée.

— Dans ce cas, laisse-moi passer, articulé-je lentement.

Jack inspire profondément. Au bout de ce qui me paraît une éternité, il se pousse enfin sur le côté.

Je m'éloigne rapidement sans cesser de lutter contre la force magnétique qui tente de me ramener à lui.

Cette force à laquelle il devient de plus en plus difficile de résister.

9

Je repère Micky à la terrasse du café, me dépêche de le rejoindre et me laisse tomber sur ma chaise avec un bruit sourd. Je viens de passer une horrible journée à réexaminer mes dessins techniques, chercher une solution pour ma toiture... et à me prendre la tête au sujet de Jack Joseph. Je suis lessivée à force de retourner le problème dans tous les sens et je n'ai pas fermé l'œil de la nuit. Le souvenir de ses paroles et de son torse nu mouillé refuse de laisser mon esprit tranquille. Cette vision m'a tourmentée toute cette putain de nuit et ça continue.

— Tout va bien ? demande Micky en remarquant mon air stressé.

— Mon cerveau est sur le point d'imploser, lâché-je avant de laisser tomber mon sac sur la chaise voisine. J'ai un problème impossible à régler au boulot.

— Tu travailles trop. Quand es-tu partie en vacances pour la dernière fois ?

Je réfléchis... Encore... Et encore.

— C'est bien ce que je disais.

Il hausse les épaules, les paumes tournées vers le ciel.

— Tu as l'air fatiguée. Prends un congé et détends-toi. Prends du bon temps. Ton cabinet ne fera pas faillite si tu fais une petite pause.

Il a tort. C'est ce qui arrivera à coup sûr. De toute façon, même si ça n'arrive pas, je n'arrêterai pas de réfléchir si je pars en vacances et ne fais plus rien, et je n'ai pas envie de réfléchir en ce moment parce que mon stupide cerveau ne veut se concentrer que sur une seule chose.

— L'année prochaine peut-être, soufflé-je, le regard perdu au loin.

— Oh, non.

Sa réaction met brutalement fin à ma courte rêverie. Micky me regarde, tout inquiet.

— Quoi ?

— Je connais ce regard. À quoi penses-tu ?

— À rien.

Je ris et commence à tripoter la cuillère sur mon set de table.

— Annie..., grogne-t-il, avant de pousser un long soupir agacé.

Je ris encore, faute de savoir quoi dire. Micky me connaît depuis l'enfance. Impossible de le mener en bateau.

— Raconte-moi.

— Je n'ai rien à raconter. J'ai juste un boulot de dingue.

Feignant l'indifférence, j'agite une main en l'air et prie pour qu'il abandonne le sujet.

— Tu l'as revu ?

— Pas vraiment, rétorqué-je faiblement, furieuse de ne pas pouvoir paraître plus convaincante.

Je suis si fatiguée que jouer la comédie me demande des efforts surhumains.

Micky s'adosse lentement à son siège et m'examine d'un air méfiant.

— S'il te plaît, dis-moi que tu n'as pas remis ça.

Je ferme la bouche et évite son regard.

— Non.

Même si je n'ai pas remis ça physiquement avec Jack, je l'ai fait dans ma tête un millier de fois et je me sens tout aussi coupable.

— Je l'espère.

Micky se penche sur la table. Il cherche sans doute à s'assurer que la sévérité de son regard ne m'échappe pas.

— Parce que je te rappelle qu'il est marié, putain !

— Tu veux bien te taire ?

Le regard affolé, je jette un œil à nos voisins, l'air totalement parano.

— Je n'ai pas remis ça et je n'ai aucune intention de le faire.

À nouveau, Micky se penche au-dessus de la table d'un air menaçant, et je me replie sur moi-même, inquiète. Je ne l'ai jamais vu aussi en colère.

— Je n'aime pas ça. Est-ce qu'il te court après ?

— Non, nié-je, de peur que mon vieux copain prenne les choses en main.

Soudain, il en a l'air tout à fait capable.

— Est-ce que *tu* lui cours après ?

— Non.

Ce n'est pas un mensonge, cette fois.

— Je travaille avec lui, Micky. Il est difficile de ne pas voir une personne quand tu es obligé de collaborer avec elle.

— Rien ne t'oblige à le faire.

— Est-ce que tu suggères que je devrais dire adieu au projet de mes rêves parce qu'un connard m'a fait marcher ?

À cet instant, mon portable se met à sonner sur la table et le nom de Jack apparaît sous nos yeux. Je tends la main et refuse l'appel en écrasant l'écran du doigt, puis je lève les yeux vers mon ami. Il esquisse une moue.

— Je te connais, Annie. Je sais quand quelque chose te tracasse, et une chose est sûre, ce n'est pas le travail.

Il secoue la tête, consterné.

— Si vos relations sont purement professionnelles, pourquoi tu as refusé cet appel ? demande-t-il en pointant mon téléphone du doigt.

— Parce que je prends un café avec toi.

— Il est marié, dit-il simplement, remuant davantage le

couteau dans la plaie. Ne t'embarque pas là-dedans, Annie.
N'y songe pas un instant !

— Ce n'est pas ce que je fais.

Je serre brutalement les dents.

— Je suis préoccupée par le travail. Rien de plus.

Son visage s'adoucit lorsqu'il me prend la main.

— Tu mérites mieux. Ne va pas te foutre dans cette galère.
Ça finira mal.

Je baisse la tête, encore plus épuisée qu'à mon arrivée.

— Je t'ai proposé un café parce que j'avais envie de bavarder. Pas de me faire tirer les oreilles.

Je me force à sourire, tourne la main afin de tenir la sienne
et hoche la tête pour le rassurer.

— J'ai été prise de court par toute cette histoire. Mais ça
va, je t'assure. Tu me connais.

Je lève les yeux lorsque le serveur glisse un café vers moi.

— Merci.

— Aurais-je dû commander quelque chose de plus fort ?
demande Micky d'un ton sérieux.

— Sans doute, admets-je avec un grognement. Ça va, le
travail ? Et avec ta nouvelle cliente, plus précisément ?

J'agite un sourcil insolent.

Mon vieux copain prend l'attitude la plus blasée possible
et joue nonchalamment avec sa serviette. Mais si Micky me
connaît, je le connais aussi : de toute évidence, il a cette
nouvelle cliente dans la peau.

— Ça va.

— C'est tout ?

— Je lui ai dit qu'elle aurait sans doute besoin d'une
séance de plus par semaine.

Je ris et avale une gorgée bienvenue de caféine.

— Bien sûr qu'elle en a besoin.

Micky sourit au-dessus de sa tasse.

— Hé, j'ai vu Jason hier.

— Super. Est-ce que tu lui as dit que tu avais sauté son ex ?

— Mais non, Lizzy et moi étions simplement bourrés.

Micky lève des yeux exaspérés au ciel.

— Ouais, c'est ça. Alors, qu'est-ce qu'il voulait ?

— Il a envie de se mettre au sport.

Je ne peux retenir un rire sarcastique.

— Quoi, il ne se trouve pas assez en forme pour la gamine de vingt et un ans avec laquelle il a trompé Lizzy ?

Micky hausse les épaules.

— C'est pas mes affaires.

Je rigole encore, mais intérieurement, cette fois. Si seulement il se fichait autant de mes bêtises. Je baisse les yeux vers mon portable et soupire.

— Déjà seize heures ?

Je tente de retrouver suffisamment de courage pour retourner dans mon atelier, où je devrai encore m'arracher un millier de cheveux sur mon problème. Et je parle de mon problème de toiture. Je vais bientôt devoir m'avouer vaincue, réviser mes plans et annoncer la mauvaise nouvelle à Colin.

— Seize heures ? Merde !

Micky bondit de sa chaise et jette un billet de dix sur la table.

— J'ai une séance avec Charlie.

Il fait rapidement le tour de la table et m'embrasse sur la joue.

— À plus.

— Amuse-toi bien ! dis-je en rassemblant mes affaires, avant de me mettre en route.

Mon portable sonne encore trois fois avant que j'atteigne le métro – uniquement des appels de Jack, et je refuse chacun d'eux. Depuis hier soir, éviter cet homme est devenu ma priorité absolue.

* * *

Je lève les yeux du trottoir en approchant de chez moi et ralentis en voyant une Audi gris métallisé garée dans la rue. Mais qu'est-ce qu'il fout ici ?

La portière du côté conducteur s'ouvre et Jack sort de sa voiture. Son grand corps se redresse lentement. Je passe quelques secondes de trop à le contempler, comme si j'avais besoin de me rappeler sa pure splendeur. Les manches de sa chemise bleu pâle sont retroussées, ses avant-bras fermes entièrement nus, tout comme sa gorge grâce à son col ouvert.

Je fais comme s'il n'était pas là et ne pense qu'à une chose : m'enfermer chez moi sur-le-champ.

— Hé !

La voix douce de Jack m'enflamme le dos et fait monter ma panique à mesure que je me rapproche de ma porte. Je me mets à chercher mes clés dans mon sac comme une désespérée.

— Annie ?

Mais où sont-elles, bordel ? Soudain, sa main se pose sur mon dos et je pivote maladroitement, pressant mon dos contre le bois de la porte.

— Qu'est-ce que tu veux ? lancé-je, l'air totalement flippé.

Jack secoue la tête comme s'il avait du mal à rester patient.

— Pourquoi ne réponds-tu pas à mes appels ? Ni à mes messages ?

— Je crois qu'il vaudrait mieux que j'aie affaire à Richard à partir de maintenant.

Son visage affiche une expression furieuse et ses narines se dilatent.

— Et pourquoi ça ?

— Parce que...

Je n'ai pas envie de prononcer ces mots. Je n'ai pas envie d'admettre que ce qu'il y a entre nous m'anéantit peu à peu et que si je ne remédie pas au problème rapidement, il se pourrait que je commette un acte dont aucune femme ne devrait se rendre coupable.

— Je pense simplement que c'est mieux ainsi.

— Pas moi, rétorque-t-il d'un ton sec.

Je le regarde, choquée.

— Ce que tu penses est sans importance.

Il plisse ses yeux gris.

— J'ai essayé de te joindre parce que j'ai eu une idée.

— Laquelle ? demandé-je avec prudence.

— J'ai une solution à ton problème.

— Il va falloir que tu sois plus précis, parce que j'en ai plusieurs ! répliqué-je sans réfléchir.

La surprise le fait légèrement reculer. Merde ! Il faut vraiment que je répare ce filtre.

— Je faisais allusion à ton toit, explique-t-il en me regardant avec intérêt. Je peux savoir quels sont les autres ?

Jack me provoque. Il tente de me pousser à bout afin que je lui avoue tout – le fait que je ne cesse de penser à lui, que mon corps brûle de désir pour lui. Mais il ne m'aura pas.

— Certainement pas.

Il sait aussi bien que moi quel est notre véritable problème et que nous devons le régler rapidement. Si tant est que ce soit possible.

— Quelle est la solution ?

— À quel problème ? s'enquiert-il sérieusement.

Je prends une profonde inspiration pour garder mon sang-froid. Et peut-être pour me donner la force de résister.

— Mon problème de toit, précisé-je d'un ton sérieux.

— Oh, celui-là.

Un sourire adorable effleure ses lèvres. Un sourire complice.

— Ce n'est pas drôle, Jack.

— Mais je ne plaisante pas, Annie. Je crois que j'ai une solution à notre problème de toiture. Je vais te montrer, dit-il en désignant sa voiture.

Je la regarde avec méfiance puis je me tourne vers Jack.

— Me montrer quoi ?

— Un bâtiment que nous avons rénové l'an dernier. Un musée.

Je fronce les sourcils tandis qu'il poursuit.

— La structure n'était pas adaptée au toit.

Mon dos se redresse.

— Et qu'est-ce que vous avez fait ?

Il soupire d'un air fatigué et recule dans l'espoir que je me détende.

— Je peux te montrer ?

C'est presque une supplication.

— J'ai autant envie que toi de cette magnifique toiture, Annie. Je veux t'aider.

J'essaie de déchiffrer son langage corporel, de le percer à jour, totalement partagée. Je ne sais pas s'il tente de m'appâter ou s'il souhaite sincèrement m'aider. Et il n'y a qu'une seule façon de le savoir.

— Je te suis, dis-je en espérant ne pas commettre une énorme erreur.

* * *

Le trajet dure vingt bonnes minutes. Et tandis que je suis son Audi gris métallisé, au volant de ma Golf, mon esprit ne cesse de sauter de mon problème professionnel à mon problème personnel et vice versa. Chaque fois que je pense boulot, Jack reprend le dessus et je me retrouve assaillie d'une foule de questions. Sur sa femme, leur relation, les soi-disant rumeurs sur elle. Cependant, elles disparaissent aussi vite qu'elles me sont venues à l'esprit, dès que je me rappelle que ça ne me regarde pas du tout. *Concentre-toi, Annie. Concentre-toi sur le boulot.*

Je m'arrête derrière Jack devant un immeuble de style édouardien puis le rejoins sur le trottoir.

— C'est ici ? demandé-je en levant les yeux vers la façade de pierre.

— Non, derrière.

Il part tranquillement devant.

— Par ici, lance-t-il.

Je contourne le bâtiment en restant à bonne distance de lui et me retrouve dans un jardin magnifiquement entretenu.

— C'est vraiment un musée ? me renseigné-je en faisant quelques pas vers la façade du bâtiment.

— Dédié à un artiste local mort dans les années 50.

Lorsque Jack pointe le doigt vers le haut, je lève la tête vers le toit.

— Ce n'est pas du verre, mais il est assez lourd.

— Et quelle solution avez-vous trouvée pour le soutenir ?

Jack se dirige vers une fenêtre et désigne l'intérieur du doigt.

— Viens voir.

Intriguée, je le rejoins, mais je ne suis pas assez grande pour regarder à travers la haute fenêtre.

— Je ne peux pas... Oh ! Jack !

Soulevée de terre, je me retrouve face à la fenêtre.

— Tu vois ce mur au fond ? demande-t-il, sans prêter attention à mon cri affolé.

Je tente d'oublier la sensation de ses grandes mains sur ma taille et regarde à l'intérieur du bâtiment.

— Oui, parviens-je juste à couiner.

— C'est là que se terminait le bâtiment. Le mur d'origine était trop vieux et faible pour soutenir le toit en pente de l'extension. En gros, nous l'avons donc démoli puis reconstruit avec une double épaisseur en utilisant des pierres de récupération. Autrement dit, nous n'avons ajouté aucune colonne de soutien et l'espace a pu rester ouvert.

— Et tu crois qu'on peut faire pareil pour la galerie de Colin ?

Je tente de ne pas laisser mon excitation prendre le dessus avant d'en être sûre.

— Il nous faudra la confirmation de l'ingénieur en structure.

Jack me repose sur le sol et retire les mains de ma taille. Je tire sur ma robe en prétendant être indifférente au fait que ses grandes mains m'ont tenue un moment sans le moindre effort.

— Mais je ne vois pas où serait le problème.

Impossible de me contenir plus longtemps, je lève les yeux vers lui.

— C'est vrai ?

Il me sourit largement. Cette fois, c'est un superbe sourire à la Jack.

— Te voilà remise en selle, Annie.

Totalement submergée par le soulagement et un millier d'autres émotions que je n'ose pas analyser, j'oublie mes craintes et m'élance vers lui, infiniment reconnaissante pour son aide.

— Merci, soufflé-je en lui serrant les épaules.

Ses bras forts se referment autour de mon corps et me soulèvent du sol, tandis qu'il enfouit le visage dans mon cou.

— À ton service, répond-il doucement.

Il serait plus convenable de nous détacher l'un de l'autre immédiatement, mais aucun de nous ne semble prêt à le faire, réciproquement aussi contents de rester enlacés. Je sens son cœur battre, sa poitrine se mouvoir contre la mienne, et son odeur si caractéristique captive totalement mes sens. Je commence à succomber à toutes les choses enivrantes qui constituent Jack Joseph et me sens faiblir dans ses bras.

— C'est comme ça que tu restes professionnelle ? demande-t-il au bout d'une éternité en respirant dans mon cou. Parce que si c'est le cas, il faudra qu'on travaille beaucoup plus ensemble à l'avenir.

Je souris malgré moi.

— Désolée. Je me suis un peu laissé emporter.

Je me détache de lui à contrecœur et évite son regard.

— Tu as bien fait.

Jack croise les bras sur sa large poitrine et je me demande brièvement s'il se retient de m'enlacer de nouveau.

— Tu es une femme très talentueuse, Annie. Si seulement tous les architectes avec qui je travaille étaient aussi dynamiques et créatifs que toi.

Chaque fois que Jack prononce mon nom, il se passe quelque chose en moi. Quelque chose d'électrisant. Et quand il loue mon talent comme il vient de le faire, je me sens inspirée. J'ai envie de faire encore plus. Je ravale la boule dans ma gorge et agite le pouce par-dessus mon épaule.

— Il vaut mieux que je rentre. Merci, Jack.

Il hoche doucement la tête. Ces yeux. Oh, ces yeux. Ils disent un million de choses, tandis que sa bouche reste close.

Je me tourne lentement et m'éloigne en tremblant. Mais ce n'est pas tellement l'excitation qui m'agite. Si je tremble, c'est que je suis obligée de me retenir de me jeter dans ses bras, où, pendant un moment bienvenu, ma vie chamboulée a retrouvé une certaine stabilité.

Ayant atteint ma voiture, je me laisse tomber sur le siège et prends quelques bouffées d'oxygène en regardant le bâtiment, certaine qu'il va apparaître. Mais il reste invisible et je commence à me demander ce qu'il fait là-bas. À quoi il pense. Jack m'a aidée. Il a trouvé une solution à mon problème et son expression, lorsqu'il a vu mon euphorie, a bien failli me faire tomber à la renverse. Il était content pour moi. Il voulait que je réussisse.

— Rentre chez toi, Annie, m'exhorté-je en tournant la clé dans le contact.

Le moteur ronronne pendant quelques secondes avant de s'éteindre.

— Oh, allez !

Je fais une nouvelle tentative, mais cette fois, je n'obtiens rien. Pas le moindre bruit.

144

— Génial.

Je me laisse tomber contre le dossier de mon siège au moment où Jack apparaît, la tête baissée et les mains enfoncées dans les poches. On dirait qu'il porte le poids du monde sur ses épaules. Lorsqu'il lève les yeux et me trouve encore là, il me lance un regard interrogateur. Je lève les mains avec désespoir.

Arrivé près de ma voiture, il ouvre ma portière.

— Qu'est-ce qui se passe ?

— Elle ne démarre pas.

Je tourne à nouveau la clé afin de lui montrer le problème.

— Ouvre le capot, m'ordonne-t-il.

— Comment ?

Avec un petit rire, Jack secoue légèrement la tête puis tend la main près de mes jambes à l'intérieur de la voiture. Je retiens mon souffle et éloigne rapidement les genoux lorsqu'il les effleure de son avant-bras musclé.

— Ici, dit-il avant de me lancer un regard entendu et de tirer sur le levier caché.

Je souris avec embarras, la tête vide, tandis qu'il retire lentement le bras. Je ne recommence à respirer que lorsqu'il est loin de moi. Jack se dirige vers l'avant de ma voiture et disparaît derrière le capot ouvert.

Je sors du véhicule et me place assez loin de lui afin qu'aucun autre contact ne se produise, accidentellement ou non.

— Tu t'y connais en mécanique ?

— Un peu, admet-il avant de lécher son doigt et de toucher une pièce métallique. Ta batterie est morte. Malheureusement, je n'ai pas de câbles de démarrage.

— Qu'est-ce que c'est ? Et où est-ce que je peux en trouver ?

Jack rit à nouveau, plus fort cette fois, et me regarde, sincèrement amusé.

— Ça sert à faire démarrer ta voiture, mais tu n'en trouveras nulle part dans le coin à cette heure-ci.

— Oh. Qu'est-ce que je vais faire alors ?

— Me laisser te ramener chez toi.

Je lui lance un regard.

— Jack, je ne crois vraiment pas...

Attrapant ma main avant que j'aie une chance de protester davantage, il m'entraîne vers son Audi.

— Que c'est une bonne idée ? Pourquoi ?

Et merde, mon fichu corps tout entier part en fumée. Je baisse les yeux vers sa grande main fermée sur mon minuscule poignet, consciente de n'avoir aucune chance de me libérer. Il s'arrête et se tourne vers moi sans prévenir. Je heurte son torse et bondis en arrière, le regard rivé à son col ouvert. Je ne dois pas regarder son visage. JE NE DOIS PAS REGARDER SON VISAGE.

Ma langue s'alourdit, mais je parviens tout de même à articuler quelques mots.

— D'accord, tu peux me ramener chez moi.

— Ce n'était pas une question.

Jack ouvre la portière et me pousse à l'intérieur de sa voiture.

10

La tension dans le petit habitacle de la voiture de Jack est palpable. Pendant tout le trajet, je ne peux m'empêcher de remuer sur mon siège et me répète sans cesser d'éviter de commettre un acte stupide. De me jeter sur lui, par exemple, et faire exactement ce qu'il attend de moi. Ce qu'il veut à tout prix. Ou de prononcer des paroles insensées, lui dire combien il m'obsède. Combien je lutte contre mon instinct lorsque je repousse ses assauts.

Lorsqu'il s'arrête devant mon appartement, je bondis littéralement de mon siège, monte les marches de mon perron à toutes jambes puis agite la clé dans la serrure afin d'entrer. Ma peau est parcourue de picotements. Je me retiens de toutes mes forces de retourner vers lui en courant.

Marié !

Je claque la porte, me précipite vers la cuisine et me débarrasse de mon manteau et de mes chaussures en chemin. La meilleure solution pour me calmer est d'avaler un grand verre de vin. Pourquoi pas un bain, tiens. Fini le travail pour ce soir. Fini les ruminations.

— Putain de merde !

J'attrape la poignée de la porte de la cuisine et fais un bond jusqu'au plafond. Oh, mon Dieu !

Je sens mon visage se vider de sa couleur tandis que deux yeux perçants me regardent depuis le sol de la cuisine – des yeux qui appartiennent à la plus grosse souris que j'aie jamais vue. Mon cœur tambourine dans ma poitrine tandis que j'agrippe le sommet de la porte afin de garder les pieds en l'air. Elle me dévisage, totalement impassible, avec ses putains de nerfs d'acier.

— Oh mon Dieu, oh, mon Dieu, oh, mon Dieu !

Je suis suspendue à la porte alors que cette souris éléphantesque reste plantée au milieu de ma cuisine sans cesser de me dévisager. Soudain, elle se met à bouger et je hurle. Je la regarde avec horreur filer sur le sol de la cuisine et disparaître derrière un placard.

— Une souris !

Je lâche la porte et retraverse le vestibule à toutes jambes en hurlant. J'ouvre ensuite la porte d'entrée à toute volée et le bois heurte le mur avec fracas. Le bruit résonne dans l'air nocturne. Je dévale le chemin puis traverse la rue en courant, afin de me retrouver le plus loin possible de mon appartement. Une souris ! Oh, mon Dieu, ce que je déteste ces bestioles ! Mon souffle s'accélère. Je commence à hyperventiler.

Frissonnant de la tête aux pieds, je regarde des deux côtés de la rue. Qu'est-ce que je fais maintenant ?

— Annie ?

La voix inquiète de Jack attire mon attention vers la droite. Il se tient de l'autre côté de la rue près de son Audi. Encore là ?

Je pointe le doigt vers ma porte d'entrée.

— Une souris, dis-je faiblement.

Jack est d'abord bouche bée. Ensuite, il rit, le salaud. Je ne vois pas pourquoi. C'est à peu près aussi drôle qu'une éruption de boutons ! Je lui lance le regard le plus noir possible et parviens à voir, malgré ma peur et mon irritation, qu'il se tord de rire, les bras serrés sur le ventre. Il est tellement beau, putain. Délicieusement beau. Sa simple présence suffit à me faire craquer. Ce sourire contagieux, le son de ce rire... Je suis dans le pétrin. À cause de Jack... et d'une souris. Toute cette tension va finir par me tuer.

Jack observe ma silhouette tremblante depuis l'autre côté de la rue, un sourire jusqu'aux oreilles, le visage hilare, et cette image fait tourbillonner tout mon univers. Je n'ai plus de contrôle sur rien.

Je hurle intérieurement. Et si je finis par craquer pour de bon, ce n'est qu'à moitié à cause de cette souris. C'est aussi la faute de Jack... et de ce courant électrique familier qui circule entre nos corps. Jack parvient enfin à se calmer et semble prendre conscience de quelque chose. De la situation : lui d'un côté de la rue, moi de l'autre, nous nous dévisageons. Et quelle tension ! Quel désir !

Le silence s'éternise péniblement. Je suis incapable de le rompre. Il faudrait que je parle afin de faire avancer les choses, mais Jack me devance.

— Où est-ce que je dois chercher ?

Son pragmatisme, si on peut appeler ça comme ça, me soulage profondément. Je lâche un soupir.

— Elle s'est réfugiée derrière le placard près de la double porte.

— Ça va aller si je te laisse toute seule ici ?

Ses yeux gris expriment tellement de choses ! Je le supplie silencieusement de ne pas les formuler.

— Je crois qu'il vaut mieux que je reste dehors, dis-je doucement, certaine qu'il comprend le sens caché de ma phrase.

Il est hors de question que je rentre tant qu'il y a une souris dans mon appartement. Mais la présence de Jack chez moi en fait aussi la zone la plus dangereuse qui soit.

Je ne bouge pas d'un centimètre, tandis qu'il se dirige lentement vers la porte ouverte et longe le couloir sans hésitation ni précaution.

Son dos.

Solide et large.

Mes doigts enfoncés dans sa chair tandis qu'il me pénètre...

Je lève les mains et les pose sur ma tête, puis mes doigts agrippent mon cuir chevelu comme s'ils pouvaient extraire les pensées de mon esprit. Jack est dans mon appartement. Je me détourne de la porte d'entrée et lève les yeux vers le ciel tout en m'efforçant de garder mon sang-froid. Cette semaine a été épuisante, putain. Vivement qu'elle se termine. Ensuite, je passerai le week-end à me soûler et à rassembler ce qu'il me reste de volonté. Hors de question de craquer et de m'aventurer en territoire interdit.

J'ai l'impression d'attendre une éternité. Une éternité à faire appel à ma conscience. Une éternité à tenter de garder le contrôle de mes pensées. Une éternité à passer en revue toutes les raisons de ne pas le toucher. De ne pas penser à lui. De ne pas l'admirer.

Je serre les bras sur ma poitrine et me tourne vers l'entrée de mon appartement, l'oreille tendue. Je n'entends pas le moindre coup indiquant la mort d'une souris. Debout dans la rue, dans ma légère robe d'été, sans chaussures aux pieds, je commence à frissonner, car la température a un peu baissé.

Jack apparaît finalement dans l'entrée.

— Fini, déclare-t-il simplement.

Mais cette nouvelle ne me soulage pas autant qu'elle le devrait, car tout danger n'est pas encore écarté.

— Tu l'as tuée ?

Les yeux mi-clos, il acquiesce d'un signe de tête et me cloue sur place avec son regard dur.

— Merci, soufflé-je en l'observant.

De toute évidence, il est plongé dans ses pensées. *Ne dis rien, ne dis rien, ne dis rien.* Il faut que je retourne dans mon appartement sans engager la conversation, ce qui risque de s'avérer difficile, car il me bloque le passage et ne semble pas avoir l'intention de me laisser entrer.

Je traverse la rue à longues enjambées assurées en espérant qu'il sera sage et se déplacera avant que j'atteigne la porte.

Il ne le fait pas. Au contraire, il se positionne de façon à bloquer totalement l'entrée.

— Merci pour ton aide, lancé-je poliment, avant de me forcer à le regarder afin qu'il lise la détermination dans mon regard.

C'est une erreur, bien entendu, mais je m'efforce de me maîtriser et d'ignorer son beau visage.

— Annie, murmure-t-il. C'est vraiment trop dur.

— N'y songe même pas.

Je déglutis et le bouscule pour passer. Il m'attrape par le haut du bras et me maintient en place.

— Lâche-moi, Jack.

— Je t'ai déjà dit que c'était impossible. Annie, je suis en train de me noyer. Je deviens fou. Plus je passe de temps avec toi, plus je galère. C'est si bon de t'écouter, te parler, partager une passion avec toi. Tout ça dépasse largement la nuit incroyable que nous avons passée ensemble.

— Il faut que tu tournes la page !

Je hurle, car je sais que c'est le seul moyen pour moi de m'en sortir. Être en colère contre lui. La laisser me dominer et me guider, parce que l'alternative me file une trouille bleue.

Jack me pousse vers l'intérieur du vestibule et me force à reculer en claquant la porte derrière nous.

— Non, répond-il d'un ton franc et calme. Non, répète-t-il en faisant un pas en avant.

Mais cette fois, je ne recule pas. Parce que j'en suis incapable. Parce qu'il me cloue sur place avec ses yeux gris ; à présent, ils ont retrouvé toute leur splendeur. Bien que de colère, ils étincellent. Jack lève la main vers sa chemise, commence à la déboutonner puis l'enlève et la jette sur le sol, laissant apparaître le torse qui m'obsède.

Abasourdie, je baisse rapidement les yeux vers le vêtement roulé en boule. Son torse. Ce foutu torse parfait.

— Qu'est-ce que tu fais ?

— Je n'en ai aucune putain d'idée.

Il tend la main vers moi et glisse une main autour de mon cou afin de m'attirer à lui. Nos poitrines se touchent. Ce contact fait aussitôt disparaître ma détermination à le repousser. Le péché devient vertu. Le conflit devient désir.

— Je n'arrive pas à t'oublier, Annie.

Son front se pose contre le mien, puis sa paume masse les muscles de ma nuque jusqu'à ce que je me détende.

— J'ai autant envie de toi que ce soir-là et je sais que j'aurai encore plus envie de toi après une nouvelle nuit ensemble, mais ça ne m'effraie même pas.

Il ne cesse de m'observer en parlant.

— Je n'ai pas cessé de revivre cette soirée dans ma tête. Je rêve sans cesse de te tenir à nouveau dans mes bras. Le son de ta voix, la sensation de tes mains, la douceur de tes lèvres sur les miennes me manquent tellement. Je sais que je ne devrais pas avoir envie de toi. Mais c'est le cas. Personne ne m'a jamais rendu aussi fou de désir. Personne n'a jamais pris autant de place dans mon esprit. Putain, je n'y peux rien, Annie.

Son regard gris plonge dans le mien et le tambourinement de mon cœur se fait plus régulier. Jack secoue légèrement la tête, puis sa main se pose sur l'arrière de ma tête et empoigne mes cheveux.

— Tant pis si je ne peux pas m'en empêcher, grogne-t-il. J'ai envie de toi et je me fiche que ce soit mal.

Son poing se resserre et tire violemment sur mes cheveux.

— Je sais que tu penses à moi depuis que je t'ai prise dans tous les sens dans cette chambre d'hôtel. Arrête de le nier. Ne m'insulte pas en prétendant que tu n'as aucune envie de revivre ces sensations incroyables. Je le lis tout le temps dans ton regard. Tu as envie de moi.

C'est moi qui fais le premier pas. Moi et moi seule. Je m'avance et écrase mes lèvres sur les siennes, cédant à sa force magnétique. Ses paroles l'ont emporté. Jack l'a

emporté. Mon cœur l'a emporté. Je force sa bouche à s'ouvrir sous mes baisers avides. Ce désir trop puissant pour être
repoussé m'a fait perdre la tête. Et je me fiche autant que
Jack que ce soit mal.

Je suis perdue.

Alors qu'il me fait reculer jusqu'à ce que mon dos heurte
le mur, j'ai pourtant l'impression de me retrouver.

Je pousse un cri, Jack gémit. Le désespoir nous rend
maladroits. Il me soulève contre le mur par la force de son
baiser, puis il roule sur le côté et m'emporte jusqu'à ce qu'il
se retrouve lui-même dos au mur. Je suis de nouveau dans
l'ascenseur. L'atmosphère est torride. Je suis en feu. Il me
soulève, me serre contre lui et m'emporte dans ma chambre.
Je me concentre sur lui. Seulement lui et la réapparition des
sensations dont j'ai tant rêvé depuis cette nuit inoubliable.
Tout sentiment de culpabilité m'abandonne. Plus rien ne
peut m'empêcher de braver l'interdit maintenant.

Jack me pose sur le sol sans interrompre notre baiser et
commence à déboutonner son pantalon tandis que je tire sur
sa ceinture, impatiente de le voir nu.

— Du calme, marmonne-t-il contre mes lèvres, considérablement plus serein qu'avant, sans doute parce qu'il s'apprête à obtenir ce qu'il voulait.

Nous sommes sur la même longueur d'onde. Nous refu-
sons tous deux de nous contenter de cette première fois.
Elle nous a rendus insatiables. Elle nous a excités. Elle a
intensifié notre désir et nos attentes, parce que nous savons
maintenant à quoi nous attendre. Nous savons maintenant
que nous allons prendre un pied phénoménal. Nous savons
maintenant que notre union sera stupéfiante. Je ne peux pas
lui résister. J'ai essayé ; j'ai tout essayé. Mais j'ai envie de
lui. J'ai besoin de lui.

Prenant doucement mes mains agitées, il les lève entre nos
corps, interrompt notre baiser et m'oblige à me hisser sur la

pointe des pieds afin de préserver notre connexion. Ses yeux gris scintillent, pleins de désir et de désespoir.

— J'ai envie qu'on y aille doucement, murmure-t-il en tirant ma robe par-dessus ma tête, avant de la jeter sur le sol. J'ai envie de prendre mon temps et de savourer l'idée que tu es de nouveau à moi.

Posant la bouche sur mon épaule, il l'embrasse tendrement et un millier d'étincelles de plaisir jaillissent entre mes jambes.

Je gémis bruyamment et ferme les yeux tandis qu'il promène la bouche sur ma peau. Ses mains glissent le long de mes flancs et se posent sur ma taille.

— Je me suis fait une promesse, Annie. Je me suis promis que si le destin te ramenait à moi, je ne te quitterais plus jamais.

Me soulevant contre son torse, il me porte jusqu'au lit, les yeux levés vers moi, tandis que mes mains enveloppent sa nuque.

— Et je t'ai retrouvée.

Après m'avoir déposée sur le lit, il m'installe confortablement sur le dos, puis se dressant de toute sa hauteur, il enlève son pantalon sans se dépêcher, histoire de mettre ma patience à rude épreuve. Je bloque toutes les pensées qui tentent de pénétrer mon esprit. J'ai peur que mon sentiment de culpabilité et ma conscience réapparaissent sans prévenir et m'empêchent de faire l'amour avec lui.

— Dépêche-toi, je t'en prie, l'exhorté-je, tandis qu'il se dénude peu à peu.

Je me détends agréablement sur le lit, captivée par la vue de son corps. Mes yeux se promènent lentement sur sa peau et savourent chaque centimètre de lui. S'il restait le moindre espoir que je repousse Jack Joseph, il vient d'être anéanti. Mon esprit le photographie et enregistre soigneusement ces images. Son corps nu irrésistible s'avance au-dessus de moi, tandis que sa queue dressée palpite visiblement.

Sa poitrine se dilate. Jack pose un genou sur le matelas puis un poing près de ma tête, afin de se soutenir. Lorsqu'il jette un œil entre mes cuisses, il commence à trembler un peu et déglutit péniblement. Pendant un bref instant, je crains qu'il n'ait des regrets. Mais soudain, son autre main se pose sur l'intérieur de ma cuisse et la pousse, m'encourageant à m'ouvrir à lui.

— Lève les bras au-dessus de la tête, m'ordonne-t-il doucement, les yeux levés vers moi.

J'obéis sans poser de question, bien que je rêve de le toucher et de le sentir. Jack baisse la main et empoigne sa queue. Mes yeux suivent ses gestes avec fascination tandis que ses doigts vont et viennent sur sa chair veloutée. Lorsqu'une goutte de liquide séminal se forme, je me lèche les lèvres.

— Regarde, murmure Jack en promenant son gland humide autour de mon sexe.

Je pousse un cri et mon corps s'arque violemment.

— Regarde, Annie.

Je commence à gémir lorsqu'il frotte son sexe sur le mien et étale son fluide.

— Jack !

Je fais de mon mieux pour garder les bras au-dessus de la tête.

— Regarde, répète-t-il, et mon regard se pose entre mes jambes, sur le sexe en érection qu'empoigne sa main. Regarde-moi te pénétrer.

Le bout de sa queue s'enfonce de quelques millimètres en moi.

— Parce que nous savons aussi bien l'un que l'autre quel putain de pied nous prenons quand je te pénètre entièrement.

Des gémissements tourmentés m'échappent, lourds et rapides. Mon corps convulse frénétiquement, impatient de sentir le sexe tout entier de Jack.

— Jack, s'il te plaît...

Il lève les yeux vers moi, le regard fou de désir.

— Dis-moi combien tu as envie de moi.

— Jack !

— Dis-le-moi, Annie.

Il se retire et caresse tactiquement les contours de ma chair sensible avec son gland. Je pousse un cri, à deux doigts de perdre la tête. Jack hoche la sienne, conscient de mon désespoir.

— J'ai besoin de savoir combien tu as envie de moi. Dis-le-moi et je te donnerai ce que tu désires.

— J'ai envie de toi ! Jack, j'ai envie de toi. Tellement envie. Jamais je n'ai autant désiré quelqu'un.

La sueur perle sur mon front.

— Je ne suis donc pas fou ?

— Non !

— Je le savais, putain.

Sa mâchoire se crispe lorsqu'il passe au stade suivant et se glisse en moi d'un long mouvement de hanche.

— Merde, s'étrangle-t-il, avant de tomber sur les avant-bras, les yeux fermés.

Son corps tremble terriblement et vibre partout sur moi.

— Est-ce que ça va ?

Désobéissant à sa requête, je baisse les mains, les pose sur ses épaules et le soutiens. On dirait qu'il en a besoin.

Je l'entends déglutir, tandis qu'il tente de se ressaisir.

— Oui, murmure-t-il, tournant les lèvres vers ma joue afin de m'embrasser tendrement. Je me sens tellement vivant grâce à toi.

Je ne peux retenir un sourire, bien que j'éprouve un soupçon de tristesse. Car se sentir aussi vivant, c'est tout ce qui compte, en réalité.

Les griffures de son cou attirent mon regard et le visage de sa femme commence à se frayer un chemin à l'intérieur de ma tête. J'avale ma salive lorsque mon imagination s'emballe.

— Ne réfléchis pas, m'ordonne-t-il, interrompant mes songes. S'il te plaît. Ne pense qu'à l'instant présent.

Jack pose les lèvres sur les miennes et m'embrasse lentement en faisant pivoter ses hanches, avant de s'enfoncer profondément en moi, de se retirer et de s'enfoncer. Je retiens mon souffle, tandis que son rythme minutieux m'emporte et me fait oublier les mauvaises pensées susceptibles de souiller ce moment. Dans ses bras, sous son attention fervente, tout est possible.

Tandis que nos langues se lèchent paresseusement, nos corps agissent en parfaite harmonie, comme s'ils connaissaient par cœur l'âme de l'autre. Jack nous fait rouler, me hisse sur lui avec un grommellement et secoue la tête, lorsque je m'empale violemment et sens son sexe heurter le fond de mon vagin. Des doigts forts s'enfoncent dans mes cuisses et m'agrippent. Ses joues se gonflent, tandis que ses yeux gris me regardent le chevaucher lentement. Une main se lève, se pose sur ma nuque et m'attire vers sa bouche. Je maintiens le rythme en décrivant des cercles avec les hanches et l'embrasse comme si c'était la dernière fois. Il est plus difficile de lutter contre cette idée que je ne veux bien l'admettre, car elle m'oblige à affronter la réalité. Jack n'est pas à moi. Je suis en train de prendre quelque chose qui ne m'appartient pas.

— Annie, grogne-t-il, comme s'il lisait dans mes pensées.

Il me fait basculer, me couche sur le dos et s'empresse de me pénétrer à nouveau. Son expression est sévère, sa mâchoire crispée.

— Arrête.

Il exécute une poussée parfaite, reste au plus profond de moi et me regarde succomber sous son corps.

— Concentre-toi sur l'instant présent. Sur ce que nous faisons. Sur nous.

Je crie de frustration, le dos cambré, tout en chassant ces pensées inopportunes.

— Fais-moi tout oublier !

Je lance les bras autour de son dos, agrippe sa peau et enfouis le visage dans son cou.

— Oh, merde, Annie.

Son rythme s'accélère et inonde ma conscience tourmentée d'un plaisir sans pareil. Mes yeux s'ouvrent brusquement, puis mes hanches se soulèvent pour rencontrer les siennes.

— La voilà, murmure Jack en délogeant mon visage de sa cachette, avant de plaquer la bouche sur la mienne et d'avaler mes gémissements.

Après avoir enfoncé les dents dans ma lèvre inférieure, il se redresse et me regarde.

— Putain, ton visage respire le bonheur.

— Jack... Plus vite.

Une tension révélatrice s'installe dans mon corps qui se verrouille instantanément.

Jack accélère et me pilonne. Notre union prend un rythme effréné, car nous cherchons tous deux la délivrance.

— Oh, merde ! hurle-t-il en se hissant sur les bras, afin de donner plus d'élan à ses hanches.

Son visage ruisselle de sueur ; ses yeux gris s'écarquillent d'étonnement.

Je le sens se dilater en moi. La pression devient trop forte. La tête de Jack se renverse. Il lance un cri au plafond et s'immobilise brusquement au-dessus de moi. Ensuite, il tressaille et la pulsation de sa queue, suivie d'un gémissement grave et animal, m'indique qu'il a atteint le septième ciel. Jack prend une profonde inspiration et son visage se tord quand il se retire et s'enfonce lentement, un geste soigneusement calculé, afin de m'entraîner dans son extase. Mes jambes se serrent. Je l'attire contre ma poitrine et contracte mes muscles internes à un rythme lent et régulier. Nos gémissements s'élèvent à l'unisson, empreints de plénitude, et retentissent longtemps, jusqu'à ce que nos deux corps se détendent et que nous haletions l'un contre l'autre, à bout de souffle.

Je me sens totalement submergée, presque soulagée à l'idée que tout s'est passé exactement comme dans mes souvenirs. C'était puissant, émouvant, dévorant. Mon cerveau se réveille. Je ne devrais éprouver aucun soulagement. Je ferais mieux de paniquer, car quand il faudra le laisser partir, ce sera plus douloureux que tout.

J'enfouis le nez dans son cou et resserre les bras autour de ses épaules. Cette position semble si naturelle, si juste. Lorsqu'il réagit et soupire d'un air abattu en me serrant plus fort, des larmes de désespoir s'échappent et roulent sur ma peau.

— Arrête, chuchote Jack, l'air aussi submergé que moi par l'émotion. Je t'en prie, ne pleure pas.

Je secoue la tête contre lui et tente de me contenir, mais je me sens si tendue, peu sûre de moi et vulnérable. Ces sentiments sont nouveaux et je ne sais pas du tout quoi en faire. Il est évident que je viens d'aggraver la difficulté de ma situation. Je sais que j'aurais dû lui résister, le repousser et me montrer ferme, mais mon intégrité et mes principes se dissolvent en sa présence. Mon désir, peut-être même mon avidité, rend insupportablement difficile de le repousser quand il est près de moi. Non qu'il me laisse faire de toute façon. Je suis tombée dans un trou noir de désespoir et, bien que consciente de devoir m'en extraire avant de m'y perdre pour toujours, je crains de n'être plus jamais capable de lui résister. J'ai une peur bleue que cette dépendance à Jack s'enracine profondément en moi et j'ai encore plus peur en me voyant prête à tout pour obtenir l'homme que je veux. Rien ne peut m'arrêter : ni mes principes, ni ma conscience... ni même sa femme.

Ce silence qui dure une éternité ne fait rien pour m'apaiser. Je pourrais le quitter. Je pourrais mettre un terme à cette histoire sur-le-champ. Cependant, mes bras ne le lâchent que lorsqu'il se soulève, détache son corps du mien et soulève légèrement les hanches. Sa queue en semi-érection abandonne mon sexe et Jack roule sur le dos à côté de moi. Je me sens abandonnée et blessée. Je jette un œil à son visage et découvre qu'il a le regard rivé au plafond, un bras posé sur la tête, l'autre sur le ventre. J'ai envie de savoir à quoi il pense. Mais je préfère également ne pas le savoir. Aussi, avant que ma curiosité ne l'emporte, je me lève du lit, file dans la salle de bains et ferme la porte derrière moi.

Je regarde mon corps nu dans le miroir et tends la main vers ma joue mouillée. Mes tétons sont toujours roses de désir et à l'intérieur de mes cuisses brille la preuve de notre délivrance conjuguée. Levant le regard vers mon reflet dans le miroir, je lis du découragement dans mes yeux verts. Je vois aussi des mots jaillir dans l'air autour de ma tête. Garce. Femme faible. Immorale. Salope sans cœur. Mes mains se posent sur le bord du lavabo et je baisse la tête, incapable de me regarder dans le miroir. Je ne connais pas cette femme. Que suis-je devenue ?

Un léger coup à la porte interrompt mes pensées haineuses et je lève ma lourde tête.

— Annie ?

Au son doux de sa voix, je devine que Jack sait exactement ce que je fais ici. Je me couvre de reproches.

— Je peux entrer ?

La boule dans ma gorge m'empêche de parler, aussi je hoche la tête, comme une idiote, puisqu'il ne peut pas me voir. L'inviter à entrer est totalement stupide, mais la stupidité semble avoir pris le contrôle de mon cerveau depuis quelque temps. La porte s'ouvre sans bruit, son magnifique visage apparaît et ses yeux me cherchent nerveusement. Ses cheveux châtains sont emmêlés, ses yeux gris toujours brillants. Je l'ai quitté il y a seulement quelques minutes, mais c'est comme si je le voyais pour la toute première fois. Mon cœur bat sourdement, la température de mon corps grimpe.

Je le dévisage dans le miroir, réticente à détourner les yeux. Ou incapable de le faire. Son air compréhensif me donne presque la chair de poule. Jack ouvre la porte en grand, se dirige vers moi d'un pas déterminé, m'oblige à me retourner, puis il m'attire brutalement contre son torse et me serre de toutes ses forces.

L'émotion est trop forte, je ne peux plus me retenir.

— Ça ne me ressemble pas.

Je sanglote contre sa poitrine, aussitôt réconfortée par son odeur de sueur propre. Encore une chose qui me catapulte vers cette autre nuit, dont je crains qu'elle ne m'obsède à tout jamais.

— Ça ne me ressemble pas non plus, Annie.

— Dans ce cas, qu'est-ce qu'on fait là ?

Il me soulève et me serre dans ses bras.

— Je suis certain que ma place est auprès de toi, c'est tout, chuchote-t-il, presque solennel.

Mon cœur se serre douloureusement dans ma poitrine. N'importe qui pourrait lui dire qu'il se trompe. Il devrait être auprès de sa femme. Pas ici avec moi, et cette idée me fait souffrir. Je ne sais pas ce qui se passe. C'est tellement dingue. Jack est quasiment un inconnu pour moi, mais l'idée de ne pas le revoir m'est insupportable. La question « Qu'est-ce qu'on fait maintenant ? » me brûle la langue, mais quelque chose m'empêche de la lui poser. C'est de la peur.

— Viens, murmure-t-il, avant de me poser sur le sol et de me prendre par la main. J'ai besoin de caféine.

M'entraînant à travers mon appartement, il retrouve de lui-même le chemin de la cuisine et tend le doigt vers un placard.

— Les mugs ?

Je souris et tente d'ignorer ce corps nu qui semble tout à fait à sa place dans ma cuisine.

— Oui.

Il répond à mon sourire et sort deux tasses.

— Tu ne me demandes pas comment je le sais ?

— Tu es entré chez moi par effraction afin de fouiller dans mes placards et tiroirs ?

Jack me répond par un faible rire et tend la main vers le placard dans lequel est rangé mon café.

— Je le sais parce que c'est exactement là que je les rangerais moi-même. Pareil pour le café.

Il tend la main vers le tiroir qui renferme mes couverts.

— Et les cuillères se trouvent là-dedans, n'est-ce pas ?

— Exact. Et tu ne vas pas me croire, mais le lait se trouve dans le frigo !

Jack ferme le tiroir d'un coup de fesses et tapote la cuillère sur sa paume tout en me regardant. Il fait un pas en avant. Je recule d'autant. Il sourit d'un air suffisant. Je l'imite. Ensuite, il se jette sur moi et je pousse un cri perçant quand il m'enveloppe d'un bras solide et me chatouille de sa main libre.

— Jack !

Je me cabre contre lui. C'est inutile ; son poids et sa force l'emporteront toujours contre moi.

— Jack, arrête !

— Est-ce que tu te moques de ma perspicacité ?

— Non, je l'adore !

Je ris et me délecte de son espièglerie, de sa nudité contre la mienne, et de l'idée qu'il aurait lui aussi rangé les tasses à café dans ce placard.

Lorsqu'il cesse enfin de me torturer et me libère, je reçois une fessée.

— Occupe-toi du café, ma belle. Il faut que j'aille aux toilettes.

Jack s'éloigne à grandes enjambées.

— On parie que je devine où tu stockes ton papier toilette ?

Je glousse et prépare le café, avant de partir à sa recherche.

— Jack ?

162

— Ici ! crie-t-il.

Je me guide au son de sa voix et m'arrête sur le seuil de mon atelier. Le corps nu de Jack se dresse devant ma table de travail. Je flâne jusqu'à lui et découvre qu'il regarde les dessins de l'extension de Colin. Levant les yeux vers moi, il sourit.

— Annie l'architecte.

Je ris doucement en me rappelant qu'il m'a appelée ainsi le soir de notre rencontre.

— Jack le plaisantin.

Il rit à son tour et ses yeux pétillent.

— Tu as adoré ma blague.

Je me garde bien de le nier.

— Qu'est-ce que tu regardes ?

— Je me demandais juste pourquoi tu avais choisi de la brique nue pour le mur intérieur de l'extension.

— Le style des œuvres de Colin est très moderne. Presque industriel. Comme le bâtiment date du début des années 1900, je me suis dit...

— Que le contraste de l'ancien et du neuf serait intéressant, dit-il à ma place, comme s'il lisait dans mes pensées.

— Exactement.

Mon cœur se serre un peu lorsque Jack lève les yeux vers moi avec un petit sourire.

— Les grands esprits se rencontrent.

— En effet, admets-je à voix basse en lui tendant son café.

Nos corps ne sont pas les seuls à fonctionner avec une harmonie parfaite : nos pensées aussi. Cet homme est si parfait pour moi, cette relation est si stimulante que ça m'effraie. Sans parler de cette alchimie sexuelle.

Jack prend son café, l'air rêveur. Je me demande s'il pense à la même chose que moi. Mais je ne lui pose pas la question. En revanche, il faut que je m'assure d'une chose :

— Pourquoi ? lancé-je simplement, l'obligeant à revenir sur terre.

— Tu veux que je te réponde franchement ? demande-t-il.

J'acquiesce d'un signe de tête. Jack fronce les sourcils et passe les secondes suivantes à siroter son café. Quelque chose me dit qu'il essaie de gagner du temps, qu'il s'interroge s'il doit vraiment me répondre franchement.

— J'ai besoin de me défouler, dit-il.

J'en recrache presque mon café, ce qui l'oblige à clarifier rapidement sa pensée.

— Je ne parle pas de m'envoyer en l'air comme je viens de le faire, mais de me soûler. Juste histoire d'oublier...

Il se tait, détourne les yeux de mon visage et soupire en regardant au loin.

Je recule et observe son soudain abattement.

— Est-ce que tu es heureux ?

— Quand je suis avec toi, je nage dans le bonheur. Je te l'ai déjà dit.

— Tu sais bien que ce n'est pas de ça que je parlais.

Jack sourit, mais d'un air triste.

— Non, je ne le suis pas. Mais est-ce que ça rend plus acceptable le fait que je n'arrête pas de penser à toi ?

Je garde le silence un instant, bien que la réponse soit évidente. Évidente, mais douloureuse.

— Non, admets-je en regardant ailleurs.

Rien ne peut justifier cette situation.

Tout à coup, Jack retire le mug de mes mains, m'enveloppe de ses bras et me serre fort. C'est si agréable, si réconfortant. J'ai l'impression de ne plus porter seule le poids de cette culpabilité. Je me détends contre lui avec un soupir et réalise que je pourrais sans problème passer le reste de ma vie dans ses bras.

— Mon portable, marmonne Jack, avant de me lâcher à contrecœur.

J'entends la sonnerie de son téléphone puis vois son dos nu disparaître dans le couloir. Je le suis dans ma chambre afin de prendre ma robe de chambre. Jack se penche, ramasse son pantalon, fouille dans sa poche et sort son portable. Je devine qui l'appelle avant même qu'il pose les yeux sur l'écran et que ses épaules s'affaissent. Je me sens brusquement exténuée, moi aussi.

— Stephanie, répond-il.

Le portable coincé entre l'oreille et l'épaule, il enfile son boxer, son pantalon, puis il sort dans le couloir afin d'aller récupérer sa chemise, la mâchoire crispée. À ce moment-là, j'entends sa femme lui crier dessus à travers le portable. Je choisis de rester en retrait, comme pour échapper à cette conversation privée. Les narines de Jack se dilatent et ses yeux se ferment brièvement.

— Je suis désolé. J'arrive le plus vite possible, répond-il calmement. Excuse-moi auprès de tes parents pour le retard.

Il raccroche. Sans un mot, je le regarde boutonner sa chemise depuis le seuil de la chambre, tandis que des pensées se bousculent dans ma tête. Il a essuyé cette engueulade sans réagir. Son visage n'exprimait rien. Pas la moindre émotion. Mes yeux se posent sur mes pieds puis se promènent sur la moquette, tandis que les questions affluent à mon esprit. Je ne peux en conclure qu'une seule chose, et cette conclusion m'effraie parce qu'elle ne fait que stimuler ma conscience de débauchée.

Je hais sa femme.

Je la hais à cause de la façon dont elle vient de lui parler. Mais je n'ai aucun droit de la haïr. J'ai couché avec son mari. Deux fois.

Une fois que Jack est rhabillé, il me regarde sans rien dire pendant un moment. Mon cœur le supplie de ne pas partir. Mais mon cerveau le chasse brutalement et lui ordonne de me laisser tranquille.

— On se voit demain, dit-il d'un ton plus affirmatif qu'interrogateur.

Je me contente de le regarder, à la fois incapable de prononcer un mot et réticente à lui répondre. Ce que je voudrais faire par-dessus tout, c'est l'interroger sur son mariage, mais c'est un terrain sur lequel je ne dois pas m'aventurer. Quelle crainte risible ! Comme si je ne le faisais pas déjà ! Je redoute tout de même que les choses que je risque d'apprendre n'apportent de l'eau à mon moulin et me permettent de justifier mes actes. Il ne serait pas bon pour moi de découvrir que la situation était déjà difficile avant que je débarque dans sa vie. Ça ne fera que troubler mon raisonnement. Les choses ne font qu'empirer. Je ne peux pas gagner à ce petit jeu-là. J'opte donc pour la tactique la plus sage et continue à me taire. Moins j'en sais, mieux c'est.

— Annie, chuchote-t-il. Réponds-moi.

Je baisse les yeux vers le sol et les sens se remplir de larmes exaspérantes.

— Je n'avais pas compris que c'était une question, dis-je doucement.

Il faut qu'il parte, car je ne veux pas qu'il me voie craquer à nouveau. Et je suis bel et bien sur le point de m'effondrer. À force de vouloir garder mon sang-froid, je commence à trembler de la tête aux pieds.

Lorsque j'entends son pas s'approcher, je ferme les yeux et inspire à fond. Sa douce main se pose sur ma joue et la caresse délicatement quelques secondes, puis il se baisse et m'embrasse sur le front. Ensuite, il se retourne et sort.

Je m'effondre aussitôt sur le sol et sanglote comme jamais auparavant.

Parce qu'il a dit que si le destin me ramenait encore à lui, il ne me quitterait plus jamais.

Mais c'est ce qu'il vient de faire.

Pour aller rejoindre sa femme.

11

Comment peut-on s'attacher à quelqu'un après des échanges aussi limités ? La réponse est à la fois simple et insupportable. J'ai l'impression que Jack est fait pour moi et son indisponibilité est cruelle. Tout simplement cruelle. Il m'est interdit de l'aimer. Je n'aurais pas dû coucher avec lui la première fois. Et la deuxième encore moins. Je suis tellement en colère contre moi-même. Certes, j'ai été induite en erreur dans ce bar, j'ai cédé au pouvoir de Jack, mais je savais très bien dans quoi je m'embarquais hier soir. C'est impardonnable.

Allongée dans mon lit, je m'accable de reproches. Mon sentiment de culpabilité a ressurgi, mais multiplié par dix. J'ai essayé de ne pas me demander si le manque de combativité de Jack au téléphone était le fruit de son propre sentiment de culpabilité. J'ai essayé de ne pas le visualiser aussi soumis, acceptant cette engueulade sans broncher, même s'il la méritait. Stephanie n'est pas au courant de mon existence. Alors pourquoi lui hurlait-elle dessus ? Juste parce qu'il était en retard pour le dîner ?

Assaillie par mes pensées, je ne ferme pas l'œil de la nuit, mais je finis par arriver à une conclusion très claire. Il faut que cette histoire cesse immédiatement. Peu importe que leur mariage batte de l'aile. Je n'ai aucun rôle à jouer dans leur vie. Leurs problèmes ne sont pas les miens, je ne devrais pas me les approprier.

Je vaux mieux que ça.

Vers six heures du matin, abandonnant tout espoir de dormir, je file sous la douche et me prépare pour une longue journée de travail. Je cours m'acheter un grand cappuccino puis le bois tout en passant quelques appels. J'envoie un e-mail à l'ingénieur en structure afin de prendre rendez-vous avec lui, car nous devons parler de mon problème de toiture. Il me répond peu après qu'il aura une demi-heure à m'accorder à quatorze heures, avant de partir en déplacement le reste de la semaine. N'ayant pas le choix, j'accepte ce créneau et réorganise ma journée.

Une heure plus tard, je suis en train de calculer quelques chiffres en mâchant le bout de mon crayon, lorsque l'arrivée d'un e-mail fait sonner mon portable. Je termine de noter quelque chose, l'attrape puis jette un œil à l'écran. Son nom me saute littéralement à la figure. La réaction habituelle de mon cœur se produit aussitôt. Ensuite, les flashs impitoyables démarrent, mais avec encore plus de scènes qu'avant, plus de sensations, plus d'images. Plus de mots auxquels se raccrocher. Je lis la première ligne de son e-mail et établis rapidement qu'il n'a absolument rien de professionnel.

— Va te faire voir, Jack.

Je cesse ma lecture et le supprime. Nous avons franchi les limites deux fois. Ça ne se reproduira pas une troisième.

* * *

— C'est tout à fait faisable, conclut par miracle l'ingénieur. Je refais mes calculs et vous les envoie demain avant la fin de la journée.

— Merci ! Vous êtes un ange, dis-je, les mains jointes.

Il sourit puis sort son carnet et commence à prendre des notes. Alors que je franchis la double porte qui mène au jardin, je repère Richard, le doigt pointé vers certaines branches du marronnier. M'apercevant au loin, il me fait signe d'approcher.

— Annie, je te présente Wes. C'est lui qui va nous débarrasser de ces branches.

— Bonjour.

Je serre la main que Wes me tend.

— Lesquelles faut-il que j'émonde ? demande-t-il, les yeux levés.

— Pardon ? lâché-je en riant.

— Désolé pour le jargon. Lesquelles faut-il que je taille ?

— Ah, je vois.

Je surprends le regard rieur de Richard alors que je pointe un doigt vers les branches.

— Celle-ci, et puis celle-là.

— Ainsi que celle-ci, intervient Jack qui vient d'apparaître à l'autre bout du jardin.

Je réprime un frisson et détourne les yeux avant d'avoir une chance d'admirer son élégance.

— Je ne crois pas que ce soit nécessaire, rétorqué-je. Ce sont ces deux-là qui gênent le plus.

Wes et Richard nous regardent tour à tour.

— Je ne suis pas d'accord.

Jack nous rejoint et pointe du doigt la branche la plus basse.

— Si on retire celle-ci, elle délogera celle de derrière et le problème persistera.

Je serre les lèvres et inspire à fond. Il est énervé. Je le devine au gonflement de sa gorge et à son ton pincé. Et je sais pourquoi. Je n'ai fait que jeter un œil aux cinq e-mails qu'il m'a envoyés et les ai supprimés dès que j'ai compris qu'ils n'étaient pas liés au travail. Par conséquent, je n'ai répondu à aucun de ses messages et j'ai refusé chacun de ses appels.

— Mais si nous coupons cette branche, le jardin sera exposé à la vue de tous les voisins, ajouté-je.

— Eh bien, je t'ai justement envoyé un certain nombre d'e-mails à ce sujet aujourd'hui, mais tu n'as pas daigné y répondre, réplique-t-il, la bouche déformée par l'agacement.

Je lui adresse un regard choqué et ouvre la bouche afin de lui balancer quelques mots bien sentis, mais je force ma bouche à se fermer lorsque je me rappelle que nous avons de la compagnie. Il ne m'a envoyé aucun e-mail au sujet de l'arbre ni le moindre message à caractère professionnel et il le sait parfaitement.

— J'étais occupée, riposté-je sèchement. Mais les choses sont claires maintenant.

Laissant Wes et Richard à leurs échanges de regards circonspects, tandis que Jack fulmine de colère, je m'éloigne et leur crie :

— On ne coupe pas cette branche !

Jack me rattrape avant que j'entre dans le bâtiment.

— Pourquoi as-tu ignoré mes e-mails ? me siffle-t-il à l'oreille. Et mes appels ?

— Parce qu'ils n'avaient rien de professionnel.

Je fais volte-face, furieuse.

— Et cette petite scène dehors, c'était ta façon de me punir pour ne pas t'avoir répondu, hein ? Tu as voulu me faire passer pour une incompétente devant tes collègues, juste parce que je ne t'ai pas répondu ? Juste parce que j'ai froissé ton ego ?

— Tu crois vraiment que ça a quelque chose à voir avec mon ego ?

— Oui !

— Tu te trompes complètement. Cette branche doit disparaître ! aboie-t-il puérilement.

— Pas question !

Jack avance vers moi avec un grognement et me force à reculer jusqu'au coin de la pièce. *Non. Oh non, non, non !*

— Il est facile de m'ignorer quand tu es protégée par l'écran de ton portable, hein ? balance-t-il d'une voix grave et méchante. Mais maintenant, Annie ?

Il m'attrape la main et la plaque sur son entrejambe.

— Qu'est-ce que je suis censé faire de ça ?

Il bande. Il est encore en colère et il bande, putain. Je déglutis, dominée par l'angoisse. Jack se trompe. Il n'est pas facile d'ignorer ses e-mails. Ce n'est pas aussi difficile que de lui faire face, mais c'est tout de même une bataille que je suis en train de perdre. Ou bien ai-je déjà perdu ?

— Et ça ?

Il pose ma main sur son torse et appuie sur sa poitrine. Les battements de son cœur sont incroyablement rapides. Comme les miens.

— Qu'est-ce que je fais de ça, au juste ?

— Et si tu posais la question à ta femme ?

Cette réplique cinglante me fait grimacer intérieurement, mais Jack, lui, grimace physiquement. Il lâche ma main et recule, l'air totalement dégoûté.

Il inspire, puis lève un doigt et le pointe sur moi.

— Tu n'as pas le droit de dire ça. Pas après ce qui s'est passé hier soir.

— Ah bon ?

La pression de mes dents du fond est si forte que ma mâchoire menace de se briser.

— Je dis ce que je veux, Jack, parce que je n'appartiens à personne. Et sûrement pas à toi.

Ses traits se déforment lorsqu'augmente encore son dégoût, puis il pose lentement la main sur ma hanche. Me voyant sursauter, Jack m'adresse un sourire triomphant.

— C'est ça, Annie. Continue donc de te bercer d'illusions.

— Euh... Jack ?

Richard nous interrompt, visiblement gêné. Je m'écarte aussitôt de Jack et me dirige d'un pas tremblant vers les dessins.

— Quoi ? hurle Jack.

Je lève les yeux, stupéfaite, mais Richard ne tressaille même pas.

— Je crois qu'il faut que tu viennes, vieux.

Le visage de Richard paraît désolé, tandis que celui de Jack exprime une soudaine terreur. Soudain, je l'entends. Une femme est en train de hurler.

Je jette un œil dehors, incapable de comprendre ce qui se passe.

— Jack ! braille-t-elle. Jack !

Celui-ci lève les mains vers sa tête et empoigne ses cheveux, puis il pousse un cri, un hurlement animal plein de frustration. Il me lance ensuite un regard noir, l'œil enflammé. Je me liquéfie sur place tandis qu'il sort à grandes enjambées.

Je regarde Richard qui fait de même.

— À ta place, j'éviterais de sortir pendant un moment.

Bien entendu, je fais exactement le contraire et franchis la porte, curieuse. Trop curieuse. Dangereusement curieuse. Je découvre Jack planté dans l'allée, tandis que sa femme agite les bras comme une cinglée sous le regard de tous les ouvriers. Mais enfin... ?

— Pourquoi n'as-tu pas répondu à mes appels ? hurle-t-elle.

Jack lève les mains afin de l'apaiser. En quelques instants, son langage corporel a radicalement changé.

— J'étais occupé, Stephanie. J'ai une entreprise à gérer.

Sa voix est calme, également.

— C'est ça, il n'y a que le putain de travail qui compte pour toi ! Et moi alors ? Et ton couple ?

Captivée, je le regarde s'approcher d'elle et tenter de la prendre par le bras. Mais Stephanie se dégage brutalement et le repousse d'un air malveillant. Toutefois, le grand corps de Jack bouge à peine.

— Papa dit que c'est moi qui devrais être ta priorité ! Il te trouve égoïste et sache que je suis tout à fait d'accord avec lui !

Elle crache ses dernières insultes d'une voix légèrement traînante. Est-elle ivre ? Et que vient faire « papa » dans cette histoire ?

— Ça suffit, Stephanie. Arrête de te donner en spectacle.

Jack l'attrape par les bras et l'entraîne vers sa voiture, mais elle le repousse à nouveau en titubant un peu sur ses talons. Elle est incontestablement ivre.

— Je peux monter toute seule, crache-t-elle, avant de se laisser tomber sur le siège.

Jack me regarde, les traits déformés par le stress. Ensuite, il secoue légèrement la tête et articule : « Tu ne perds rien pour attendre. »

Je fais un pas en arrière et m'appuie au mur le plus proche, de peur de m'effondrer.

* * *

En rentrant chez moi, je m'arrête au magasin afin de m'acheter de quoi dîner. Alors que je parcours les rayons en me demandant ce qui me plairait, l'arrivée d'un SMS fait tinter mon portable. Je tends la main vers une paella en boîte et ouvre le message.

Il faut qu'on parle. Rejoins-moi. Jack

Mon estomac se serre. Pas besoin d'être un génie pour deviner qu'il ne souhaite pas discuter travail. Son ton n'est même pas interrogatif. Je commence à imaginer ce qu'il veut me dire et mon esprit tourne aussitôt en surrégime, bien que je fasse de mon mieux pour l'en empêcher. *Tu ne perds rien pour attendre.*

Mes lèvres s'assèchent et mon estomac se retourne. Je supprime rapidement son message avant de faire quelque chose de stupide... comme lui répondre, par exemple. Pourquoi fait-il ça ? Il faut que j'abandonne le projet de Colin. Ça me tue, mais je n'ai pas le choix. Je ne peux pas travailler avec lui. Je *ne devrais pas* travailler avec lui. Je vais simplement accepter plus de commandes, tout faire pour rester occupée en permanence et m'empêcher de ruminer mes pensées dangereuses. Voilà mon plan. J'espère juste qu'il fonctionnera, parce que chaque fois que je vois Jack, ma profonde douleur s'intensifie. Mon désir s'approfondit, mon cœur se brise lorsqu'il part, et quand il me tient dans ses bras, je rêve qu'il le fasse tous les jours, m'encourage tous les jours, m'inspire tous les jours. Pour la première fois de ma vie, j'imagine mon existence en compagnie d'un homme. J'envisage de me priver d'une partie de mon indépendance afin d'y faire une place pour Jack. Parce qu'en sa compagnie, je n'ai pas l'impression d'être privée de quoi que ce soit – mais de gagner quelque chose. Je l'imagine examinant des dessins avec moi, m'offrant ses conseils, me répétant constamment combien il est fier de moi. Ignorer tous ces rêves m'épuise. Je n'ai plus la force de résister.

Laissant tomber mon panier à moitié plein sur le sol, je fais une croix sur mon dîner, retourne chez moi à toutes jambes, file dans mon bureau et me plonge dans le travail. Je termine quelques dessins, les envoie par e-mail, appelle l'ingénieur en structure afin de lui demander son opinion... puis rédige le brouillon d'un e-mail à l'intention de Colin, l'avisant de ma décision de quitter son équipe. Je lui recommande cependant quelques collègues qui seront ravis de l'aider.

Je reçois l'appel d'un client potentiel et fixe un rendez-vous avec lui. Son projet est loin d'avoir l'envergure de celui de Colin, mais au moins, il m'occupera l'esprit un certain temps. Je prends des nouvelles de papa et maman, réponds à un message de Micky, lui assurant que je vais bien, *parfaitement* bien, et je nettoie même ma salle de bains. C'est une journée productive. Afin de l'achever convenablement, il me suffira de cliquer sur « Envoi » en bas de l'e-mail destiné à Colin.

Mais j'ai beau me raisonner, tandis que mon curseur plane au-dessus du petit rectangle, aucun argument ne parvient à me faire passer à l'acte. Je ferme les yeux et ordonne à mon doigt d'appuyer. *C'est tout simple. Clique juste sur ce petit bouton et tes problèmes s'envoleront.* Je m'adosse à mon siège et regarde fixement l'écran pendant dix bonnes minutes sans cesser de faire appel à ma volonté et ma raison.

Ding !

Je baisse les yeux vers mon portable et découvre le nom de Jack. Bien qu'ils soient tout à fait conscients du danger, mes stupides doigts n'hésitent pas un instant à appuyer sur *cette* icône.

Tu n'as pas le droit de m'ignorer maintenant, Annie.

Une seconde plus tard, mon portable se met à sonner. Je m'éloigne aussitôt de mon bureau afin de garder mes distances avec lui.

— Laisse-moi tranquille, Jack, parviens-je juste à murmurer.

Dès qu'il cesse de sonner, j'appelle Lizzy et tente de respirer normalement.

— Hé, comment ça va ? me demande-t-elle en décrochant.

— Ça te dit, un café ?

— Super. Je viens de terminer. L'endroit habituel, dans vingt minutes ?

— À tout à l'heure.

* * *

Je repère Lizzy qui se faufile entre les tables et la suis du regard jusqu'à ce qu'elle se laisse tomber sur la chaise en face de moi.

— Comment ça se passe au travail ? Pas de soucis ?

— Non, tout va bien. Je le croise à peine en fait, mens-je.

Ce n'est pas ce que j'avais en tête. J'ai besoin de distraction ! Impossible d'avouer à Lizzy que j'ai recouché avec lui, vu ce que lui a fait subir Jason. Je ne pourrai jamais le dire à personne. Je suis une femme ignoble. Faible, pathétique. Je ne peux pas non plus lui annoncer que je laisse tomber le projet de Colin. Elle devinera tout de suite pourquoi.

Je m'efforce de sourire, feignant la normalité.

— Rien de tel qu'une épouse pour vous remettre les idées en place, pas vrai ?

Lizzy éclate de rire et, pour la première fois, je me rends compte de l'aspect comique de la situation. Parce qu'elle est absolument hilarante, en fait. Jamais je n'avais eu le coup de foudre pour quelqu'un, et le jour où ça m'arrive enfin, il faut que je tombe sur un homme marié.

— Les liens sacrés du mariage ne représentent-ils donc plus rien de nos jours ? dis-je, sincèrement exaspérée.

— Les divorces sont plus nombreux que les mariages durables.

Lizzy prend sa petite cuillère et la pointe vers moi.

— Et la cause la plus fréquente, c'est l'infidélité. Je l'ai échappé belle. Hors de question que je me marie un jour.

— Jamais de la vie ! renchéris-je, tout en disant adieu à ma belle idylle, ainsi qu'au projet de mes rêves.

— Ras-le-bol du café, lâche Lizzy. Bourrons-nous la gueule ! Tu appelles les autres ?

Elle attrape un menu et entreprend de commander de l'alcool en grande quantité.

— Tout de suite ?

— Oui, tout de suite. Avec un peu de chance, tu finiras la soirée dans le lit de quelqu'un.

Elle a raison. Il est temps que je remonte en selle.

— Tu as aussi besoin de t'envoyer en l'air, soit dit en passant.

Ses sourcils bondissent.

— Mais pas avec Micky, précisé-je en attrapant mon portable afin d'appeler les autres.

À la pensée du mojito qui va bientôt atterrir devant moi, j'en ai l'eau à la bouche.

* * *

176

Les bitures improvisées sont toujours les meilleures. Et le fait qu'on soit un soir de semaine rend cette beuverie encore plus excitante. Nous avons finalement atterri dans le jardin d'un pub à Camden ; il est vingt heures et nous sommes déjà pompettes. Pas bourrées, juste dans un agréable état de légère ébriété. Nous avons discuté de tout et de rien ; l'alcool et mon amie dévouée m'ont donc distraite à merveille jusqu'à maintenant.

— Ça me manquait, dit Lizzy, les yeux posés sur un groupe d'hommes derrière moi, au fond du jardin.

Je suis son regard et souris.

— De mater des mecs ?

— Non. Ça.

Elle agite son verre entre nous.

— Tu travailles tellement dur depuis que tu es à ton compte ! Je le comprends très bien, mais nos soirées entre filles m'ont manqué.

— À moi aussi, avoué-je, tandis que Lizzy plaque un sourire canon sur son joli visage, ayant visiblement attiré l'attention du groupe d'hommes. Hé, arrête ! On s'amuse bien sans les mecs, non ?

Je lui donne une tape sur le bras pour attirer son attention, puis vois Micky entrer d'un pas nonchalant dans le jardin. Un concert d'hormones féminines s'élève aussitôt dans le jardin. Ravi, Mick nous rejoint en se pavanant.

— Merde, j'ai combien de verres de retard ? demande-t-il en remarquant notre état.

Lizzy lui répond par un rot et je ris bêtement.

— Je m'occupe du ravitaillement.

Je prends mon sac et me dirige vers le bar.

— N'en profitez pas pour vous tripoter !

Je lance un regard d'avertissement à Micky qui lève les mains en signe de protestation.

— C'est bon, message reçu.

Je fais un saut aux toilettes, histoire de me rafraîchir avant de me rendre au bar afin de commander nos boissons. À mon retour, je découvre que Nat nous a rejoints. Le trio acclame mon arrivée et fond sur le plateau lorsque je le pose sur la table.

— Ouah ! s'exclame Nat en levant son verre vers moi. Y a école demain et Annie n'est pas dans son atelier ! Mais qu'est-ce qui se passe ?

J'ignore son sarcasme et lance un bras autour de ses épaules.

— Allez, bois. On en a trois d'avance sur toi.

— Au célibat ! lance Nat.

Et nous faisons tous tinter nos verres afin d'entamer correctement notre biture.

* * *

C'était tellement nécessaire – l'alcool, les amis, les rires empêchant mon esprit de s'aventurer au-delà des limites du jardin du pub. Je me sens à nouveau normale. Saine d'esprit. Même si je suis bourrée.

Micky me dépose chez moi en taxi vers vingt-trois heures. La quantité d'alcool que j'ai ingurgitée saute aux yeux lorsque je remonte l'allée vers ma porte en zigzaguant.

— Hé, Annie ? me crie-t-il depuis le taxi. Un petit jogging demain matin ?

Je lâche un grognement peu séduisant et lève le majeur. Micky éclate de rire, claque sa portière et le taxi s'éloigne. J'ai un mal fou à trouver la serrure avec ma clé. Je ferme un œil et me concentre sur ma cible, mais je racle le bois à chaque fois et abîme la peinture.

— Allez, lâché-je d'une voix traînante en m'affaissant contre la porte, la langue légèrement tirée.

— J'ai comme l'impression que tu galères.

Je sursaute, me retourne en perdant quasiment l'équilibre et découvre Jack debout derrière moi.

Je souris de toutes mes dents et pointe le doigt vers lui.

— Tiens, tiens, mais c'est l'homme marié !

Je plaque une main maladroite sur ma bouche pour la faire taire et glousse comme une idiote.

— Oups, dis-je dans ma paume.

Je suis peut-être ivre, mais son regard noir ne m'échappe pas. J'ai même encore assez de bon sens pour me sentir offensée.

— Je rêve ou vous me fusillez du regard, Jack Joseph ?

— Tu es ivre, marmonne-t-il en avançant vers moi.

Mon regard trouble se promène paresseusement sur lui. Il est tout à fait délicieux dans ce jean usé et ce vieux T-shirt gris qui moule ses biceps.

— Eh oui !

Je titube un peu et mon dos heurte la porte.

— Je suis ivre. Mais ça ne te regarde absolument pas.

Jack saisit le haut de mon bras, me pousse sur le côté, me prend la clé des mains et ouvre la porte. La profonde chaleur qui me traverse la peau m'oblige à baisser les yeux sur la main qui me tient. Les sourcils froncés, je demande :

— Mais qu'est-ce qui t'arrive ?

— Quoi ? grommelle-t-il, irrité.

Il est de mauvaise humeur. Intérieurement, je ris comme une hystérique. Quoi ? Est-ce qu'il s'est encore disputé avec sa femme ? Tant mieux ! J'espère qu'elle a compris que c'est un sale type infidèle.

— Ça me fait tout drôle quand tu me touches.

Je frissonne sur place, et Jack me regarde en poussant la porte.

— Drôle n'est pas le mot que j'emploierais.

— Lequel alors ?

Je dégage mon bras, mais il se dépêche de le rattraper lorsque je titube en arrière.

— Je ne discuterai pas avec toi tant que tu seras ivre.

Jack me pousse vers le vestibule et me suit.

— En effet, tu ferais mieux de retourner auprès de ta femme !

Je ris en me dégageant, puis je m'affaisse contre le mur.

— Arrête ça, Annie, m'avertit-il, avant de poser une paume à côté de ma tête et d'approcher le visage du mien.

Il est beaucoup trop près.

— Pourquoi n'as-tu répondu à aucun de mes e-mails et appels ?

— Parce que je ne veux rien avoir à faire avec toi, répliqué-je méchamment.

Jack recule aussitôt, l'air stupéfait. Non, mais quel culot !

— Arrête de me mentir, putain !

J'inspire profondément afin de trouver la force de le gifler. Trop tard. Ma main se tend maladroitement, je rate sa joue et mon bras rebondit contre son épaule. Jack ne tressaille même pas, tandis que je perds l'équilibre et trébuche maladroitement en avant.

— Je te déteste, dis-je sèchement lorsqu'il m'attrape dans ses bras et jure à voix basse. Je te déteste, je te déteste, je te déteste !

— Tais-toi, Annie ! siffle-t-il en me soulevant. Ne recommence jamais ça, putain !

— Pourquoi ? demandé-je sèchement, avant de me tortiller pour me libérer.

— Parce que ça ne te va pas !

Alors que nous franchissons la porte de ma chambre, je me tortille encore plus à la vue de mon lit, mais Jack me serre plus fort.

— Lâche-moi !

Je commence à agiter les bras, mais ça ne lui fait aucun effet. Il continue à traverser ma chambre en me tenant fermement contre lui.

— Ça suffit ! m'avertit-il, un soupçon de menace dans la voix.

—Non !

Il me dépose sur le lit, mais je tente de me relever un instant plus tard, le visage collé au sien. Mauvaise idée.

De près, ses traits magnifiques me donnent encore plus le tournis. Je ferme les yeux, perds de nouveau l'équilibre et m'effondre sur le lit. Je suis une loque. Inutile. Pathétique.

— Va-t'en, ordonné-je en cachant mon visage dans mes paumes. Laisse-moi tranquille.

Mon estomac se révulse et l'eau me monte à la bouche. Oh non. Je bondis du lit et file comme une flèche dans la salle de bains en me cognant partout. La tête au-dessus des toilettes, je vomis longuement et bruyamment.

— Oh, mon Dieu, gémis-je, toute molle au-dessus de la cuvette, mes faibles mains agrippées au bord.

Je sens des doigts se glisser dans mes cheveux et dégager mon visage, puis une paume chaude me caresse le dos. Affalée au-dessus des toilettes, je pose la tête sur mes bras et ferme les yeux.

— Je t'en prie, ne me déteste pas, murmure-t-il.

Je m'évanouis.

12

Il s'agit à coup sûr d'une gueule de bois sévère lorsque la tête nous élance et qu'on n'est même pas capable de la soulever de l'oreiller. Et lorsqu'on a mal partout quand on tente de bouger et de trouver une position confortable. Et lorsque notre bouche est plus sèche que le désert, mais qu'on hésite entre rester immobile et déshydraté, ou tenter d'aller chercher de l'eau dans la cuisine, au risque de vomir en chemin. Pas de doute, celle-ci est sévère. C'est peut-être la pire que j'aie jamais eue. Qu'est-ce que ce sera quand je me lèverai !

Je gémis, tente de m'étirer et retiens un cri en allongeant mon corps, à la recherche d'un endroit frais. J'ouvre doucement les yeux et aperçois ma table de chevet. Un verre d'eau m'attend là. Ainsi qu'un mot sur lequel est inscrit : « Hydratation ». Je fronce les sourcils et me redresse. Deux comprimés sont posés sur un second mot : « Soulagement de la douleur ».

Qu'est-ce que c'est que ça ? Je m'immobilise et tente de me remémorer la soirée de la veille. Oh, mon Dieu. Je jette lentement un coup d'œil par-dessus mon épaule, esquisse une grimace et me prépare psychologiquement à ce que je risque de découvrir.

La silhouette étalée sur mon lit me file une putain de crise cardiaque. Je me redresse et m'agrippe immédiatement la tête de peur qu'elle ne tombe. Je siffle et grimace en retombant sur le matelas, incapable d'accorder à la gravité de la situation l'attention qu'elle mérite.

— Jack, gémis-je en tendant une jambe pour le frapper. Mais qu'ai-je fait ?

Il grogne, mais reste sur le dos. Mes yeux se promènent voracement sur son corps nu et atteignent sa queue. Il m'a laissé un mot, là aussi : « Petit déjeuner ».

— Jack !!

Il bat des paupières et ses yeux ensommeillés s'ouvrent, adorables taches gris foncé.

— Bonjour, marmonne-t-il d'une voix rauque, pas du tout perturbé par ma présence.

— Mais que fais-tu là ?

Je panique à l'idée de ce que nous avons fait. Jack tend la main et la pose sur ma hanche. Qui est nue.

— Ça va, ta tête ?

— C'est le brouillard, avoué-je en m'écartant de lui, avant que sa main ait une chance d'embrouiller davantage les choses dans ma tête.

Il baisse les yeux vers ma hanche, puis me regarde.

— Nous n'avons pas...

J'agite un doigt entre lui et moi, tout en faisant de mon mieux pour extraire des souvenirs de mon cerveau abruti.

— Toi et moi, nous n'avons pas...

— Non, répond-il doucement, presque avec appréhension.

Je suis soulagée, mais je ne comprends toujours pas ce qu'il fiche dans mon appartement.

— Dans ce cas, qu'est-ce que tu fais là ?

— Tu ne répondais ni à mes messages ni à mes appels.

— Alors tu t'es dit : « Tiens, si j'entrais chez elle par effraction ? »

— Je n'ai pas eu à le faire. Je t'ai trouvée complètement bourrée en train d'essayer de déverrouiller ta porte lorsque je suis passé te voir.

Je ravale ma colère et me glisse jusqu'au bord du lit.

— Je n'ai rien à te dire.

Prenant une profonde inspiration afin d'éviter le tour-nis, je me lève. Je passe quelques précieuses secondes à m'assurer que je ne vais pas retomber à plat ventre, puis je me dirige vers la cuisine pour aller boire, ignorant volon-tairement le verre qu'il m'a gentiment apporté.

— Jack, va-t'en, s'il te plaît.

J'entre dans la cuisine, ouvre le robinet et laisse couler l'eau tout en cherchant un verre. Morte de soif, j'en avale deux litres d'une traite puis pose bruyamment mon verre sur l'égouttoir et fais demi-tour afin de quitter la cuisine. Je réalise que je ne vais pas pouvoir éviter de le frôler, car il me bloque le passage. Dès que nos peaux entrent en contact, je retiens mon souffle et vacille. Mais je m'efforce de continuer à avancer.

Je ne vais finalement pas très loin. Tout à coup, Jack tend la main et attrape mon poignet.

— Ne fais pas ça, grogne-t-il presque en resserrant les doigts. Tu n'as pas le droit, Annie.

Je dégage brutalement mon poignet, les dents serrées. Mais je ne dis rien. Mon visage furieux parle sans doute de lui-même. Je m'éloigne en fusillant Jack du regard, la mâchoire douloureuse à force de serrer les dents.

— Annie ! hurle-t-il, ses pieds nus martelant le plancher tandis qu'il me suit.

— Va-t'en.

Je le bouscule afin d'entrer dans la salle de bains, ferme la porte derrière moi et la verrouille. Un instant plus tard, ses poings s'abattent sur le bois. Mais j'ignore le vacarme et ouvre le robinet de la douche. Après m'être brossé les dents au point de les user, je file sous la douche et me frotte la peau afin de faire disparaître la puanteur de l'alcool. Il n'a aucun droit d'être ici. Il n'a peut-être pas profité de moi, mais il a tout de même profité de ma faiblesse.

Je commence à me laver les cheveux énergiquement dans l'espoir de faire barrage aux pensées et questions qui affluent à mon cerveau courbaturé. Après m'être rincé les cheveux, je sors, attrape une serviette sur le porte-serviettes et tends l'oreille afin de percevoir le moindre mouvement derrière la porte de la salle de bains. C'est le silence total.

Tout en me séchant et enfilant un T-shirt, je planifie mentalement ma journée. Il faut que je revoie certains dessins. Peut-être pourrais-je saisir l'offre de Micky et trouver un moment pour courir. Ça me débarrasserait de mon stress. Je devrais aussi appeler les filles, histoire de voir si elles sont en meilleure forme que moi. Après notre biture, je veux dire. Pas après avoir couché avec un mec marié.

Après m'être séché les cheveux avec une serviette, je redresse la tête juste au moment où le verrou saute et la porte s'ouvre à toute volée. Incrédule, je pivote sur moi-même et découvre Jack dans l'entrée.

— Sors tout de suite d'ici !

— Non.

Je m'éloigne rapidement de lui en faisant tout pour éviter de croiser son regard dans le miroir. Mieux vaut ne pas courir le risque d'être attirée vers leurs profondeurs ardentes. Je ne remporterai pas cette bataille-là. Une force invisible aimante nos regards dans le reflet. Je redresse le dos. Jack se tient simplement là, sans parler ni bouger, mais ça ne fait aucune différence : je ne peux m'empêcher de réagir à sa présence. Je ne devrais pas avoir ces réactions. Mais je n'y peux absolument rien.

— Ta femme, marmonné-je. Elle ne mérite pas ça.

Aucune femme ne mérite d'être traitée ainsi, quelle que soit son attitude. Je ne l'ai croisée que deux fois, j'ai vu comment elle se comportait et j'ai entendu des rumeurs, mais rien de tout ça ne justifie ce que nous faisons. Ses narines se dilatent tandis qu'il examine mon visage d'un air pensif. Il comprend peut-être enfin quel sale égoïste il est. La situation affreuse dans laquelle il me met.

— Ne crois pas que tu es en train de détruire un mariage parfait, Annie. Le nôtre n'en est pas un.

— C'est tout de même un mariage, rappelé-je doucement. Parfait ou pas, je n'ai rien à faire là-dedans.

— Ce n'est pas vrai. Tu es la seule personne qui peut m'en sauver.

Je sens mon front se plisser.

— T'en sauver ?

Un petit sourire passe sur son beau visage.

— Stephanie est...

Jack tente visiblement de trouver les bons mots.

— Un peu instable.

Il soupire.

— Notre mariage est terminé. Je le sais, elle aussi, mais elle refuse de l'accepter.

Jack secoue la tête et ferme les yeux avec une frustration évidente.

— Je ne peux plus vivre comme ça, Annie. Il n'y a pas de retour possible pour moi.

Ouvrant les yeux, il me lance un regard déterminé.

— Je ne souhaite pas trouver le moyen de revenir en arrière. Maintenant que je t'ai rencontrée, c'est hors de question.

Un peu frustré, il secoue la tête.

— Accepte de me revoir, m'ordonne-t-il doucement.

— Tu es fou ! répliqué-je, stupéfaite.

J'ai passé un temps limité avec Jack, mais j'ai l'impression de le connaître depuis des années. Il serait extrêmement stupide de passer davantage de temps avec lui. J'ai déjà suffisamment fait preuve de stupidité.

Jack traverse la salle de bains et s'arrête derrière moi. Il ne me touche pas, mais s'assure de ne pas rompre le contact visuel avec moi.

— C'est tout à fait possible, répond-il simplement.

Je déglutis et secoue la tête, mais il réplique en hochant la sienne, sûr de lui. Je sens ma conscience m'abandonner à nouveau.

— Non, parviens-je juste à murmurer.

— Si, insiste-t-il en posant la bouche sur mon épaule, les lèvres sur ma chair, sans cesser de me regarder.

Je sursaute et agrippe le lavabo pour me soutenir, mais je ne m'écarte pas. Comme une idiote, je le laisse faire, subjuguée en un instant par son pouvoir sur moi.

Jack embrasse légèrement mon épaule, prend ma main, tend mon bras sur le côté et dépose des baisers jusqu'au bout de mes doigts. Ma peau s'enflamme, ma tête se renverse et mon esprit se vide de nouveau. Il n'y a plus que Jack au monde. Je glisse la main le long de son bras, ferme la paume sur sa nuque et applique une légère pression, l'invitant à venir à moi. Il n'exprime aucune satisfaction. Jack me contourne jusqu'à ce qu'il se trouve face à moi, glisse la main sur ma joue, puis pose tranquillement la bouche sur la mienne.

Je suis partie, perdue dans ce monde où il m'emmène sans cesse, où la passion et le désir troublent tout.

Soudain, le visage de Stephanie m'apparaît et je repousse Jack avec un cri.

— Non, refusé-je sèchement, avant de me tourner et de m'éloigner de lui.

Les mains posées sur les tempes, je tente vainement d'extraire l'image de ma tête. Coincée là, elle me tourmente, me torture. Je ne peux pas céder encore une fois. Je ne dois pas céder !

— Sors d'ici.

— Annie, ne me tourne pas le dos...

— Sors d'ici ! répété-je, faisant volte-face avec une rage aveugle.

Jack cesse d'insister à l'instant où il voit mon expression furieuse.

— Je ne veux pas de toi !

Je ramasse son jean, son T-shirt et les lui jette méchamment. Il laisse ses vêtements le toucher puis tomber sur le sol.

— Mais arrête de me mentir, putain ! rugit-il en s'avançant vers moi. Cesse de répéter ce qu'exige ton cerveau et commence à écouter ton foutu cœur, Annie !

— Mon cœur est muet comme une carpe !

Je lutte contre lui, effrayée par son emprise sur moi, car je me décompose un peu plus chaque fois qu'il me touche.

— Dans ce cas, pourquoi est-ce que je l'entends, hein ? hurle-t-il. Son message est archi clair, tu sais. Il dit exactement la même chose que le mien.

Je me dégage brutalement et m'éloigne en haletant.

— Fous-moi la paix et retourne auprès de ta femme. C'est aussi simple que ça.

— Simple ? répète Jack d'un ton sérieux, avant de cogner du poing sur son torse. Alors pourquoi est-ce que je deviens complètement dingue chaque fois que je pense que je ne te reverrai plus jamais, putain ? Explique-moi, Annie, parce que je perds vraiment la tête !

Je me recroqueville sur place, sous le choc. Cependant, je comprends parfaitement ce qu'il dit. J'ai aussi l'impression de perdre la tête et, comme lui, je souffre le martyre. Je commence à trembler. De colère, mais aussi de peur.

— Va-t'en.

Il faut que je fasse une croix sur cette folle alchimie et que je me calme. Je ne dois plus me laisser aveugler par le désir.

— Va-t'en, Jack.

Je baisse les yeux vers le sol afin de cesser de le voir. Il faut que je me débarrasse de ces souvenirs. Son visage, mon visage, nos corps. Je ferme les yeux et presse le talon de la main sur mon front.

— Ça ne marche pas, déclare-t-il calmement. J'ai déjà essayé.

Je commence à secouer la tête ; mes joues se mouillent de larmes frustrées.

— Rien ne marche, Annie. Secouer la tête, me changer les idées, rien.

— Arrête, gémis-je pathétiquement.

— Je ne peux pas, siffle-t-il en faisant un pas vers moi. C'était déjà difficile de penser sans arrêt à toi, mais maintenant, tu me rends totalement fou, putain. Je n'arrive plus à manger ni à dormir.

Il fait un autre pas vers moi et je recule encore, faisant de mon mieux pour maintenir la bonne distance entre nous. Il est dangereux d'être près de lui. Ça fout en l'air ma détermination, ça réduit ma conscience à néant.

— Tu es marié, insisté-je d'une voix rauque, furieuse contre lui.

Tellement furieuse !

— J'ai fait une horrible erreur. Sors de mon appartement.

Jack se contente de me dévisager quelques instants et je devine qu'il évalue mon état psychologique. Il essaie de trouver une petite faille dans mon armure, le moyen de la percer. Je ne lui céderai plus. C'est fini.

— Je t'ai dit de sortir, dis-je, forte et sûre de moi. Je ne veux plus jamais te revoir.

— Mais Colin...

— Je quitte l'équipe.

Jack recule avec une expression de pure souffrance, voire d'abattement total, mais je refuse de le laisser entamer ma détermination. Je m'assure de conserver un air déterminé et regarde sa mâchoire se crisper au point de se briser.

— C'est vraiment ce que tu veux ? demande-t-il.

— Je ne vois aucune autre solution.

— Moi si.

Le visage de Jack paraît soudain déterminé.

— Tu as raison. Je ne peux pas te regarder tous les jours en sachant que tu te mens à toi-même. Et à moi.

Il remonte son jean sur ses jambes et enfile rageusement ses bottes.

— Mais pas question que tu quittes l'équipe. Ce projet est trop important pour toi et je refuse que tu l'abandonnes à cause de moi.

— Je ne comprends pas.

— Je me retirerai du projet d'ici demain soir.

Il se tourne, sort et enfile son T-shirt en chemin. Quelques secondes plus tard, j'entends la porte d'entrée claquer avec force. Mon souffle se fait superficiel et laborieux. J'ai la gorge nouée. Qu'est-ce qui vient de se passer au juste ? Il se retire du projet. Jack a résolu le problème à ma place. Je ne le reverrai plus jamais. Je poursuivrai ma vie comme si je ne l'avais jamais rencontré. C'est la meilleure solution. Je le sais. Je ne peux pas continuer comme ça. Je suis en permanence dans le flou, désespérée sans lui, désespérée avec lui. J'ai l'impression de ballotter sans cesse entre force et instabilité, ne sachant jamais de quel côté tourner. Je ne le reverrai plus jamais. Je ne l'entendrai plus jamais. Je ne le toucherai plus jamais.

Ces pensées font chanceler mes genoux et je m'effondre sur le sol, bouleversée. Je ne le reverrai plus jamais. Les larmes me montent aux yeux et mon environnement se brouille. Toute ma vie devient floue, elle aussi. Je ne le reverrai plus jamais. Je ne le toucherai plus jamais, ne l'entendrai plus jamais, ne le sentirai plus jamais. Le souffle court, je suffoque presque, tandis que mes sanglots agitent mon corps replié.

Je sais que c'est la meilleure solution. Mais, dans ce cas, pourquoi ai-je l'impression de mourir à petit feu ?

Il quitte l'équipe pour que je n'aie pas besoin de le faire. Parce qu'il sait ce que ce projet représente pour moi. Je me relève péniblement, secouée de sanglots incontrôlables.

Je ne sais pas ce qui me prend, mais mon instinct me pousse à agir. Je titube jusqu'à la porte, la vue trouble à cause de mes yeux larmoyants, et je m'élance dehors. Je cherche désespérément sa voiture puis le repère plus loin dans la rue, alors qu'il grimpe dans son Audi.

— Jack !

Il lève les yeux, la main posée sur le haut de sa portière. Je reste où je suis, vêtue d'un simple T-shirt, pieds nus, le visage sans nul doute ravagé par les larmes.

— Je ne veux pas que tu fasses ça, lancé-je, avant de craquer pour de bon. Je ne veux pas que tu partes.

Jack claque sa portière et accourt, le visage inquiet. Il m'attrape juste au moment où mes jambes se dérobent, me soulève dans ses bras et me serre contre son torse. Je l'étreins de toutes mes forces, encouragée par mon cœur. Lui et moi. Ensemble. Rien ne me paraît plus juste au monde.

— Ne rends pas les choses aussi difficiles, murmure-t-il en montant les marches du perron, avant d'entrer dans mon vestibule et de fermer la porte derrière lui.

Me détachant de son corps, il lève une main vers mon visage. Lorsque sa chaleur pénètre ma joue, une force se répand à travers mon corps. Cette sensation puissante, dévorante prend le dessus. Un simple contact. Il approche le visage du mien, puis son autre main se posa sur ma hanche, tandis que nous nous regardons dans les yeux. Je lis tant de souffrance dans ce gris hypnotique. Et tant de vie.

— Ne m'oblige pas à t'abandonner, Annie, murmure-t-il, la voix brisée par l'émotion.

Ma gorge se noue et mes yeux se remplissent de larmes de désespoir.

— Je n'ai plus de force.

— Tant mieux, parce que je suis vraiment crevé de me battre avec toi.

Jack baisse la tête et prend tendrement ma bouche. Percevant ma fragilité, il glisse une main dans mes cheveux et les empoigne, afin de maintenir ma tête en place.

Je lui rends son baiser, sans me poser de question, sans lutter ni hésiter. Ce baiser est lent, ouvert, aimant. Et une fois encore, tout s'arrange.

Ensuite, les choses dégénèrent. Le rythme devient frénétique. Jack gémit, encore et encore, et j'avale tous ces sons. Nos langues tourbillonnantes accélèrent leurs mouvements, jusqu'à ce que nous nous jetions l'un sur l'autre avec un sentiment d'urgence désespéré. Nous arrachons les vêtements de nos corps, trébuchons dans le couloir, nous cognons contre les murs et grognons bruyamment. Le désir monte en flèche. Une traînée de vêtements dans notre sillage, nous sommes si pressés d'atteindre la chambre que nous provoquons un véritable ouragan.

Jack ne me pousse pas sur le lit comme je m'y attends. Il me plaque contre le mur, tandis que nos mains tripotent tout ce qu'elles peuvent. Je suis perdue en lui et je n'ai pas la moindre envie de me retrouver. Il faut que j'aie Jack. Lorsqu'il me prend avec une telle conviction et une telle assurance, je n'ai aucun espoir de l'arrêter. Et aucune envie non plus.

L'interdit est trop irrésistible. Il possède un attrait dangereux et un magnétisme puissant. Je vais certainement souffrir et angoisser à cause de lui. Impossible de comprendre pourquoi je me laisse posséder ainsi. Pourquoi je cède à un homme qui appartient à une autre. Mais je ne peux pas lutter contre mon cœur. Je veux Jack. Ma santé mentale est en péril, quel que soit le chemin que je prends. Je suis fichue.

Jack m'entraîne vers le sol. Nos corps nus se touchent partout, tandis qu'il me tient sous lui et plaque mes bras au-dessus de ma tête. Je crie, je me débats, je me cambre violemment. Sa bouche se pose partout sur moi. Chaque baiser est empli de feu, chaque coup de langue provoque un regain d'énergie en moi. Ses lèvres attrapent un téton, le sucent, le lèchent et mordillent l'extrémité.

— Jack !

Je me cambre désespérément sous lui. Il me torture de la meilleure et la plus horrible façon.

Jack ne se calme pas. Gardant mes bras plaqués au-dessus de ma tête, il rampe sur moi, m'embrasse partout. Ses lèvres retrouvent finalement leur chemin jusqu'à ma bouche et me dévorent. Plongées profondes, larges tourbillons, morsures violentes de mes lèvres. Je suis en train de perdre la tête. Tirant la chair de ma lèvre inférieure avec les dents, il ouvre les yeux et me regarde craquer, puis il relâche ma lèvre et dépose des baisers jusqu'au milieu de mon ventre. Nos yeux se fixent. Il baisse mes bras sur mon ventre et maintient chacun de mes poignets d'une main sur mon abdomen, afin que sa bouche puisse atteindre...

— Oh, mon Dieu !

Je renverse la tête en arrière et me cambre, faisant craquer ma colonne vertébrale, tandis que je tente de me libérer les mains. Impossible. J'essaie de me détendre, de savourer ce plaisir indescriptible. Je baisse les yeux vers Jack en haletant. Sa langue lisse et chaude qui tourbillonne me donne le tournis. Je retombe en arrière et retiens mon souffle, car la tension monte rapidement dans mon sexe.

— Jack !

L'orgasme s'empare de moi et fait jaillir une pluie d'étoiles et de bruit blanc, tandis que mon corps tremble violemment sous lui.

Le plaisir se poursuit et me déchire comme la plus puissante des tornades. J'explose littéralement. Et tout disparaît – le sentiment de culpabilité, ma conscience tourmentée, ma capacité à m'inquiéter de ce que je fais. Jack obscurcit tout.

Mon corps se liquéfie et je me détends sur le sol, tandis qu'il lèche paresseusement mon clitoris, le suce avec douceur puis le relâche. Je me sens totalement inutile ; mes bras mous retombent au-dessus de ma tête. Je gémis dans un soupir lorsque je le sens ramper sur mon corps, puis ses lèvres apparaissent en face des miennes, et Jack explore à nouveau ma bouche, avec douceur cette fois. J'avale ses grognements, inspire son odeur et savoure le poids de son corps étalé sur le mien. Je souris en sentant sa queue palpiter contre ma jambe.

— C'était comment ? demande-t-il en mordillant ma bouche.

Je ne peux m'empêcher de sourire. C'est sans doute déplacé, mais, bon sang, j'ai l'impression d'avoir eu un million d'orgasmes en même temps. Pendant ce temps-là, mon monde ébranlé a retrouvé toute sa stabilité.

— Bien, avoué-je en frottant le nez contre les poils de sa barbe.

Je ne me suis jamais sentie aussi satisfaite. Usant du peu de force qu'il me reste, je lève les bras et les enroule autour de ses épaules en soupirant d'aise.

— J'ai comme l'impression que quelqu'un a pris son pied, me taquine-t-il, avant d'embrasser mes lèvres une dernière fois et de s'écarter.

— Est-ce un sous-entendu ? lancé-je en haussant un sourcil.

— En parlant de sous-entendu...

— Oh, ton mignon petit mot ?

Jack esquisse le splendide sourire que je n'ai pas vu depuis bien trop longtemps. Un sourire que je n'ai jamais vu sur son visage quand il était avec sa femme. Je le rends heureux.

— Tu n'y as pas vraiment prêté attention.

— J'étais sous le choc.

Mes yeux se posent sur son cou et ma main se lève machinalement afin de suivre les traces rouges.

Le sourire de Jack se fait triste. Il retire ma main de son cou, la porte à sa bouche et embrasse mes articulations.

— Elle se défoule sur moi.

Cette idée semble si peu l'affecter ! C'est la pire chose de toutes. La situation ne paraît même pas anormale à ce grand homme bien charpenté. Le souvenir net de ma propre brutalité et de sa fureur me revient. Honteuse, je me promets aussitôt de ne jamais recommencer, quel que soit mon degré de frustration.

— Pourquoi ne m'as-tu rien dit ?

— Parce que quand je suis avec toi, je suis libre, Annie. Je ne me prends plus la tête pour trouver ce qui a bien pu merder dans mon mariage et pourquoi Stephanie se comporte comme ça. Je ne cherche plus à savoir qui est responsable de cette situation. Et je ne me sens plus piégé ni malheureux. Je suis de nouveau moi-même.

Mes yeux humides se posent sur son beau visage.

— Pourquoi la laisses-tu faire ?

— Qu'est-ce que tu voudrais ? Que je la frappe à mon tour ? Je la tuerais d'un seul coup de poing.

— Quitte-la, assené-je, la voix saccadée et brisée.

La pensée qu'elle lui fait du mal physiquement m'anéantit. Un homme aussi compétent. Aussi fort et costaud. Doit-il vraiment accepter de se laisser faire ?

— Quitte-la, tout simplement.

Les larmes me montent aux yeux. Jack roule contre mon flanc puis se hisse sur un coude.

Il essuie tendrement mes larmes et approche son visage du mien.

— Ne pleure pas pour moi.

Cet ordre tendre produit exactement l'effet inverse et je commence à sangloter, le visage enfoui dans son cou.

Comment peut-il l'accepter ? L'idée que quelqu'un s'en prend à lui physiquement me détruit à petit feu.

Jack me force à relever la tête puis se hisse sur moi et nous nous retrouvons nez à nez.

— Elle ne me fait pas mal, Annie. La seule personne qui a ce pouvoir, c'est toi. Tu entends ce que je te dis ? Je suis invulnérable quand tu es avec moi.

Il commence à déposer de légers baisers partout sur mon visage humide et essuie mes larmes avec sa bouche.

— Il faut que tu la quittes.

Je passe les bras sur ses épaules et le tiens contre moi comme si je pouvais le protéger. L'extraire de son cauchemar.

— Fais-moi confiance. Je le ferai dès que possible.

Jack lève le visage, me regarde, puis pousse mes cheveux de mon visage mouillé.

— Tu me donnes un objectif. Une vraie raison de partir. Mon bonheur n'était pas une raison suffisante, avant. Il ne valait pas la peine de souffrir et de subir le contrecoup. En revanche, ton bonheur est une raison suffisante et je sais que je peux te rendre heureuse. Exactement comme je peux être heureux avec toi.

Ses paroles me foudroient. Chacune d'entre elles. Il n'a pas simplement besoin de la quitter : il le veut. Il veut le faire pour moi. Il la quittera dès que possible.

— Quand pourras-tu le faire ? chuchoté-je, tout en prenant conscience de ce que cette rupture signifie vraiment.

Les gens apprendront alors ce qui se passe entre nous. *Elle* l'apprendra.

— Je n'en sais rien.

Jack m'adresse un regard désolé.

— Il y a deux semaines, avant de te rencontrer, j'aurais répondu : jamais. À présent, je vais faire en sorte de trouver le bon moment. Mais je dois agir avec précaution. Et il faut que tu me fasses confiance : je le ferai de façon convenable. Donne-moi juste un peu de temps, s'il te plaît.

Ce que je devrais faire maintenant, c'est le quitter. Le laisser régler ses problèmes avant même de penser à poursuivre cette relation. C'est ce que je devrais faire. Mais ça ne veut pas dire que j'en suis capable.

— Es-tu en train de me dire que tu vas quitter ta femme ?

J'ai juste besoin d'en être sûre. De l'entendre le dire à nouveau.

— Oui, répond-il sans hésiter un seul instant. J'ai besoin de mettre fin à ce mariage, ne serait-ce que pour ma santé mentale et physique. Je la quitte parce que j'ai besoin de sentir de la vie en moi, de la vie que j'ai envie de t'offrir. Il restait quelque chose de vivant en moi, Annie, et tu l'as trouvé.

Je l'attire à moi et lui fais un câlin. J'ai eu envie de lui avant de savoir que je ne pouvais pas l'avoir. Mon désir n'a fait que se multiplier depuis, bien que mon sentiment de culpabilité ait tout fait pour le masquer. Je n'ai jamais désiré quelque chose au point d'être prête à sacrifier mon intégrité. Jamais je ne lui imposerais de quitter sa femme. C'est à lui de prendre cette décision et de choisir le bon moment. En attendant, je vais profiter de lui en partie. Il me faut cette partie de lui. Ne serait-ce que pour mon équilibre psychique. Ne plus rien vivre avec Jack n'est pas une option.

— Je prendrai tout ce que tu peux me donner pour le moment.

Ces mots sont douloureux à prononcer, mais c'est la vérité. Je dois enfin assumer le fait que je suis éprise d'un homme marié. J'ai tenté de fuir. Mais ça ne m'a menée nulle part, et pas seulement parce que Jack refusait de me laisser partir. Mon cœur ne le voulait pas non plus. Jack me demande de patienter et je suis prête à le faire, même si je sais que la plupart des gens condamneront mon attitude plus tard. Je suis prête à patienter parce que ça vaut le coup d'attendre. J'ai confiance en lui. Je ne veux pas rendre sa vie encore plus difficile qu'elle ne l'est déjà.

Je l'embrasse dans le cou, trace des cercles sur son dos et élimine les pensées qui menacent de gâcher ce moment. Il est à moi maintenant. En ce moment, il est à moi.

— J'ai confiance en toi, soufflé-je.

Jack m'embrasse alors avec la sincérité la plus incroyable.

— Merci, murmure-t-il.

Il promène les lèvres sur mon visage et je souris tristement. Parce que je ne fais que me mentir : je ne veux pas me contenter d'une petite partie de Jack, et je sais au fond de moi que viendra un moment où ça ne me suffira plus. J'espère juste qu'il trouvera la force nécessaire pour quitter sa femme avant que n'arrive ce moment.

13

Nous avons fait l'amour toute la journée. De façon lente, douce et sincère. Il m'a longuement regardée, tandis que, nos souffles mêlés, nos mains explorant l'autre, il allait et venait en moi, ferme et précis, encore et encore. C'était merveilleux. C'était époustouflant. J'ai fini complètement sonnée, presque incapable de garder les yeux ouverts. Ce qui n'est pas plus mal, car ensuite, je n'ai pas eu l'énergie de fondre en larmes quand il m'a tendrement embrassée sur le front avant de me quitter hier soir.

Plongée dans un sommeil profond, j'ai rêvé de Jack. Ce fut la nuit la plus satisfaisante que j'avais jamais passée. Il ne manquait que le corps de Jack enroulé autour du mien pour qu'elle soit parfaite. Mais je dois me faire à l'idée que ça n'arrivera jamais. Après tout, ce n'est pas cher payer après les moments de communion et d'engagement total que nous venons de passer ensemble. Ce n'est pas cher payer. Pour le moment.

Sous la douche, je me sens pleine de vie et d'énergie. Étrangement, j'éprouve un immense soulagement, comme si on avait retiré un poids de mes épaules fatiguées. Comme si quelqu'un m'aidait à supporter le poids de mes choix.

Debout devant le miroir, je me regarde, vêtue de la tête aux pieds d'une tenue de sport. Mes joues ont un éclat sain, mes cheveux foncés brillent et mes yeux vert clair pétillent. Et je ressens un délicieux tiraillement entre les cuisses. Je me sens bien et, au risque de paraître très naïve, je ne me pose aucune question.

J'attrape mon iPod, sélectionne une playlist et sors dans la rue. Un footing. J'ignore totalement d'où m'est venue cette envie, mais profitons-en pendant que j'ai le courage de courir. Le soleil me réchauffe le dos tandis que je me dirige vers Hyde Park, reposée et pleine de vigueur. Ce ne sera peut-être plus le cas au bout de quelques kilomètres, mais pour l'instant, mes jambes avancent sans fournir trop d'efforts et mon souffle est calme et régulier. Difficile de croire que je n'ai pas couru depuis plus d'un an. Et je souris. Le rythme de *Sun & Moon* de Above & Beyond qui pulse dans mes oreilles m'encourage à poursuivre, tandis que je traverse le parc, le regard fixé devant moi. Mes compagnons de course m'adressent un signe de tête et me rendent mon sourire. Je continue à respirer à un rythme régulier.

L'image de Jack ne quitte toujours pas mon esprit un seul instant, mais à présent, je ne m'efforce plus de l'en effacer. Elle est implantée dans mon cerveau et ça me plaît. Son sourire, ses yeux pétillants. Sa voix, son rire, ses plaisante-ries insolentes. Sa passion pour mon travail et ses encoura-gements. J'aime tout en lui. Nous n'avons passé ensemble que des moments volés, mais même s'ils furent brefs, ils se révélèrent tout de même incroyablement puissants. Comme ces sensations durent encore, j'espère qu'elles rendront son absence plus supportable.

Le sourire aux lèvres, je prends un virage serré à gauche et cours vers la Serpentine. L'air frais matinal effleure ma peau. Dans mon champ de vision, quelque chose attire mon attention. J'aperçois Micky qui agite la main de l'autre côté de la pelouse. Je retire les écouteurs de mes oreilles et lui réponds.

— Mais qu'est-ce qui t'arrive ? crie-t-il, les paumes tour-nées vers le ciel.

— J'avais envie de courir !

200

Il éclate de rire puis se tourne vers la femme installée à quatre pattes devant lui, ses longs cheveux blonds effleurant l'herbe. Hilare, je le vois poser un genou à terre et lui prendre les hanches, avant de lancer un regard triomphant. *Mon cochon !* me dis-je en le rejoignant.

Arrivée à sa hauteur, je le regarde faire adopter diverses positions à sa cliente.

— Salut.

— Oh, merde !

Levant les yeux, je découvre Jack qui court à côté de moi. Je cligne rapidement des yeux, car sa beauté chatoyante m'atteint comme un crochet du droit dans l'œil. Putain de merde ; ce mec ne peut pas être réel. Ma respiration, que je maîtrisais parfaitement, se fait laborieuse. Je suis à bout de souffle.

— Qu'est-ce que tu fais là ?

— Je cours, comme tous les matins.

Il se retourne adroitement et se met à courir à reculons quelques pas devant moi.

— Mais je n'avais encore jamais eu une vue aussi magnifique.

Il plisse les lèvres et m'envoie un baiser.

Je ris malgré mon souffle laborieux puis pose les yeux sur son magnifique torse, immense et ferme.

— Est-ce que tu cours toujours torse nu ?

Je tente d'arracher mon regard à cette vision excitante.

— Seulement quand j'ai envie d'impressionner.

Jack se retourne et je le sens me regarder. Je lui lance un regard en coin. Il m'adresse un clin d'œil insolent.

— Je suis impressionnée, dis-je avec un grand sourire.

— Moi aussi, répond-il en promenant un regard paresseux sur mon corps. Très impressionné.

Je sens soudain un autre regard sur moi. De l'autre côté de la pelouse, Micky, qui s'est relevé, nous observe avec méfiance. Merde.

— Micky est là, avertis-je, le regard à nouveau fixé devant moi, faisant de mon mieux pour ne pas avoir l'air coupable.

Il s'agit juste d'un agréable jogging matinal avec un collaborateur. Le collaborateur qui m'a fait hurler de plaisir. Le collaborateur qui est marié. Le collaborateur avec qui j'ai maintenant une liaison.

— Regarde devant toi ! l'admonesté-je sèchement lorsque Jack commence à chercher autour de lui. Il va péter les plombs s'il apprend que nous couchons encore ensemble.

— Prends à gauche là-bas, m'ordonne-t-il.

Je lève les yeux et découvre un embranchement. Je suis ses instructions, puis jette un coup d'œil par-dessus l'épaule afin de m'assurer que Micky est hors de vue.

— Jack, il ne faut pas qu'on nous voie ensemble, lancé-je en haletant.

J'ai un mal fou à respirer maintenant. Il faut dire que la panique n'arrange rien.

Il se tourne vers moi sans cesser de courir puis m'attrape, me soulève de terre et m'emporte derrière un arbre, la main plaquée sur ma bouche. Une fois qu'il m'a hissée contre le tronc, il retire la paume et la remplace par sa bouche. Instantanément sous le charme, je réponds à son baiser affamé. De leur côté, mes mains se donnent pour mission de palper chaque centimètre de son torse nu.

— Hmm, tu es délicieuse, putain.

Je souris dans sa bouche et lève la main afin d'empoigner ses cheveux.

— Je transpire.

— Ça me donne envie de te lécher partout.

La langue de Jack se promène de ma joue à mon oreille et suit son contour. Je halète, frissonne et l'embrasse à pleine bouche. Avec un grognement, il commence à faire pivoter ses hanches contre mon bas-ventre.

— Trop bon, putain.

— J'ai comme l'impression que tu aimes bien me lécher.

Jack recule, un sourire spectaculaire aux lèvres.

— Tu y vois une objection ?

— Non.

Je ne verrais aucun inconvénient à ce qu'il me lèche jusqu'à me faire disparaître.

Jack lève la main et suit l'arête de mon nez du bout du doigt en me regardant affectueusement.

— Qu'est-ce que tu as de prévu aujourd'hui ?

— Je dois finaliser certains dessins, soumettre une candidature, prendre une décision au sujet d'une autre.

Il étouffe un bâillement et regarde ailleurs, feignant l'ennui.

— Passionnant.

— Hé !

Je lui frappe le bras, ce qui lui arrache le plus mignon des petits rires.

Jack saisit mes joues et les serre jusqu'à ce que mes lèvres boudent, puis il imite ma moue, amusé.

— Et dire que je couche avec une femme qui a potentiellement plus de talent que moi...

— Potentiellement ? répété-je entre mes lèvres serrées.

— Eh bien...

Il hausse les épaules.

— Le jury délibère encore au sujet de tes compétences au lit.

Je pousse un petit cri outré, et Jack m'imite. Il se moque totalement de moi ! Je le fusille du regard et il fait de même. Mon nez se fronce, et le sien se fronce aussi. Je pousse la langue entre mes lèvres et la lui tire puérilement afin de lui montrer combien je suis offensée. Avec un sourire, Jack relâche mes joues, me hisse contre son torse puis me câline.

— Sache que ton éthique professionnelle me plaît beaucoup. Rares sont les gens capables d'affirmer qu'ils adorent leur boulot. Tu fais partie des chanceux de ce monde, de ces personnes qui en tirent davantage que de l'argent.

À mon tour, je lui fais un gros câlin.

— Et toi, alors ? Est-ce que tu fais aussi partie de ces chanceux ?

— J'imagine, dit-il dans mes cheveux. Mais mon travail sert surtout à me changer les idées, ces temps-ci.

Il me relâche puis tripote mon visage pendant quelques instants, afin de retirer les cheveux collés à ma peau moite. Ne sachant pas très bien comment interpréter sa phrase, je préfère ne pas y réfléchir pour le moment.

— Prête ?

— Oui, acquiescé-je, tandis qu'il repart en trottant vers l'allée principale. Comporte-toi normalement.

Micky risque de réapparaître à tout moment.

— Très bien, répond sèchement Jack. Tu as passé une bonne journée hier ?

Je lui lance un regard incrédule.

— Quoi ?

— J'engage la conversation.

— Tu es sérieux ?

— Oui, j'ai envie de savoir si tu as passé une bonne journée.

Ignorant mes yeux plissés, il garde les siens fixés devant lui avec un sourire en coin.

— Merveilleuse, avoué-je, finalement décidée à me prêter à son badinage espiègle. Mais je n'ai pas beaucoup travaillé. Et toi ?

— Je ne me suis pas arrêté une seule minute.

Il sourit.

— Et ce fut la meilleure journée de ma vie.

Lorsque je lui souris, Jack baisse les yeux vers moi. Son regard brille comme jamais. L'idée que c'est moi qui provoque un phénomène aussi merveilleux fait palpiter mon cœur comme un fou.

Plissant les lèvres, il m'envoie un baiser.

— Mieux vaut que je file. Je t'appelle plus tard, ma belle.

Jack s'éloigne en accélérant. Je savoure la vue de son dos

nu et mouillé, mais il disparaît beaucoup trop rapidement. Je ralentis peu à peu mes foulées puis m'arrête.

— Mais qu'est-ce qu'il te voulait, celui-là ? demande Micky en traversant nonchalamment la pelouse.

— Rien.

Je lève les bras en l'air et m'étire, bien décidée à feindre l'indifférence.

— Est-ce qu'il t'embête ?

— Non.

— Qu'est-ce qu'il voulait alors ?

— Nous nous sommes croisés par hasard, c'est tout, rétorqué-je avec lassitude, laissant tomber les bras afin de poser les paumes sur le sol, les yeux levés vers lui. C'est fini, Micky. Je te l'ai déjà dit.

Mon vieux copain se hérisse comme un ours menacé, mais ça ne l'empêche pas de poser une main sur mon dos.

— Redresse le dos, grommelle-t-il. Si tu veux t'étirer, fais-le au moins correctement.

— Ton petit chignon est de travers, répliqué-je, avant de lâcher un grognement. Ça fait mal !

— Arrête de te plaindre.

Je me redresse de toute ma hauteur et lui lance un regard méchant.

— Va donc étirer ta cliente.

Il fronce les sourcils et jette un coup d'œil à la femme étendue en croix sur l'herbe.

— T'inquiète, je la travaille au corps.

Je ris.

— Est-ce qu'il s'agit de Charlie ?

— Oui.

— On dirait bien que tu as perdu tes pouvoirs, Micky.

Il grogne, passe un bras autour de mon cou et me traîne derrière lui.

— Je n'ai rien perdu du tout.

Il m'emmène vers sa cliente en ébouriffant ma queue-de-cheval.

— Si jamais ça m'arrive, je t'ordonne de me tuer.

— Ce serait terriblement injuste pour les femmes de ce pays.

— Tu as raison, dit-il en me libérant lorsque nous atteignons son espace d'entraînement. Charlie, je te présente Annie.

Sa cliente me sourit avec coquetterie, son joli visage rougissant.

— J'ai beaucoup entendu parler de vous.

— Tiens donc ! ris-je en m'éloignant à reculons. Je vous laisse. Il faut que j'aille travailler. Ravie de vous avoir rencontrée, Charlie.

— Moi de même !

Je lance un regard approbateur à Micky puis leur tourne le dos et repars à petites foulées.

* * *

J'avale un litre d'eau et lance mon iPod dans la corbeille à fruits, avant d'ouvrir en grand la double porte et d'inspirer à pleins poumons. Impatiente de gagner mon petit coin secret dans mon jardin, je me fraye un chemin entre les feuilles du saule, me laisse tomber sur la chaise longue et étire les jambes, les yeux sur mon portable. J'ai reçu un message de Jack. Je me dépêche de l'ouvrir.

Ça fait un mal de chien de courir avec une érection.

J'éclate de rire, m'allonge sur la chaise et rêvasse quelques minutes tout en me remémorant la journée de la veille et ma matinée. Si Jack court tous les matins, je vais peut-être devoir m'y mettre aussi. Cette demi-heure de jogging par jour fera-t-elle bientôt partie de notre routine ? Cette pensée me fait râler, jusqu'à ce que je réalise que : 1) ce sera l'occasion de voir Jack davantage, et 2) ce sera l'occasion de raffermir mes muscles. Il faudra juste que nous trouvions un endroit où courir ensemble sans être vus. Je commence à taper ma réponse, mais je suis interrompue par la sonnerie de mon portable.

Tiens, je ne reconnais pas ce numéro.

— Annie Ryan, lancé-je en décrochant.

— Mademoiselle Ryan, je suis Terrence Pink, le PDG de Brawler's.

— Oh, bonjour.

Je me redresse sur ma chaise et me demande pourquoi une société de technologie de renommée mondiale peut bien m'appeler.

— Que puis-je faire pour vous ?

Je suis folle de curiosité.

— Notre entreprise se développe. Nous avons donc besoin de nouveaux bâtiments, et nous avons entendu parler de vous par bouche-à-oreille. J'espérais pouvoir vous rencontrer afin d'en discuter.

Ils ont entendu parler de moi ?

— Mais bien sûr !

Je me précipite dans la cuisine et attrape mon agenda.

— Quelle date vous conviendrait ?

— Le plus tôt sera le mieux. Aujourd'hui ?

Je grimace. Ma journée est chargée, surtout après celle d'hier puisque je n'ai absolument rien fait.

— Cela pourrait-il attendre jusqu'à demain ?

— Je suis désolé ; je sais que c'est de la dernière minute, mais nous avons déjà rencontré d'autres architectes et comptons prendre une décision très vite, afin que le projet puisse avancer.

Je me mords la lèvre et serre les dents. Je n'ai pas le droit de rater une occasion pareille !

— Quatorze heures ?

— Parfait. Nous nous trouvons au treizième étage, 25 Churchill Place, Canary Wharf.

Je griffonne l'adresse sur mon agenda.

— À tout à l'heure, alors.

Lorsque je raccroche, ma réponse inachevée à Jack apparaît sur l'écran.

Une petite partie de jambes en l'air matinale résoudrait...

Mais au lieu de le terminer et de l'envoyer, je le supprime. Parce que ça risquerait de lui rappeler que les parties de jambes en l'air matinales n'ont pas leur place dans notre relation, et je ne veux pas qu'il se sente aussi abattu que moi à cette pensée. Avec une moue, j'approche mon portable de ma bouche et me mordille les lèvres. Pas de parties de jambes en l'air matinales pour le moment. Mais alors quand ? Pas de câlins au lit, ni de grasses matinées ensemble. Je repousse ces pensées et file dans mon atelier, prête à ouvrir Google et faire une recherche sur Brawler's, afin de me préparer pour mon rendez-vous.

14

J'entre dans l'immeuble qui héberge les bureaux de Brawler's et contemple l'espace impressionnant qui m'entoure. J'ai l'impression de rêver. Brawler's fait partie des géants de la technologie. Son approche innovante en matière de marketing et de développement est remarquable. Ce que j'ignorais, c'est que ce projet – les nouveaux bureaux – est né après que Brawler's a annoncé le lancement d'un partenariat avec l'une des plus grandes plates-formes de réseaux sociaux du monde. Dire que je suis intimidée par cette rencontre est un léger euphémisme. Mais, comme je me le suis déjà répété d'innombrables fois, si son domaine d'expertise est la technologie, le mien est la conception de bâtiments. Voilà pourquoi on a fait appel à moi.

J'entre dans l'ascenseur en même temps qu'un autre mec et parcours la liste des entreprises sur le panneau fixé à la paroi.

— Quel étage ? demande-t-il.

— Dixième, s'il vous plaît.

Mon sang se fige lorsque je lis le nom des entreprises installées au dixième étage. La bouche sèche, je ne peux retenir un petit cri. Je lève les yeux et m'aperçois que nous sommes déjà au huitième.

— Oh non, dis-je en me tournant face aux portes, juste au moment où elles s'ouvrent sur l'enseigne la plus énorme que j'aie jamais vue, fixée juste au-dessus de celle de Brawler's.

JACK JOSEPH CONTRACTORS y est gravé en caractères argentés. Les deux entreprises se trouvent donc bien au même étage !

— Est-ce que ça va ? demande l'homme, attendant que je sorte.

Non. Non, ça ne va pas du tout.

Je me force à sortir de l'ascenseur, puis jette un coup d'œil prudent autour de moi. Est-il vraiment possible que je me retrouve devant les bureaux de Jack ? L'endroit est moderne, élégant et impressionnant. Exactement comme lui.

Je me présente à l'accueil de Brawler's puis m'assieds dans la salle d'attente, incapable d'empêcher mon regard nerveux de se poser partout. Il se peut qu'il ne soit pas là. Il se peut qu'il soit parti à un rendez-vous. Je balaye à nouveau l'espace du regard, lève la main et desserre le foulard à fleurs et pampilles que j'ai enroulé autour de mon cou. J'ai l'impression de suffoquer. Inutile de nier que j'adorerais le voir, mais je ne peux pas garantir que je ne lui sauterais pas dessus s'il apparaissait. Est-il là ?

Soudain, une porte en face de la salle d'attente s'ouvre. Comme s'il avait entendu ma question, Jack sort en boutonnant sa veste de costume. La vache, sa beauté le perdra. Son costume gris est impeccable, sa cravate parfaitement nouée et ses cheveux en bataille terriblement sexy. Putain de merde. Il pose maintenant le regard sur moi comme s'il savait que j'étais là. Tout à coup, je comprends : il savait parfaitement que je viendrais.

Jack s'avance vers moi avec détermination puis s'arrête devant mon siège. Sa main se lève, se pose sur son menton et caresse ses poils de barbe en me dévisageant.

— Annie, souffle-t-il d'une voix rauque.

Aussitôt, mon cœur bat la chamade et mon estomac se noue. Il me tend la main.

— Ravi de vous voir.

Je ferme brièvement les yeux afin de me ressaisir. Il faut qu'il arrête de prononcer mon nom. Et je ferais vraiment mieux d'ignorer son geste et éviter tout contact physique avec lui. J'ai déjà du mal à faire redescendre la température de mon corps ! Je redoute de m'enflammer à ses pieds.

— Moi de même.

Je me lève péniblement et place la main dans la sienne, pour la simple raison que la réceptionniste trouvera bizarre que je ne le fasse pas. Je me raidis de la tête aux pieds lorsqu'il la serre doucement, les yeux gris pétillants.

— Je te tiens, murmure-t-il.

Bouche bée, je retire la main de la sienne d'un mouvement rapide et discret, puis détourne les yeux avant qu'ils ne me trahissent.

— Ne dis pas ça, l'avertis-je d'un ton sérieux, craignant de m'enflammer sur place.

Je le regarde à travers mes cils et surprends son sourire léger.

— Tu savais que je serais là.

— C'est moi qui t'ai recommandée.

Il hausse les épaules comme si ce n'était rien.

— Mais pourquoi ?

Jack se penche en avant et approche le visage du mien.

— Je voulais t'attirer ici sous un faux prétexte afin de pouvoir te sauter sur mon bureau.

Estomaquée, je jette un regard paniqué autour de nous.

— Tu mériterais une bonne gifle, dis-je, indignée, après m'être assurée que personne ne nous entend.

Il rit doucement.

— Je t'ai recommandée parce que tu es une architecte géniale et parce que je suis sûr que tu es capable de décrocher ce contrat. En plus, c'est mon entreprise qui se chargera des travaux. Ça veut donc dire que je pourrai te voir davantage.

Je plisse des yeux soupçonneux.

— Dans ce cas, ce n'était pas un geste totalement désintéressé ?

— Chacun de nous y gagnera quelque chose.

Jack m'indique le couloir avec un sourire insolent que je ne peux m'empêcher de reproduire. Je n'arrive pas à croire qu'il a fait une chose pareille.

— Nous nous réunissons dans la salle de réunion de Brawler's. Dernière porte à droite.

Je pars devant, suivant le bras tendu de Jack.

— Après le meeting, je te veux sur mon bureau, me chuchote-t-il à l'oreille.

Je ne peux m'empêcher de rouler les épaules et un frisson me parcourt le dos. Mon inquiétude augmente.

— Tu viens au rendez-vous ?

Je vais devoir me montrer ultra-professionnelle devant lui ? Bon sang, c'est ce que j'essaie de faire depuis que j'ai découvert qu'il était l'entrepreneur de Colin, et on peut dire que c'est un échec total.

— Tout à fait.

Oh, mon Dieu.

— Je t'en prie, évite de me regarder.

— Tu me demandes l'impossible, Annie, affirme-t-il d'un ton sérieux, puis il ralentit lorsqu'apparaît la dame de l'accueil, l'air désolé.

— Monsieur Joseph, votre épouse au téléphone.

Ma mâchoire se crispe tant que je me déloge presque une dent du fond. Je jette un coup d'œil discret au visage de Jack. Il paraît soudain mal à l'aise.

— Dites-lui que je suis en réunion.

Il se racle la gorge, passe devant moi puis ouvre la porte de la salle et me fait signe d'entrer.

Je dépasse Jack sans me dépêcher et lui lance un regard. Son sourire est faible et crispé. Je trouve insupportable que la seule mention de sa femme fasse disparaître toute étincelle de ces yeux que j'aime tant. Ça me donne envie de l'emmener, de fuir avec lui, de l'éloigner de la source de son malheur. Et du mien aussi, à présent.

La pièce est vaste. Une immense table occupe presque tout l'espace et au moins trente fauteuils sont disposés autour. Un écran de projection est installé sur le mur du fond et j'aperçois un buffet couvert de bouteilles d'eau en verre et d'assiettes de gâteaux. Richard est assis à la table, en compagnie d'une femme et de trois autres hommes en costume. Jack fait les présentations.

— Annie, tu connais Richard. Et voici Terrence, avec qui tu as déjà parlé, il me semble.

Terrence hoche la tête. Ses yeux brillent lorsqu'il se lève et me tend la main.

— Ravi de vous rencontrer, Annie, lance-t-il avec un grand sourire. Jack nous a dit un tas de choses merveilleuses sur vous.

Je ris, légèrement embarrassée, et sens mes joues rougir. Tu m'étonnes !

— Enchantée, Terrence, réponds-je en lui serrant la main.

Ses yeux ravis contemplent ma silhouette. Je regarde Jack lorsque je perçois un grognement grave et guttural provenant de son côté. Ses yeux plissés sont fixés sur Terrence.

— Je vous présente mes associés, Dick et Seth, ainsi que leur assistante, Lydia.

Terrence désigne les deux hommes assis à côté de lui, puis la femme.

Je serre la main à chacun d'eux puis m'assieds, tandis que Lydia sert un verre d'eau à tout le monde puis pose des assiettes ainsi que les gâteaux sur la table. Son sourire est amical. Ses lunettes de style années 50 conviennent parfaitement à son visage en forme de cœur.

Jack retire sa veste et la suspend au dossier de son fauteuil – qui se trouve juste en face du mien. Il s'assied puis commence à tapoter le bloc-notes à couverture en cuir posé devant lui avec son stylo.

Son sourire est si éclatant et sincère qu'il me fait sourire à mon tour.

— Tu vas y arriver, articule-t-il.

Il me fait fondre sur place. Sa présence m'emplit soudain de réconfort et de soulagement. Je craque juste un peu plus pour lui maintenant.

— Messieurs.

Jack se tourne vers les hommes de Brawler's.

— Nous travaillons avec Annie pour la première fois sur le projet d'une nouvelle galerie d'art à Clapham.

Il pousse les dessins vers eux sur la table et tous les examinent avec des murmures approbateurs.

Comme s'il lisait dans mes pensées, Jack pose les yeux sur moi, un sourire secret caché derrière son masque professionnel.

— Ses compétences sont diverses. Elle a beaucoup de talent et est passionnée par son métier.

À nouveau, je fonds dans mon fauteuil. Jack inspire profondément et soutient mon regard, une seconde de trop peut-être de la part d'un simple collaborateur.

— Elle ne vous décevra pas, je peux vous l'assurer.

Il s'éclaircit la voix et retrouve toute sa concentration.

Muette de stupeur, je me contente de le regarder, suspendue à ses lèvres. Il est tellement sexy, légèrement affalé dans son fauteuil. Et ses paroles me font craquer davantage pour lui. C'est lui qui m'a recommandée auprès de Brawler's. Il a tout organisé afin qu'on m'offre cette incroyable opportunité.

Jack sort son portable de sa poche et le fait tourner dans sa main. Ensuite, il agite son portable entre les hommes de Brawler's et moi.

— Messieurs, c'est à vous de jouer. Il s'agit d'un projet à long terme. Nous devons prendre le meilleur départ possible.

Ses yeux gris rencontrent brièvement les miens et je fronce les sourcils, la tête inclinée. *Long terme. Meilleur départ possible.* Mon cerveau menace de s'emballer, mais je

214

le freine rapidement. Je ne peux pas me permettre de songer à l'avenir pour le moment.

Je toussote afin de retrouver ma concentration, bien décidée à briller devant mon auditoire.

— Parlez-moi donc de ce projet, lancé-je, offrant mon entière attention aux autres personnes présentes dans la pièce. Ce partenariat avec un géant des réseaux sociaux est véritablement synonyme de croissance pour vous.

— En effet. Nous avons fait l'acquisition d'un terrain à Blackfriars, répond Terrence en poussant un book vers moi. Nous avons un permis de construire pour un immeuble de dix étages. Notre nouveau chez nous.

J'ouvre le dossier et parcours les détails – superficie, bâtiments environnants, et cetera –, contente de voir d'autres immeubles modernes à proximité.

— Vous souhaitez vous démarquer, affirmé-je avec assurance.

L'ego de Brawler's est aussi énorme que sa valeur en bourse. Ce qui n'est pas rien.

Terrence sourit.

— Pouvez-vous nous y aider ?

— Vous aider à faire pâlir d'envie toutes les entreprises du quartier, vous voulez dire ?

Je referme le dossier et entends Jack rire doucement. Richard sourit, tout comme Terrence.

— En quelque sorte, oui.

Il joint les doigts, les pose sur son large ventre et son sourire s'élargit.

Mes lèvres s'étirent à leur tour.

— Inutile de tourner autour du pot, n'est-ce pas, Terrence ?

Lorsque Jack toussote, mes yeux se posent aussitôt sur lui. Sa grande main se resserre autour de son verre d'eau. Le portant à ses lèvres, il me lance un regard, la bouche pincée de mécontentement. Je m'empresse de me concentrer à nouveau sur les personnes auprès desquelles j'essaie de me vendre.

— Quelles sont vos priorités concernant le nouveau bâtiment de Brawler's ?

Jack se sent menacé. Bien que ce soit assez amusant à regarder, je ne peux pas me laisser distraire.

— La lumière et l'espace, répond Dick. Un bâtiment aseptisé, propre, moderne. En ce qui concerne l'intérieur, nous souhaitons des espaces de travail ouverts afin de rapprocher tous les secteurs les uns des autres, mais la différence entre les services devra rester claire. Cela vous donne une bonne indication du thème que nous recherchons. Nous avons hâte de voir ce que vous allez nous proposer.

Je souris et commence à prendre des notes. Le cerveau en surrégime, je construis déjà le bâtiment dans ma tête.

— Un espace extérieur ?

— Absolument. Nous aimerions amener l'extérieur à l'intérieur.

Je visualise un jardin au centre du bâtiment, chaque étage visible depuis toutes les parties de la structure.

— Seriez-vous sensibles à la conception d'un bâtiment durable et économe en énergie ?

— Bien sûr.

J'opine de la tête, satisfaite de sa réponse.

— Je vais avoir besoin d'étudier les environs avant de choisir un aménagement paysager, l'orientation, et cetera.

— Nous pouvons organiser une visite du site sans problème, rétorque Terrence. Puis-je vous poser quelques questions à présent, Annie ?

— Je vous en prie.

Je souris et me prépare à chanter mes propres louanges.

* * *

Je commence à planer à l'instant où les dirigeants de Brawler's nous raccompagnent à la porte.

— Excellent travail, Annie, me complimente Richard en s'éloignant. Ils auraient tort de ne pas te choisir.

— Merci, Richard.

Je me tourne, prête à adresser un au revoir professionnel à Jack, mais alors que je prends une inspiration, il m'attrape par le bras et m'entraîne à toute vitesse dans le couloir.

— Mais qu'est-ce que tu fais ? demandé-je, tandis que mon regard inquiet se pose un peu partout.

— C'est l'heure du débriefing.

— Ah bon ?

— Absolument.

Mon corps se réchauffe instantanément de désir. Cependant, l'inquiétude continue à me ronger.

— Mais si quelqu'un nous voit, Jack ?

Il ouvre une porte, me pousse à l'intérieur de la pièce et tourne la clé dans la serrure. Je pivote sur moi-même et découvre Jack, la main tripotant la boucle de sa ceinture, tandis qu'il avance vers moi. Il semble fou de désir et prêt à exploser. Mon corps réagit aussitôt – mon cœur bat la chamade, mon estomac se noue et je ressens un élancement entre les cuisses. Je pousse un petit cri lorsque Jack m'attrape par la taille et me porte jusqu'à un bureau. Il me pose sur les fesses, me pousse, puis relève ma robe et écarte mes cuisses. Oh, putain ! Il s'avance et prend mes joues dans ses mains, scellant nos bouches lorsqu'il m'embrasse voracement. La température de mon corps grimpe en flèche. Je joue instantanément le jeu et fais glisser les mains jusqu'au haut de son pantalon afin de le déboutonner.

— C'était l'heure la plus pénible de toute ma putain de vie, grommelle-t-il tout en me léchant et mordillant la joue.

— Était-ce plus pénible que de courir avec une érection ?

Je fais glisser son pantalon sur ses cuisses avant d'introduire la main dans son boxer. J'attrape sa queue et la serre, tout en me délectant de la chaleur et de la fermeté de sa chair lisse.

Jack tressaille avec un grognement, relâche mes lèvres puis pose le front contre le mien en clignant lentement des yeux.

— Je souffre dès que nous cessons de nous toucher, m'avoue-t-il doucement, avant de passer le pouce sur ma lèvre inférieure enflée.

Ses yeux se ferment pendant que je caresse son sexe en érection. Son front commence à mouiller le mien.

— Est-ce que tu imagines un seul instant ce que je ressens entre tes mains ?

Je souris intérieurement et me demande s'il se sent aussi vivant que moi quand il me touche.

— Je crois que oui, affirmé-je en caressant du pouce son gland palpitant, afin d'étaler sa moiteur.

Il baisse la main et agrippe la mienne une seconde, avant de la relâcher et de me tirer vers le bord de la table.

— Est-ce que tu vas me laisser te sauter sur mon bureau ?

Il pousse ma petite culotte sur le côté et frôle les plis de mon sexe afin de m'exciter. La chaleur est presque insupportable.

— Est-ce que j'ai le choix ?

Ma tête se renverse, puis mes mains se glissent dans les cheveux sur sa nuque quand il me pénètre.

— Non, admet-il dans un long soupir en se rapprochant un peu plus de moi.

— Oh merde, que c'est bon !

Jack est le seul à me faire cet effet-là. Il me fait tout oublier, me subjugue tellement que j'en oublie mon propre nom. Il glisse les mains sous mes fesses et me tire vers lui jusqu'à ce que nous soyons collés l'un contre l'autre, plus profondément l'un dans l'autre. Ma tête tombe en avant et mon front s'appuie contre le sien. Jack agite lentement les hanches ; il va et vient en moi en suivant un rythme régulier, méticuleux. Le plaisir infini que je ressens lorsqu'il caresse mes parois internes me fait tout oublier. C'est un plaisir indescriptible, étourdissant. Je serre les chevilles contre le bas de son dos.

— C'est agréable, ma puce ?

Ses mots doux sont une véritable caresse. Je hoche la tête contre lui, incapable de reprendre mon souffle afin de formuler une réponse. Jack imite mon hochement de tête et se balance contre moi, tandis que ses paumes tiennent mes fesses et me tirent doucement en avant selon un rythme parfait. Nous sommes si proches que les vêtements qui nous séparent ne gênent en rien notre intimité.

Je laisse mes mains errer sur sa nuque humide, glisser sur sa peau, la caresser et l'agripper doucement.

— Tu trembles, murmure-t-il, sentant visiblement mes muscles se contracter autour de lui. Il va falloir que tu jouisses en silence, Annie.

Mon souffle se fait irrégulier, tandis qu'apparaissent les signes d'un orgasme imminent.

— Embrasse-moi, intimé-je avec impatience, avant de presser les lèvres sur les siennes et d'enfoncer la langue dans sa bouche.

— Doucement, m'ordonne-t-il en promenant la sienne avec délicatesse au rythme de ses va-et-vient.

Mes jambes commencent à se crisper autour de sa taille, puis mon dos se redresse et mon corps se presse fermement contre le sien. Jack mordille le bout de ma langue puis enfouit le visage dans mon cou. Je l'imite en haletant et plaque le visage contre sa chemise, à l'endroit où son épaule rejoint son cou. Blottis l'un contre l'autre, ses bras enroulés autour de ma taille, les miens autour de ses épaules, nous basculons tous deux dans un abîme de plaisir.

— Putain, grommelle-t-il dans mon cou, avant de se figer, enfoui tout au fond de moi.

Mon long gémissement de délivrance est étouffé par sa chemise. Mon corps convulse entre ses mains et ces pulsations délicieuses et satisfaisantes font disparaître tout le stress que j'ai pu éprouver. Cachée dans son cou, je m'accroche fermement à lui. La sensation de nos corps ainsi enlacés est merveilleuse.

— Oh là là, parviens-je finalement à articuler, le visage collant de sueur.

Je sens un rire silencieux secouer le corps de Jack, puis il me serre au point que je ne peux plus respirer.

— C'était un petit remontant plus que bienvenu, déclare-t-il.

Je lui tapote le dos en souriant, me dégage de son emprise et grimace lorsqu'il se retire. Il dépose un léger baiser sur le coin de ma bouche tout en inspirant profondément. Je contemple l'espace impressionnant de son bureau.

— Ainsi c'est ici que tu travailles ?

— En effet, acquiesce-t-il en me souriant.

Il me libère puis remonte son pantalon et me tend un mouchoir.

— Merci.

Je me laisse glisser de son bureau, grimace en m'essuyant entre les cuisses, puis remonte ma petite culotte et remets ma robe en place. Je regarde le mouchoir, les sourcils froncés. Jack rit avant de me le prendre des mains et de le jeter dans la poubelle à côté de son bureau. J'attrape mon sac besace et passe la sangle sur mon épaule.

— Tout ça est un peu risqué.

Jack me fusille presque du regard, ses beaux yeux gris se plissant un soupçon.

— C'était soit ici, soit sur la table de la salle de réunion devant tout le monde.

Il ferme sa ceinture, s'avance vers moi et sourit en voyant mes joues rouges. Il passe ensuite le pouce sur ma peau enflammée.

— La deuxième option aurait sans doute plu à Terrence.

Je serre les lèvres.

— J'ai rêvé ou bien je vous ai vraiment entendu grogner, Jack Joseph ?

— Tu lui plais. Il va falloir que je le surveille de près.

Jack plante un chaste baiser sur mes lèvres et commence à me raccompagner jusqu'à la porte, mais nous nous immobilisons tous deux lorsque la poignée s'agite. Je lève les yeux vers lui, espérant qu'il pourra m'indiquer de qui il s'agit, car je ne sais pas très bien à quel point je suis censée paniquer. Mais il reste planté là, interdit.

— Jack ?

Le hurlement de Stephanie me fait l'effet d'une balle dans la tempe. Jack est bouche bée. Je commence à trembler.

— Jack, tu es là ?

— Oh, putain, murmure-t-il, le regard fixé sur la porte, tandis que la poignée continue de s'agiter.

Je serre les paupières et essaie de respirer malgré la panique.

— Par ici, intime-t-il d'une voix rauque en me prenant par le bras et m'entraînant vers une porte située de l'autre côté de son bureau. Je vais me débarrasser d'elle. Donne-moi deux minutes.

— Nous travaillons ensemble, Jack, chuchoté-je. Tu n'as qu'à lui dire que nous étions en réunion ?

— Enfermés à clé dans mon bureau ? demande-t-il sans cesser de tirer sur mon bras.

Il a raison : cette excuse aurait l'air totalement bidon. De toute façon, je n'ai aucune envie d'affronter Stephanie. Ma nervosité, mon sentiment de culpabilité et un million d'autres choses me feraient probablement trembler devant elle.

Jack ouvre une porte et me pousse devant lui. À l'intérieur, l'obscurité est totale. Je me retourne et le fusille du regard.

— Un putain de placard ?

J'ai beau être scandalisée, il m'est impossible de refuser sa suggestion.

Jack m'adresse une expression peinée, voire désolée, avant de fermer la porte. Je me retrouve seule dans le noir. Tout est absolument parfait !

— Jack ?

J'entends Stephanie crier, puis le portable de Jack se met à sonner.

— Je sais que tu es là-dedans !

Je retiens mon souffle afin de faire le moins de bruit possible. J'entends la porte de son bureau s'ouvrir à toute volée.

— Stephanie ! lance Jack d'un ton guilleret.

Et coupable.

— Mais qu'est-ce qui se passe ici ?

Stephanie paraît offensée. Je me recroqueville sur place, certaine qu'elle va courir ouvrir la porte qui me cache d'un instant à l'autre.

— C'est le bazar ici aujourd'hui, explique-t-il sans le moindre embarras. J'avais besoin d'un peu de calme afin de revoir quelques chiffres.

Je m'affaisse contre le mur.

— Je vois, lâche Stephanie.

Je la visualise en train d'examiner la pièce d'un air soup-çonneux. L'angoisse me fait presque suffoquer. Bien qu'ef-fondrée, je reste totalement immobile.

— Qu'est-ce qui t'amène ici ? demande Jack.

Son pas devient plus sonore. Il se dirige vers son bureau. *Mais ne l'amène pas par ici, bon sang !*

— La matinée a été affreusement stressante ! geint-elle.

— Qu'est-ce qui s'est passé ? soupire-t-il presque.

Il n'y a pas un soupçon d'inquiétude dans sa voix.

— J'étais censée déjeuner avec Tessa.

La voix de Stephanie se fait plus forte aussi. Elle rejoint probablement Jack à son bureau. Je ferme les yeux même si je suis dans le noir. Un fauteuil couine. Elle s'est assise.

— Et elle a annulé !

— Qu'est-ce qu'il y a de si affreux à ça ? murmure Jack.

— Mais enfin ! s'agace sèchement Stephanie. Elle a prétendu qu'elle avait oublié un rendez-vous, mais je suis sûre qu'elle devait déjeuner avec la nouvelle amie qu'elle s'est faite au yoga.

— Stephanie, elle a sans doute annulé parce qu'elle avait vraiment un rendez-vous.

— Je ne suis pas stupide, Jack. Sa nouvelle amie ne m'aime pas. Elle veut garder Tessa pour elle toute seule.

Je fronce les sourcils, ouvre les yeux et contemple l'obscurité de mon espace confiné. On dirait que cette femme n'a pas toute sa tête.

Un silence s'installe. J'imagine Stephanie regardant fixement Jack de l'autre côté de son bureau.

— Qu'est-ce que tu veux que j'y fasse ? demande-t-il simplement.

— Je ne sais pas, moi ! grogne Stephanie. Tessa est mon amie, et je ne vais certainement pas laisser une inconnue me voler ma place.

J'ai vraiment l'impression d'halluciner. Qui que soit Tessa, je la plains vraiment.

J'entends Jack inspirer, clairement à bout de patience.

— Elle a le droit d'avoir plus d'une amie.

— Certainement pas ! Il n'y a toujours eu que moi dans sa vie.

— Stephanie, je n'ai pas le temps de résoudre tes petits problèmes.

— C'est vrai. Tu n'en as que pour ton travail, n'est-ce pas ?

— Sans lui, tu ne pourrais pas mener le même train de vie, Stephanie. Trouve-toi donc un boulot. Occupe-toi au lieu de te soucier des amitiés de tes copines.

Elle pousse un petit cri, sincèrement horrifiée.

— Moi ? Travailler ? Tu plaisantes ! Que penseraient les gens ?

Je fixe la porte des yeux, sidérée.

— Bon, poursuit-elle, fin de la discussion. Je me disais que tu pourrais finir plus tôt et que nous irions dîner quelque part. Dans un bel endroit.

Elle semble pleine d'espoir. Je ferme les yeux puis, malgré moi, je laisse un sentiment de culpabilité m'envahir et me ronger avec acharnement. Parce que, quelles que soient les circonstances, ce que je fais est mal. Ce que fait Jack est mal. Nos sentiments sont inadmissibles. À nouveau, je me suis pris la réalité en pleine figure. J'espère que ça me remettra les idées en place. C'est tout ce que je mérite. Balayant ma prison du regard, je me sens soudain nulle, minable et immorale.

— D'accord, capitule Jack. Bonne idée.

— Super !

La voix de Jack manquait terriblement d'enthousiasme, mais elle semble si contente !

Un couteau se loge dans ma poitrine et ne cesse de remuer. Et j'accepte cette souffrance. Parce que je la mérite. Mais je ne me fais pas d'illusions. J'ai beau savoir que je fais quelque chose de terrible, ce ne sera pas facile de m'arrêter pour autant.

15

Je me pelotonne sous la couverture de mon canapé et regarde fixement le mur. Je suis à la fois en enfer et au paradis. Je vole et je me noie. Je ne peux pas le quitter. C'est aussi simple que ça, tout en étant affreusement compliqué. Peut-être vais-je devoir m'habituer à ce sentiment de culpabilité. Celui-ci prouve au moins que j'ai encore une conscience. C'est une bien maigre consolation, et cette conscience m'est bien inutile puisque je ne projette pas de la soulager. Ça signifierait faire une croix sur Jack, ce qui est absolument hors de question. J'ai déjà trop souffert depuis que je le connais. Le quitter ne ferait qu'empirer les choses. J'ai craqué pour un homme – un homme interdit. Un homme auquel je n'avais pas le droit de toucher.

Dans l'espoir de cesser de réfléchir à ce merdier, j'ouvre mon ordinateur portable et essaie de me concentrer sur mon travail. Je finis par m'y plonger pour de bon : j'entame des recherches sur le quartier de Blackfriars où Brawler's a acheté son terrain et prends d'innombrables notes. Ma vision du nouvel immeuble se précise au fur et à mesure que je travaille.

Entendant un léger coup à la porte, je jette un œil à l'horloge, surprise de m'apercevoir que je bûche depuis près de trois heures. Sur le seuil se tient un Jack à l'air anxieux. Tandis qu'il me contemple, il paraît se vider de toute son énergie.

— Tu n'étais pas censé dîner avec ta femme ce soir ? demandé-je en tenant la porte.

— Est-ce que ça va ?

Il n'y a pas la moindre rancœur dans son ton.

Je secoue la tête, la lèvre inférieure tremblante. Bon sang, je m'étais promis de ne pas le faire ! Je m'étais dit que je ne pleurerais plus à cause de lui, mais je me sens trop tendue, désespérée et épuisée pour lutter. J'étais sur mon petit nuage, vénérée par Jack sur son bureau, puis j'ai touché le fond, enfermée dans un placard, obligée de me bagarrer avec ma conscience. Ce conflit m'épuise déjà. Une larme solitaire roule sur ma joue et tombe sur mon bras.

— Je suis désolée, gémis-je faiblement en détournant les yeux.

Jack a l'air abattu, aussi épuisé et désespéré que moi.

— Oh, merde, Annie.

Il avance vers moi, ferme la porte derrière lui et passe les bras autour de mes épaules, afin de m'attirer contre son torse. Je sais que c'est mal, mais sa chaleur et sa proximité me soulagent. Je me sens à nouveau en sécurité et invulnérable. J'ai presque l'impression qu'il vaut la peine de vivre toutes ces situations traumatisantes, tant que je finis dans ses bras. Jack embrasse le sommet de ma tête et inspire.

— C'est moi qui devrais être désolé. Je n'aurais jamais dû prendre le risque de te mettre dans cette situation.

Peut-être qu'il a raison, mais je n'ai pas refusé quand il m'a entraînée dans son bureau. Je n'ai pas protesté ni résisté. Nous n'avons d'autre choix que de vivre ensemble des moments volés, et c'en était un. Un moment incroyable... jusqu'à ce que sa femme débarque.

— Où est Stephanie ? questionné-je à voix basse.

— Chez ses parents.

Il s'écarte de moi, prend ma main et m'emmène dans la cuisine. *Chez ses parents ?* Qu'est-il donc arrivé à leur dîner en tête à tête ?

— Assieds-toi, m'ordonne doucement Jack en me guidant vers une chaise.

Je le regarde remplir la bouilloire et l'allumer. Il trouve si facilement ses repères dans ma cuisine ! C'est comme s'il habitait ici. Avec moi.

Jack s'installe sur une chaise et fait glisser une tasse de thé vers moi. Je le remercie d'un sourire puis pose les paumes autour de mon mug.

— Parle-moi, me propose-t-il gentiment.

— Qu'est-ce que tu veux que je te dise ?

— À quoi tu penses.

Je détourne les yeux afin d'échapper à son regard insistant, mais il tend la main au-dessus de la table, prend mon menton et me force à le regarder. Lorsqu'il lève un sourcil interrogateur, je hausse pathétiquement les épaules.

— Annie, je comprends que ce soit dur pour toi.

— Ah oui ?

— Bien sûr. Tu es une belle jeune femme célibataire. Tu pourrais sortir ce soir et faire ton choix parmi des milliers de prétendants.

— Ça ne m'intéresse pas, avoué-je calmement d'un ton franc.

— C'est moi qui t'intéresse ?

Je le regarde attentivement. Où veut-il donc en venir ? Souhaite-t-il que je lui ordonne de quitter sa femme sur-le-champ ? Je ne peux pas faire une chose pareille. Aussi stupide que ça puisse paraître, je veux qu'il prenne cette décision seul.

— Je ne comprends pas où tu veux en venir.

— Est-ce que c'est moi que tu veux ?

— Oui, affirmé-je sans hésiter.

Jack hoche la tête, soulagé, et serre ma main.

— J'avais juste besoin de te l'entendre dire encore une fois.

Il déglutit, et la profonde inspiration qu'il prend ne me plaît pas du tout. On dirait qu'il rassemble tout son courage avant de m'annoncer quelque chose.

— Je ne voulais pas t'infliger les détails sordides de ma situation merdique, Annie, mais j'ai une peur bleue que tu décides de me quitter.

Les détails sordides ? Je n'aime pas ça du tout. De toute façon, j'en sais déjà bien assez.

— Franchement, moins j'en sais, mieux c'est.

Le lien entre sa femme et moi, la vie de Jack sans moi, doit à tout prix rester le plus ténu possible.

Mais son visage me supplie de le laisser parler.

— J'ai besoin que tu comprennes, Annie.

Cette fois, je ne proteste pas, car sa sincérité est évidente.

Jack soupire et s'affaisse sur sa chaise.

— Mon affaire marchait de mieux en mieux à l'époque. Le père de Stephanie était un de mes premiers clients. C'est dans ce contexte que je l'ai rencontrée.

Il hausse les épaules.

— Elle était plutôt sympa. Son père faisait tout son possible pour nous caser ensemble. C'était un client précieux à l'ego surdimensionné. Stephanie et moi sommes sortis ensemble, et très vite, elle a commencé à parler mariage. Mais j'avais l'excuse parfaite pour reporter l'événement : ma jeune entreprise. Je lui répondais que mieux valait attendre qu'elle ait des bases plus solides, atteint un certain seuil de rentabilité. Je tentais de gagner du temps parce que je ne savais pas ce que je voulais. Je n'étais pas sûr qu'elle soit la femme qu'il me fallait. Ensuite, son père m'a proposé de me prêter de l'argent et...

Il secoue la tête.

— Problème résolu. Je me rends compte aujourd'hui à quel point j'ai été lâche. Je serais arrivé là où j'en suis aujourd'hui même sans l'argent du père de Stephanie. Tout se passait à merveille.

Il sourit, mais je devine une certaine tristesse en lui. Ça me brise le cœur, pour la simple raison qu'il a clairement des regrets. Aussi tordu que ça puisse paraître, je ne peux pas m'empêcher de penser que j'ai la possibilité de le sauver.

— Tu l'as donc épousée.

Jack avale sa salive et baisse les yeux vers son mug.

— En effet. Au fil des préparatifs, j'ai tenté de me convaincre que je faisais ce qu'il fallait. J'ai compris que j'avais fait une erreur quelques mois plus tard seulement. J'ai remboursé la somme empruntée à son père, mais il était trop tard pour lui rendre sa fille. Sa personnalité, son caractère, dominateur, sa folie dépensière... Le travail est devenu mon échappatoire. Je fuyais la dissimulation, la domination et...

Jack se tait et prend une profonde inspiration.

— Ma femme. Il n'y a pas de juste milieu avec elle. Il est impossible de trouver un terrain d'entente. Elle a fait...

— Quoi ? Dis-moi, Jack, qu'est-ce qu'elle a fait ?

Je n'aime pas le voir hésiter ainsi.

Il regarde ailleurs, rassemblant visiblement son courage. Il paraît si abattu.

— Je n'ai pas envie d'entrer dans ces détails sordides.

Jack me regarde à nouveau et je lis un million de problèmes dans son regard. Un million de malheurs. Je devine que je vais détester ce qu'il a à me dire.

Il lit probablement les questions dans mon regard, car il poursuit sans que je l'y encourage.

— Je l'ai déjà quittée.

Je le regarde, bouche bée.

— Et tu es revenu ?

— Oui, lorsqu'elle a fini à l'hôpital.

Je fronce les sourcils sans comprendre.

— Elle s'était ouvert les veines du poignet.

— Oh, mon Dieu ! Mais c'est du chantage affectif, Jack !

Consternée, je recule sur ma chaise.

— Peut-être. Certes, je n'aimais pas cette femme, mais je ne lui voulais aucun mal.

Il s'affaisse davantage sur sa chaise puis frotte son visage soudain fatigué.

— Je ne voulais pas te le dire, car j'étais certain que tu t'en voudrais. Ce serait une raison de plus pour toi de me quitter.

Que je m'en voudrais ? Est-ce qu'il plaisante ? Comme si ce n'était pas déjà le cas !

Mon cœur se serre.

— En résumé, tu es coincé, parviens-je juste à murmurer.

Nous sommes coincés. Il n'y a aucune issue. Stephanie le tient. Il ne peut pas la quitter à cause de ce qu'elle risque de se faire. Et je ne l'y encouragerai pas. Je suis humaine tout de même ! Malgré tout ce que j'ai fait avant, tous mes torts, je ne suis pas un monstre. Je ne lui veux aucun mal, moi non plus. Je ne me le pardonnerais jamais, s'il lui arrivait quelque chose.

Jack me regarde, et je lis de la souffrance dans ses yeux. Ainsi qu'un fort sentiment de culpabilité. Il se le reproche encore. D'éprouver ces sentiments. De ne pas aimer sa femme. Il attrape ma main avec force et serre les dents.

— C'est toi qui me rends heureux, affirme-t-il d'une voix rauque. Tellement heureux, putain !

Jack commence à s'énerver. C'est si bouleversant de voir combien il est frustré. Combien il se sent désespéré. Sa femme sait exactement quoi faire pour le garder. Parce que ça a déjà fonctionné.

Je me raccroche de toutes mes forces à mes sentiments. Ma situation n'a pas changé. Elle reste la même, mais les enjeux ont augmenté. Je n'ose pas imaginer comment réagira Stephanie si elle découvre ce que nous faisons dans son dos... Autrement dit, je dois tout faire pour éviter qu'elle pète les plombs. Je sens monter des larmes de désespoir et utilise les forces qu'il me reste pour les contenir. Je ne le quitterai pas. Je ne le voulais pas avant, et encore moins maintenant.

Le soir où nous nous sommes rencontrés, il s'est promis de ne plus jamais me quitter si le destin me ramenait un jour à lui. Eh bien, c'est exactement ce qui s'est produit, et ce n'est pas arrivé sans raison. Je ne peux pas vaincre mes sentiments pour lui. Je ne peux pas les surmonter. Il est censé m'appartenir. Il faut que je le libère de ce cauchemar, non par égoïsme, mais parce qu'il ne mérite pas de vivre cet enfer. Il a le droit d'obtenir ce qu'il souhaite. Et comme je suis tout ce qu'il souhaite, je dois l'aider à m'obtenir.

— Nous finirons ensemble, Annie, jure-t-il. Quoi qu'il arrive.

Je me lève de ma chaise, contourne la table et m'installe sur ses genoux. Je suis avec lui. Toujours avec lui. Et je le crois. Nous finirons ensemble. Mais à quel prix ?

16

Quatre mois plus tard...

Je ne me serais jamais crue du genre à accepter de passer en deuxième. C'est pourtant exactement ce qui m'arrive, car je n'ai droit qu'à une partie de Jack. Mais c'est un sacrifice que je dois faire pour l'avenir. Un sacrifice avec lequel j'ai appris à vivre en attendant que nous soyons tous deux prêts à affronter la tempête qui éclatera quand il la quittera.

Nous continuons donc à profiter de nos moments volés : nous nous retrouvons dans une chambre d'hôtel un après-midi de temps en temps et courons ensemble le matin. C'est pénible, car nous ne pouvons pas nous toucher, mais j'aime surtout être avec lui. Parler, rire et oublier la réalité, même si ce n'est qu'une demi-heure par jour.

Cacher notre relation aux autres au travail est un défi quotidien – impossible de nous retenir d'échanger des regards, de ne pas éprouver l'envie de nous jeter l'un sur l'autre, et tant pis pour ceux qui regardent. Les contacts furtifs, les plaisanteries personnelles... J'adorais déjà mon travail, mais ma collaboration avec Jack le rend encore plus merveilleux. Je me surprends à lui demander conseil. J'ai besoin de connaître ses opinions, de savoir si mes idées fonctionnent. L'idée que Jack concrétise autant de mes projets leur donne encore plus d'importance à mes yeux. Ils font maintenant entièrement partie de notre histoire. Nous bâtissons plus qu'une simple relation amoureuse.

J'ai décroché le contrat proposé par Brawler's. Jack a tout fait pour, chantant mes louanges dès que l'occasion se présentait. Il ne me restait plus qu'à me montrer à la hauteur. Les dessins ont été acceptés après quelques modifications mineures. Jack a tenu à m'annoncer la nouvelle avant le P.-D.G. Il m'a appelée alors que je me rendais à une réunion. Il était si heureux pour moi que j'en ai pleuré. Les larmes ruisselaient sur mes joues, tandis que je me tenais dans l'entrée de Warren Street Station. C'est mon plus gros projet à ce jour et un nouvel élément non négligeable dans mon book. J'ai sans cesse l'impression de planer en ce moment... jusqu'à ce que je pense à elle et aux problèmes qui noircissent mon bonheur.

Jack et moi ne parlons jamais du jour où il la quittera ni du moment qu'il choisira pour le faire. Lorsque nous sommes ensemble, nous avons tendance à éviter les sujets déprimants... tels que sa femme. Ou la façon dont s'est passée sa journée sans moi. Je n'ai pas besoin de lui poser la question. Je le lis sur son visage pendant un bref instant chaque fois que je le retrouve, avant qu'il inspire profondément et jette ses bras autour de moi. Aussitôt, tous nos ennuis s'envolent. Je me soumets à Jack, je lui fais confiance...

Parce que je suis folle amoureuse de lui. Je ne peux pas lui rendre la vie plus difficile qu'elle ne l'est déjà.

Malgré tous mes efforts, je suis devenue de plus en plus accro à Jack, aux sensations qu'il me procure, aux encouragements et au soutien qu'il m'offre. À l'amour dont il me couvre, aussi. Mais il n'est pas totalement à moi. Je me suis promis de ne jamais lui imposer d'ultimatum. Je n'exigerai rien et n'exercerai pas mon autorité sur lui. Ça peut paraître totalement tordu, mais je fais de mon mieux pour qu'il n'ait jamais l'envie de me lancer : « Mais j'ai quitté ma femme pour toi ! » une fois que ce sera fait. Je suis peut-être bornée.

Je suis peut-être folle. Peu importe. Il se peut que j'adore me punir moi-même. Ou que je protège simplement le peu d'intégrité qu'il me reste.

Je me débrouille toujours pour cacher mon histoire d'amour avec un homme marié à mes amis. Ils ne comprendraient pas. Je sais comment réagissent les gens face à l'infidélité. Ils mettent tous les coupables dans le même panier. Certes, nombre de liaisons ne sont que des aventures sexuelles – un peu d'excitation et de défi dans une vie d'ennui et d'insatisfaction. Mais il arrive que deux personnes se rencontrent un peu trop tard et partagent quelque chose de très spécial, comme Jack et moi. Faut-il laisser filer, se détourner de cette personne qui vous touche au plus profond de votre âme ?

Je sais au fond de moi que Jack est mon âme sœur. Il est ma couleur complémentaire. Sans lui, je serais perdue. C'est aussi simple que ça. Peut-être est-ce mal. Peut-être est-ce scandaleux. Mais je ne peux pas tourner le dos à l'homme que j'aime. Je ne peux pas lui faire ça et je ne peux pas *me* faire ça. C'est la dure réalité. Une réalité que j'ai fini par accepter.

Mes projets en cours m'accaparent beaucoup. Aujourd'hui, je suis sur le chantier de Colin afin de superviser l'installation de mon spectaculaire toit en verre. Chaque panneau vitré a été coupé en France puis a traversé la Manche. Prions pour qu'ils nous parviennent intacts ! Les sourcils froncés, je regarde le camion remonter bruyamment la rue vers nous.

— Je croyais qu'on avait demandé un camion-grue, dis-je en me tournant vers Bill, l'un des ouvriers de Jack, qui se tient à côté de moi.

C'est un vieux ronchon, mais, comme Jack me le rappelle chaque fois que je râle à cause de lui, c'est aussi un bon ouvrier. Il sait ce qu'il fait.

— Il est tombé en panne à Douvres.

Il se dirige vers le camion et l'aide à manœuvrer dans la rue étroite.

— Super, marmonné-je en le suivant. Nous allons donc devoir attendre l'arrivée de la grue pour descendre les vitres du camion.

— Impossible, trésor.

— Comment ça ? Mais ces foutues vitres coûtent une fortune !

Il m'ignore et siffle, afin d'attirer l'attention du conducteur d'un petit chariot élévateur.

— Place-toi derrière, vieux !

— Hors de question que vous souleviez mon toit avec ce truc !

À la fois en colère et affolée, je regarde Bill et hurle :

— Mais où est ma putain de grue ?

— Coincée dans les bouchons à Westminster, répond-il, insensible à ma crise de nerfs.

— Bill. J'ai l'impression que vous ne m'avez pas comprise.

Je prends un ton plus calme et tente de le raisonner.

— Ce toit est très spécial.

— Et j'ai l'impression que vous ne m'avez pas compris, Annie, réplique-t-il, plus calme que moi, tandis que le camion s'arrête. Cet engin bloque la route et crée un joyeux bordel. La grue ne sera peut-être pas là avant des heures. Il faut que nous déchargions ces vitres et débarrassions le plancher.

Je lève les yeux vers les panneaux emballés et prie les Dieux du transport que chacun soit arrivé en un seul morceau. S'il faut commander un nouveau toit, ça foutra en l'air le planning et on fera exploser le budget.

— Si ça se passe mal, la compagnie de transport aura du souci à se faire, croyez-moi.

Ce ne sont que des menaces en l'air, évidemment. Je ne vois pas très bien ce que je pourrais lui faire.

Bill éclate de rire.

— Ayez confiance.

Il sort ses gants de sécurité.

— Vas-y ! crie-t-il au conducteur du chariot élévateur.

Retenant mon souffle, je regarde la première vitre s'élever depuis l'arrière du camion. La douzaine d'hommes répartis autour guident ses déplacements jusqu'au trottoir.

— Vous allez la poser là ? dis-je, incrédule. Sur le côté de la route, comme un tas d'ordures ?

Oh, merde, ça craint vraiment.

— Vous avez une meilleure idée ?

— Et si vous la posiez sur ce putain de toit ?

— La grue va avoir du mal à l'atteindre depuis Westminster, trésor.

Je hurle de frustration, saisis mon portable et compose le numéro de la société de location d'équipement.

— Annie Ryan, dis-je en me dirigeant d'un pas lourd vers la première vitre déposée sur le sol. Une grue aurait dû m'être livrée à Clapham il y a deux heures, mais elle n'est toujours pas arrivée.

— Elle est coincée dans l'Ouest...

— Je sais très bien qu'elle est coincée à Westminster, dis-je lentement, la mâchoire crispée. Mais que proposez-vous dans ce cas ?

— Je n'ai aucun pouvoir sur les bouchons, ma belle.

— Cessez ces familiarités. À quelle heure est-elle partie du dépôt ?

Je trépigne en attendant une réponse, qui ne vient pas.

— Si vous l'aviez envoyée ici suffisamment tôt, il n'y aurait eu aucun problème.

Je sais comment fonctionnent ces entreprises de location.

— J'ai ici un toit en verre fabriqué sur mesure qui bloque toute la rue. Il faut que ce toit soit posé avant la fin de la journée. Si ce n'est pas le cas, vous aurez affaire à moi.

Je raccroche avant que l'autre me fasse encore son petit numéro, et grimace en voyant Bill tirer sur l'emballage qui protège le panneau vitré.

— Dites-moi qu'il est arrivé en un seul morceau !

— C'est bon pour celui-ci, plus que trois.

Il m'adresse un sourire. Je joins les mains devant le visage et regarde le ciel.

Lorsque je sens une présence près de mon oreille, je fais un bond.

— La sécurité d'abord, Annie. Où est ton casque ?

La voix de Jack fait disparaître quatre-vingt-dix pour cent de mon stress, même si son ton est légèrement réprobateur.

— Nous sommes en plein désastre.

Je me retourne pour lui faire face et balaye les environs du regard, au cas où on nous observerait, histoire de savoir à quel point je peux me montrer affectueuse. Au moment où je conclus que la voie est libre, j'aperçois Richard qui remonte tranquillement la rue, puis je repose les yeux sur Jack. Il a également repéré Richard et recule presque d'un pas.

— Où est la grue ? questionne-t-il en se raclant la gorge.

— Coincée à Westminster.

Du coin de l'œil, je vois Richard lancer quelque chose dans la benne puis se diriger vers le bâtiment.

Les épaules de Jack s'affaissent un peu, lorsque son collègue est hors de vue.

— Tu m'as manqué à mort cette semaine, m'avoue-t-il, l'air un peu déprimé.

Chaque fois qu'il me semble aussi épuisé, je me demande ce qu'il a dû supporter. Mais ça ne dure qu'une seconde, car j'essaie de ne pas penser à sa femme et me concentre sur l'idée que je peux aider Jack à se sentir mieux. La semaine a été chargée pour nous deux. Cependant, ce n'est pas notre vie de couple qui nous a accaparés, juste le travail et le quotidien. Cette situation craint vraiment. Le temps passe vite et, en même temps, les journées sans lui sont interminables. C'est un problème que je finis par redouter. Je veux Jack auprès de moi tous les jours. Chaque heure. Chaque minute.

— Est-ce que tu pourrais être à l'hôtel Saint-James vers 16 h 30 ? me demande Jack, plein d'espoir.

— Oui, accepté-je aussitôt, comme s'il ne pouvait y avoir

d'autre réponse. Je grimperai au sommet de l'extension et poserai ce toit moi-même s'il le faut.

Il rit doucement. Ce son grave et sexy fait toujours naître un immense sourire sur mon visage. Les rires de Jack sont comme du chocolat fondu – doux et addictifs. Je n'en ai jamais assez.

— Ce ne sera pas nécessaire.

Il frappe bruyamment dans ses mains, siffle en direction de Bill et pointe la rue du doigt.

Je regarde par-dessus l'épaule et pousse un petit cri.

— Ma grue ! lancé-je en la voyant tourner au coin de la rue. Ma grue est arrivée !

— Allons poser ce toit, ma puce, me propose doucement Jack en se dirigeant vers l'engin.

Je souris intérieurement. Jack passe en mode expert et lance des ordres au passage. La vache, je donnerais n'importe quoi pour me retrouver seule avec lui sur-le-champ. Je regarde l'écran de mon portable et commence à compter les minutes qui me séparent de notre rendez-vous.

* * *

Je grimpe quatre à quatre les marches de l'hôtel, adresse un signe de tête au chasseur en passant et vérifie sur mon portable le numéro de la chambre que Jack m'a envoyé. Lorsque j'atteins la porte, je frappe comme une désespérée puis entreprends de lisser mes cheveux et ma robe droite noire. Je n'ai pas eu le temps de m'arranger avant de quitter le boulot. La porte s'ouvre en grand, Jack saisit mon poignet, m'entraîne à l'intérieur et claque la porte derrière lui. Je pousse un petit cri de surprise lorsqu'il m'attire contre lui. Tout s'enchaîne si rapidement que je n'ai pas encore réussi à le regarder dans les yeux.

— Tu as deux minutes de retard.

Jack m'arrache mon sac et le jette sur le sol, puis il se baisse, glisse les mains sous mes cuisses et me hisse contre son corps. Je crie à nouveau, mais ce son se transforme rapidement en petit rire excité, car Jack court et sautille à travers le salon.

— Jack !

Ravie, j'enfonce les ongles dans ses épaules dont je remarque enfin qu'elles sont nues.

Nous atterrissons sur le lit le plus moelleux du monde et sa bouche se pose aussitôt sur la mienne. Je n'ai toujours pas eu l'occasion d'admirer son beau visage ni d'apprécier sa nudité. Mais lorsque ses lèvres entrent en contact avec les miennes, je ne pense plus qu'à compenser mon manque. Je glisse chacun de mes membres autour de lui et l'embrasse de tout mon cœur en inspirant son odeur. Je me détends sur le matelas avec un soupir heureux, glisse les paumes vers ses joues mal rasées puis tiens fermement son visage.

— Merde, qu'est-ce que ça m'a manqué ! murmure-t-il dans ma bouche en déplaçant les lèvres vers ma joue, avant de déposer des baisers jusqu'à mon oreille.

Je soulève les hanches lorsque je sens son sexe en érection se presser contre ma cuisse.

— C'est ce que je vois.

Jack mordille mon lobe, s'agenouille sur le lit, puis il oblige mes bras à lâcher son cou et les pose au-dessus de ma tête. Il les maintient ensuite en place, son torse planant au-dessus de moi. Je vois enfin son visage. Un feu d'artifice semble animer ses yeux gris et son sourire éclatant bat encore une fois tous les records.

— Bonjour, dit-il simplement, mais la voix grave, rauque, pleine de désir.

Juste un petit mot.

Nous nous dévisageons pendant une éternité, Jack suspendu au-dessus de moi, à califourchon sur mon ventre, les mains maintenant mes poignets sur le matelas. Et nous nous sourions, tous deux contents de nous admirer l'un l'autre un moment. Lorsqu'il hausse les sourcils, je l'imite. Quand il presse son entrejambe contre mon ventre pour me taquiner, je lui rends la pareille en soulevant les hanches. Et lorsqu'il se lèche les lèvres d'un air séducteur, je fais de même. Nos deux sourires s'élargissent.

— Tu as fait du bon boulot, ma puce, me félicite-t-il, sans me relâcher.

Je souris.

— Ce toit n'est-il pas magnifique ?

— Splendide.

— Mais je ne suis pas venue ici pour parler travaux. Combien de temps as-tu devant toi ?

— Combien de temps me veux-tu ?

Mes yeux se plissent. Les mots « pour toujours » me chatouillent le bout de la langue, prêts à sortir de ma bouche. Mais je les retiens, car il serait idiot de gâcher notre précieux temps ensemble avec mes angoisses. De toute façon, je suis certaine qu'il lit dans mes pensées.

— Assez longtemps pour te faire grimper aux rideaux.

Jack hoche légèrement la tête. Parce qu'il est d'accord, bien sûr, mais aussi parce qu'il a compris la réponse que j'ai gardée pour moi, sans doute.

— Avant qu'on en arrive là, j'ai quelque chose pour toi.

Il plante un chaste baiser sur mes lèvres, libère mes bras, puis sort du lit et traverse nonchalamment le salon. Je me hisse sur les coudes et le suis du regard, fascinée par son large dos nu et son cul parfait.

— Viens ! me crie-t-il.

— Mais je suis bien ici, marmonné-je en boudant.

Jack me regarde, étalée sur le lit, et sourit. Ensuite, il agite la tête afin que je le rejoigne. J'obéis, à présent intriguée par la surprise qu'il me réserve. Passant tranquillement au salon, je le trouve assis sur le canapé. Jack tapote le siège à côté de lui et je m'assieds sans cesser de l'interroger du regard. Il soulève un sac Selfridges et me le tend.

— Qu'est-ce que c'est ? dis-je en l'acceptant d'un geste hésitant.

— Pour toi.

Jack s'adosse au canapé et s'installe confortablement.

— Ouvre-le.

Avec un sourire, je regarde à l'intérieur du sac, commence à tirer sur le nœud puis pose le regard sur Jack et le sac jaune tour à tour. Une fois qu'il est ouvert, je jette un coup d'œil dedans et découvre un petit paquet soigneusement enveloppé dans du papier de soie. Je le sors, pose le sac sur le sol, le paquet sur mes genoux et commence à décoller l'adhésif qui ferme le tout. Je soulève le papier de soie et découvre un petit tas de dentelle noire. Je lève le soutien-gorge devant moi.

— Tu m'as acheté des sous-vêtements ?

— Ça te plaît ?

Il paraît un peu inquiet.

Je contemple son magnifique cadeau, le soutien-gorge à balconnets en délicate dentelle noire suspendu au bout de mes doigts.

— Il est magnifique.

— Et la petite culotte ?

Il tend la main et me montre le sous-vêtement assorti. Il s'agit d'un slip brésilien taille basse avec une jolie breloque dorée cousue au niveau de l'élastique.

— J'adore.

Son soulagement saute aux yeux. J'en conclus que Jack n'avait encore jamais offert de sous-vêtements à une femme. Cette idée me remplit de satisfaction. Peu importe qu'ils ne m'aillent pas ou ne soient pas mon style. Jack les a achetés pour moi.

— Et maintenant, ouvre-moi ça.

Il sort une petite boîte de derrière son dos et me la tend.

Je me mords la lèvre en la regardant.

— Est-ce un jour spécial ?

— Ça fait quatre mois aujourd'hui que je t'ai trouvée ivre dans un bar et t'ai léchée.

Je lève rapidement les yeux vers lui.

— C'est vrai ?

Je ne sais pas très bien pourquoi j'ai l'air choquée. Le temps a passé vite, certes, mais j'ai l'impression que nous nous sommes rencontrés il y a beaucoup plus longtemps. J'ai l'impression de le connaître depuis toujours.

— Dis donc, je n'étais pas ivre.

Jack rit et ses yeux gris pétillent.

— Évidemment. Allez, ouvre.

Il pousse la boîte vers moi et je la prends avec autant d'hésitation que le sac contenant les sous-vêtements.

— Je ne t'ai rien apporté, avoué-je, un peu honteuse.

— Mais c'est toi, mon cadeau, Annie.

Jack tend la main et la fait glisser sur ma joue.

Mon cœur fond aussitôt. Je me jette dans ses bras, incapable de résister à l'envie de le serrer fort contre moi.

— Merci.

Il rit légèrement, puis dépose un baiser sur l'arrière de ma tête.

— Tu ne sais pas encore ce que c'est. Peut-être que tu vas détester.

— Impossible.

Je le laisse s'écarter de moi et me pousse vers mon côté du canapé. Je tire ensuite sur le ruban et ouvre lentement la boîte, clignant des yeux lorsqu'un éclat de lumière jaillit de l'intérieur. Le souffle coupé, je contemple le bracelet. Orné de deux petits mots incrustés de diamants, il brille sur le coussin de velours noir. « Toi » et « Moi », séparés par un minuscule cœur. Je serre les lèvres en le regardant, de crainte de me mettre à pleurer. J'en reste sans voix.

— Platine et diamants, m'annonce-t-il doucement.

— Il est magnifique, affirmé-je en passant le bout du doigt le long du précieux métal.

— J'ai fait renforcer la fermeture.

Jack pointe du doigt le petit fermoir.

— Afin que tu ne le perdes jamais.

D'un geste lent plein de précautions, il passe le bracelet autour de mon poignet droit et le ferme. Il me va à merveille, ni trop grand ni trop serré. Il y a juste assez de place pour glisser deux doigts entre ma peau et le platine. Une idée me vient et je lève les yeux vers Jack.

— Tu mesurais mon poignet, lancé-je d'un ton involontairement accusateur. La semaine dernière, quand nous étions au lit, tu n'arrêtais pas de l'entourer avec les doigts.

Jack lève la main et forme un cercle avec le majeur et le pouce.

— Il mesure à peu près cette dimension.

— Malin ! admets-je, les bras tendus vers lui. Je l'adore.

— Toi et moi, Annie, murmure-t-il en me serrant contre lui. Toi et moi.

Les larmes de joie que je retenais finissent par l'emporter et quelques-unes roulent sur mes joues, avant de mouiller son épaule. J'espère qu'il ne les sent pas. Jack s'écarte peu à peu de moi. Je n'ai pas le temps de les essuyer. Surtout qu'il me tient par les poignets. Je baisse les yeux et tente vainement de cacher mon visage.

— Pourquoi es-tu bouleversée ? demande-t-il, sincèrement inquiet.

— Je suis tellement heureuse, avoué-je en secouant la tête, en colère contre moi-même.

Car mon cerveau fonctionne à plein régime et envisage des choses que je me suis promis de ne pas imaginer. Si je suis aussi heureuse alors que nous passons si peu de temps ensemble, combien je le serai quand il sera tout à moi ! Je n'arrive toujours pas à lui demander quand ce sera possible. Je refuse de faire pression sur lui. Mon cœur balance entre deux mondes flous. Tout est un peu déformé, mon esprit est embrouillé. Je ne sais pas très bien quelle est la meilleure solution pour chacun de nous et quel sera le bon moment.

C'est exactement pour cette raison que j'essaie de ne pas y penser. Mes ruminations me sapent le moral et font tourner mon esprit en rond. Je ne l'interroge jamais sur Stephanie ni sur leur vie de famille. Je ne veux rien savoir, et je devine que Jack ne le souhaite pas non plus. Tout ce que je sais, c'est qu'il travaille comme un fou et ne cesse jamais de sourire quand nous sommes ensemble. Je préfère ne pas imaginer ce qui se passe lorsque nous sommes séparés.

Jack prend mon menton et le soulève, afin de me forcer à le regarder. Ensuite, il se penche et pose les lèvres sur les miennes.

— Va enfiler tes nouveaux sous-vêtements, m'ordonne-t-il.

Je souris intérieurement, contente qu'il soit intervenu. Je ne profite jamais de lui suffisamment longtemps. Évoquer la difficulté de notre situation est bien la dernière chose dont j'ai envie quand nous sommes enfin ensemble. C'est aussi simple que ça. Je fais de mon mieux pour protéger notre bonheur des personnes qui seraient capables de le détruire en émettant des jugements. Ou en tentant de se suicider.

Mes sous-vêtements neufs à la main, je dépose un baiser sur sa joue et traverse la chambre en direction de la salle de bains. Tout l'espace est en marbre noir et l'immense baignoire, remplie d'eau bouillante et de mousse, dispose d'une télévision encastrée dans le mur du fond. Nous allons prendre un bain. La peau nue de Jack partout sur la mienne. Je frissonne d'excitation tout en me déshabillant puis enfile mon nouveau soutien-gorge et sa petite culotte. Par chance, ils me vont comme un gant. Une musique envahit soudain la salle de bains et je souris en reconnaissant le prélude de *Sonnentanz* de Klangkarussell.

— Putain, murmure Jack en apparaissant dans le miroir derrière moi.

Ses yeux sont grands comme des soucoupes.

— Ton cul est absolument magnifique.

Je me cambre avec insolence et pousse un petit cri lorsqu'il me donne une tape sur la fesse gauche.

— Aïe !

Il me soulève, me retourne d'un geste et me plaque contre le miroir. Ses mains tirent sur mes cheveux, ses lèvres attaquent les miennes. Je fonds contre lui et écarte les jambes, lorsque son genou se lève et se glisse entre mes cuisses. Jack me soulève par la taille et mon dos glisse sur le miroir, aidé par la légère condensation.

Le baiser de Jack est acharné et affamé, ses gémissements et grognements désespérés. Mon élégante petite culotte est tirée sur le côté, puis Jack se positionne, me pénètre brutalement et me pousse contre le miroir en poussant un râle. Mes mains s'enfouissent aussitôt dans ses cheveux et les empoignent, conscientes que je vais avoir besoin de soutien. La sensation de son sexe au fond du mien fait tourbillonner mon univers. Jack est trop en manque pour y aller doucement. Tout comme moi. Lorsque je l'embrasse avec passion, il cesse de se retenir et s'écrase contre moi en poussant des cris constants. Je lui mords les lèvres, tire ses cheveux et hurle à chaque coup de pilon. Nous sommes bruyants, fous, enfiévrés et désordonnés. Les profondeurs qu'il atteint me procurent des sensations à la fois agréables et douloureuses. Je jette la tête en arrière et crie vers le plafond, tandis que ses doigts s'enfoncent violemment dans l'arrière de mes cuisses. Mon dos heurte maintes fois le miroir, ma peau couine sur le verre lorsqu'il se retire, avant de s'enfoncer brutalement, encore et encore. Je ferme les yeux et me concentre sur mon orgasme, sentant la pression monter à toute vitesse. Lors d'un coup de reins particulièrement brutal, je crie :

— Oh !

— Tu veux que j'arrête ? demande-t-il sans ralentir, sans cesser de me pilonner comme un pervers.

— Non ! refusé-je en redressant la tête, les paupières ouvertes.

Son regard est aussi fou que sa cadence. Je pousse presque un grognement féroce en tirant méchamment sur ses cheveux.

Jack sourit, accélère le rythme et enfonce davantage les doigts dans mes cuisses.

— Tu es prête ?

— Oui !

Mon orgasme me prend par surprise. Il explose entre mes cuisses et me coupe le souffle. Mon corps tout entier se met à convulser de manière incontrôlable et le sang qui bat dans mes oreilles assourdit tous les bruits. Les muscles de mon cou me lâchent et ma tête s'effondre sur son épaule, tandis que les ondes de cet orgasme si intense déchirent mon corps impitoyablement. C'est presque insupportable. Le corps mou, toujours hissé contre le miroir, je sens la chaleur de sa semence m'emplir, puis Jack se balance doucement contre moi, à bout de souffle.

— Merde, c'était intense, halète-t-il, avant de m'entraîner vers le sol.

Je m'étale sur lui, la joue au milieu de son torse, la paume posée sur sa poitrine musclée. Haletant bruyamment, nous restons une éternité sur le sol dur de la salle de bains, nos membres entrelacés. Je me sens hébétée, vidée de mon énergie.

— Un bain ? propose-t-il, le souffle laborieux, en tripotant une mèche de mes cheveux foncés.

J'acquiesce d'un marmonnement. Je suis incapable de bouger.

— Viens.

Jack me soulève péniblement et, me tenant d'un bras, il retire mes sous-vêtements de sa main libre. Puis il me porte et me dépose dans la baignoire. Je m'enfonce aussitôt dans l'eau avec un soupir de plaisir. La chaleur soulage instantanément mes muscles.

— Fais-moi une place, dit Jack en me rejoignant.

Je me penche en avant et attends qu'il s'installe derrière moi pour m'appuyer contre sa poitrine. Ses jambes s'écartent, puis ses bras m'entourent et me serrent, tandis que son nez s'enfouit dans mon cou.

— C'était délicieux.

Toujours incapable de reprendre mon souffle, je hoche la tête. Jack rit doucement et s'adosse à la baignoire, une paume posée sur mon front afin que je suive son mouvement. Le bout de ses doigts remonte le long de mes cuisses humides, puis de mon ventre vers mes seins. La simple proximité de sa main fait réagir mes tétons.

— Contents de me voir, on dirait ?

Jack les atteint, puis suit lentement leur contour foncé.

— Je suis toujours contente de te voir.

Je frissonne, pose les mains sur ses cuisses et lisse ses poils foncés.

— C'est agréable, soufflé-je, les yeux fermés.

L'atmosphère est si détendue et paisible. C'est absolument merveilleux.

— Merci pour les cadeaux.

— Et merci pour le tien, répond-il, me faisant sourire, les yeux toujours clos. J'ai réfléchi à un truc.

— Ah oui ?

— Et si on passait un week-end entier ensemble ?

Mes yeux s'ouvrent brusquement, mais je tente de ne pas me laisser gagner par l'excitation.

— Comment ?

Tout un week-end avec Jack ? Cette suggestion à elle seule me donne le tournis.

— Un colloque sur le bâtiment a lieu le week-end prochain. J'y suis inscrit, mais je n'ai pas vraiment besoin d'y aller.

Je me retourne, de sorte que nous nous retrouvions poitrine contre poitrine. Il doit lire la jubilation dans mon regard.

— Où ça ?

— À Liverpool. De vendredi soir à lundi matin. Tu penses que tu pourrais venir ?

Sa main se pose sur ma joue et repousse quelques mèches humides de mon visage. Je passe mentalement en revue mon agenda : rien de très important ne me vient à l'esprit. Je pourrais dire aux filles et à Micky que je participe à une exposition d'architectes ou quelque chose comme ça. Ils ne vérifieront pas si c'est vrai et n'auront assurément aucune envie de m'accompagner.

— Qu'est-ce qu'on fera ?

Je commence déjà à planifier le week-end dans ma tête. Nous serons enfin un couple normal. Pas de baisers en cachette, ni de regards par-dessus l'épaule. Je suis de plus en plus excitée.

— Nous sortirons dîner, ferons les magasins.

Jack sourit à son tour.

— Nous passerons simplement tout notre temps ensemble.

J'ai l'impression d'être une gamine la veille de Noël. Je ne verrais aucun inconvénient à rester enfermée dans un hôtel deux jours entiers, tant que Jack est avec moi.

— Et on se fera plein de câlins ?

Il ne peut s'empêcher d'éclater de rire. Ses paumes se glissent sous mes bras et m'attirent contre son torse. Nos nez se touchent, nos regards sont plongés l'un dans l'autre.

— Plein, plein de câlins.

— Dans ce cas, je suis partante.

Je conclus notre marché par un baiser, incapable de réprimer l'immense sourire qui étire mes lèvres.

— J'ai déjà hâte.

— Moi aussi, ma belle.

Jack me suce la lèvre inférieure puis la relâche.

— Richard est au courant pour nous.

Je suis totalement abasourdie, même si je me suis en effet posé la question un jour où je l'ai surpris en train de nous regarder.

Mon cœur bat un peu plus vite, soudain inquiet.

— Tu le lui as dit ?

— Je n'en ai pas eu besoin.

Il m'est soudain difficile de regarder Jack dans les yeux.

— Nous avons pourtant fait attention.

Il relève mon menton et sourit.

— Je collabore étroitement avec lui, Annie. Et il m'est difficile de cacher ma joie quand tu es dans les parages.

Inquiète, je lui souris faiblement.

— Il ne dira rien, n'est-ce pas ?

— Oh, non.

Il rit à cette suggestion.

— C'est un type bien, et il sait...

Jack se tait, mais il n'a pas besoin de finir sa phrase. Richard sait comment se comporte Stephanie. Voilà ce qu'il s'apprêtait à dire. Je me rappelle les fois où Richard a fait un commentaire ou marmonné quelque chose, lorsque la femme de Jack a débarqué en hurlant comme une folle sur le chantier.

Jack prend une inspiration et m'embrasse sur le nez.

— Notre secret est bien gardé. Allez, raconte-moi ta semaine.

Notre secret. Si seulement nous n'en avions pas. Je laisse Jack me retourner puis passer les avant-bras autour de mes épaules, le visage toujours près du mien. Nous restons ainsi environ une heure, tandis que je lui raconte mes projets. De temps en temps, il vide un peu la baignoire puis la remplit d'eau chaude, afin que nous n'ayons pas froid. Il écoute et pose des questions. Pas une seule minute il ne semble s'ennuyer. J'adore qu'il me laisse disserter sur les structures et les trucs techniques. Il m'écoute, prenant la parole quand il a une suggestion ou une opinion. Et c'est réciproque. Je pourrais écouter Jack discourir sur n'importe quoi, juste histoire d'entendre sa voix. Juste histoire de savoir qu'il est tout près de moi.

Une fois sortis du bain et entièrement secs, nous nous habillons et l'atmosphère change perceptiblement. Fini le bavardage désinvolte. Je le regarde tout en me séchant les cheveux. Assis sur le canapé, il vérifie ses messages, mais il n'est pas totalement concentré. Il paraît légèrement abattu. Je me demande à quoi il pense, lorsqu'il lève distraitement les yeux vers le mur, perdu dans ses pensées.

Une fois que j'ai terminé et rassemblé toutes mes affaires, je flâne jusqu'à lui.

— Prêt ?

Jack se lève lentement. Je vois que ça lui demande un effort, comme si quelque chose pesait sur son corps.

— Prêt, répond-il en glissant son portable dans sa poche.

Il m'attire alors contre lui pour me serrer dans ses bras. C'est sans doute l'un des plus gros câlins qu'il m'ait jamais faits.

— Je déteste ce moment-là, murmure-t-il.

Je souris tristement. Se trouve-t-il à la croisée des chemins ? Est-il sur le point de prendre la décision qui entraînera notre merveilleuse bulle secrète dans une tempête de chagrin et de souffrance ? Notre relation est si simple ainsi. Hormis le temps qui nous est compté chaque fois que nous sommes ensemble, tout est assez facile. Trop facile, ce qui rend plus pénible de faire le grand saut. Je ne sais pas si je suis prête à en affronter les conséquences.

Quelle femme saine d'esprit se laisse piéger par une aventure ? Quelle femme ayant un minimum de respect de soi et d'intégrité s'embarque dans une histoire pareille ? Une femme amoureuse. Voilà tout. On dit qu'on ne choisit pas la personne dont on tombe amoureux et j'en suis de plus en plus convaincue.

Je me souviens combien il était douloureux de lutter contre mes sentiments, de repousser Jack et de me fermer à lui. La perspective qu'il annonce à Stephanie qu'il la quitte m'effraie tellement ! J'ai peur qu'elle le convainque de rester, de faire encore un effort pour sauver leur mariage. Que son chantage affectif ait à nouveau raison de lui. C'est ce qui me terrifie le plus.

Je l'imagine, hystérique et anéantie, le suppliant de ne pas partir. Elle tient un couteau dans sa main, posé sur son poignet. Je me sens coupable. Jack se sentira coupable. La mauvaise conscience a le moyen d'influencer nos décisions. Il est plus facile de lui céder et d'ignorer ce que dit notre cœur.

— On se voit vendredi prochain, à l'inauguration de Colin, chuchote-t-il. Nous ferons quelque chose après, d'accord ?

J'acquiesce d'un signe de tête contre son épaule, incapable de m'en réjouir.

Vendredi prochain me semble à des années-lumière.

Jack me serre toujours dans ses bras, peu disposé à me lâcher, alors je m'écarte doucement de lui et lui dépose un petit baiser sur la joue.

— À vendredi alors, dis-je.

Ensuite, je m'éloigne, sentant son regard suivre chacun de mes pas, jusqu'à ce que je ferme la porte derrière moi.

Garde ton sang-froid, me dis-je. *Respire à fond.* Arrivée dehors, je trouve rapidement un muret sur lequel m'asseoir le temps de me ressaisir. Je ne sais pas combien de temps je pourrai continuer à le voir de cette façon. Combien de fois je parviendrai encore à le quitter.

— Annie ?

Je jette un coup d'œil à ma droite et vois Lizzy approcher.

— Tiens, salut ! lancé-je beaucoup trop vite, et l'air beaucoup trop contente de la voir.

Je balaye les environs du regard, paniquée.

— Mais que fais-tu dans le coin ?

Comme elle fronce les sourcils, je m'efforce de sourire dans l'espoir de faire disparaître mon air coupable.

— Je dîne avec quelqu'un.

— Ici ?

De tous les putains d'hôtels de Londres, il fallait qu'elle ait un rencard dans celui-ci. Et à cette heure précise !

— Oui, ici.

Elle sourit sans cesser de froncer les sourcils.

— Et toi, qu'est-ce que tu fais là ?

— J'avais rendez-vous avec un client, dis-je en haussant les épaules.

Mon comportement bizarre ne lui échappe pas.

— Est-ce que ça va ?

— Mais oui.

Oh, merde, elle va devoir entrer dans l'hôtel. Quelles sont les chances pour que Jack et elle se croisent ? Je n'en sais rien, mais il faut à tout prix éviter que ça se produise. Cependant, je n'ai aucune putain de solution au problème.

À cet instant précis, je vois Jack descendre les marches de l'hôtel et lui crie dans ma tête de faire demi-tour sur-le-champ. Il lève les yeux et sourit lorsqu'il me voit à quelques mètres de lui. Du regard, je tente de lui dire de regarder qui est avec moi.

Son pas se fait hésitant et son sourire disparaît. Mais il ne saisit pas le problème assez vite et Lizzy commence à se retourner.

— Jack ? s'étonne-t-elle.

Mon amoureux fait une de ces têtes ! Son malaise est si flagrant qu'il ne peut échapper à Lizzy. Comment vais-je me sortir de cette galère ? Jack et moi avons beau travailler ensemble, notre présence ici en même temps ne peut être une coïncidence. Et que pourrions-nous bien faire dans un hôtel ?

Jack semble se ressaisir rapidement.

— Salut, Lizzy. Et Annie est là aussi ! Vous dînez ensemble, les filles ?

Son sang-froid me stupéfie. Mais comment fait-il ?

— Non, répond lentement Lizzy en me regardant.

Je m'efforce de sourire.

— Nous nous sommes rencontrées par hasard.

Son regard accusateur me donne envie de rentrer sous terre.

— Vous fréquentez le même hôtel ? Mais quelle coïncidence !

Elle attend visiblement une réponse.

Je hausse les épaules et toussote, le temps de retrouver assez d'énergie pour feindre la décontraction.

— Comme je te le disais, j'avais rendez-vous avec un client.

Jack commence à boutonner sa veste de costume.

— Excusez-moi un instant.

Il se tourne vers le chasseur et glisse un billet dans sa main.

— Ma femme, Mme Joseph, ne va pas tarder. Appelez-lui un taxi quand elle sera prête.

— Bien, Monsieur, opine le chasseur avec un signe de tête.

— Merci.

Jack se retourne vers nous, le sourire jusqu'aux oreilles. Il semble si faux. Sa femme ne va pas tarder ? Bien pensé, il faut l'avouer. Mais elle ne risque pas d'apparaître. Il sort son portable de sa poche et jette un œil à l'écran.

— C'était un plaisir de vous revoir, toutes les deux.

Approchant le téléphone de son oreille, il sourit et recule.

— Oh, et nous sommes toujours dans les temps pour l'inauguration de la galerie, Annie. Colin m'a dit que tu te posais des questions.

Je hoche brièvement la tête, tandis que Jack se tourne et s'éloigne. Je change de sujet sans perdre un instant.

— Au fait, qui est l'heureux élu ? demandé-je d'un ton exagérément excité.

— Oh, je ferais mieux d'y aller. Je suis en retard.

Lizzy, soudain gênée, monte les marches de l'hôtel à toute vitesse.

— Mais avec qui as-tu rendez-vous ?

Elle ignore totalement ma question, mais à vrai dire, ça m'est bien égal. Il faut que je file d'ici au plus vite.

— Je t'appelle plus tard ! élude-t-elle.

Je m'effondre presque sur le trottoir, mais me ressaisis rapidement lorsqu'elle se retourne.

— On se voit vendredi soir, ajoute-t-elle.

J'esquisse une moue, bien que ravie de ne pas être disponible, mais il faut que Lizzy me croie déçue.

— J'ai un cocktail à la nouvelle galerie de Colin. Je t'appelle si je parviens à m'éclipser.

Ce devrait être tout à fait faisable, mais si je rejoins la bande, je ne verrai pas Jack. Je peux sortir avec mes amis quand je veux, alors que les occasions de passer du temps avec lui sont rares. Hors de question d'en rater une.

— D'accord, on fait comme ça !

Elle disparaît à l'intérieur de l'hôtel et je m'éloigne en titubant, épuisée par cette histoire.

Je ne sais vraiment pas combien de temps je vais encore pouvoir tenir.

17

Par chance, les jours précédant l'inauguration de la galerie passent étonnamment vite ; je ne quitte quasiment pas l'endroit de la semaine, car il faut vérifier l'installation du toit et faire contrôler les travaux. Nous ne nous sommes pas arrêtés une minute : les décorateurs et paysagistes ont travaillé jusqu'au soir afin que tout soit terminé à temps et que l'inauguration puisse avoir lieu. Il a fallu un bon coup de collier, que tout le monde mette la main à la pâte. Nous avons fini juste à temps.

Je passe au Tesco Express au bout de ma rue afin d'acheter une bouteille de vin, planifiant ma soirée tandis que la caissière fait défiler mes achats devant sa machine. Un bon bain. Un verre de vin pendant que je me prépare. J'ai commandé un taxi pour vingt heures, j'ai donc deux heures pour me pomponner tranquillement avant de me rendre à la galerie. Rangeant ma bouteille de vin dans mon immense besace, ainsi qu'une bouteille de champagne pour Colin, je paye et me mets en route. Arrivée devant ma porte d'entrée, je cherche mes clés dans mon sac.

— Salut Annie !

Je fronce les sourcils, le regard fixé sur la porte, la main serrée sur la clé. Je reconnais cette voix. L'inverse serait préférable cependant, et pendant un bref instant, j'espère entendre des voix. Mais lorsque je tourne lentement la tête et regarde par-dessus mon épaule, mes espoirs s'envolent.

Mes muscles se tendent et le bracelet que Jack m'a offert commence à me brûler le poignet. Inquiète, je jette un coup d'œil à mon bras, afin de m'assurer que la manche de mon trench le cache.

— Salut Stephanie ! lancé-je en retirant la clé de la serrure, après avoir ouvert ma porte, histoire de pouvoir m'échapper rapidement une fois que nous aurons échangé des politesses.

Mais qu'est-ce qu'elle fiche dans le coin ? Devant mon appartement, en plus ? La panique m'envahit tandis que je me tourne lentement afin de lui faire face, essayant d'effacer toute expression coupable de mon visage. Elle est toujours aussi pimpante, les lèvres rouge sang assorties à ses longs ongles. Ces putains d'ongles. Je les lui couperais bien avec une scie à métaux.

— Ma voiture est stationnée ici, chantonne-t-elle en pointant la rue du doigt. Le pressing de Jack se trouve dans celle d'à côté et c'est une vraie galère de se garer là-bas. Je savais bien que c'était toi !

Je lui adresse un sourire crispé puis, perturbée, je lui demande :

— Comment vas-tu ?

— Oh, bien. Je fais juste quelques courses. Jack a besoin de ça pour un dîner professionnel ce soir.

Elle me montre la housse de costume qu'elle tient à la main, puis lève les yeux au ciel. Je me contente de sourire. J'ai l'impression d'être un lapin pris dans les phares d'une voiture.

— Et toi, des projets pour ce soir ?

— Juste un verre entre amis, dis-je, tandis que la sueur commence à perler sur mon front.

Putain, elle ne sait pas que l'inauguration de la galerie a lieu ce soir ? J'aurais dû dire que j'y allais. Pourquoi ne l'ai-je pas fait ?

— Ne bois pas trop, hein !

Stephanie rit comme une hystérique.

— Moi, je vais devoir attendre jusqu'à demain pour faire des folies. Jack et moi sortons boire quelques cocktails, avant de dîner quelque part.

— Super. J'espère que vous passerez une bonne soirée, lâché-je, les dents serrées.

J'espère plutôt qu'ils se disputeront à mort et que Stephanie s'apercevra enfin que Jack n'a aucun sentiment pour elle. Et qu'elle le quittera. Fin du problème.

— Oh, elle sera sûrement excellente.

Elle remonte son sac sur son épaule.

— Hé, on devrait déjeuner ensemble un jour ! chantonne-t-elle. Que dirais-tu de la semaine prochaine ?

Je souris nerveusement. Mais d'où lui vient donc cette idée absurde ?

— Bien sûr, acquiescé-je en me rapprochant de mon vestibule. Ce serait sympa.

— Super !

Elle s'éloigne dans la rue en agitant la main.

— C'était un plaisir de te revoir, Annie !

— Pareillement, parviens-je à crier avant de refermer la porte et de me laisser tomber contre elle, totalement épuisée.

Merde, j'ai besoin d'un verre. Elle était si joyeuse que la partie illogique de mon cerveau se demande si Jack et elle ne sont pas finalement très proches. Hors de question de l'envisager. Je me précipite dans la cuisine et me sers un grand verre de vin en appelant Lizzy. J'ai besoin de parler à une amie, histoire de me distraire... même si cette amie n'a aucune idée de ce qui se passe en ce moment dans ma vie.

— Salut !

— *Bonjour*, répond-elle. *Comment allez-vous ?*[1]

— Qu'est-ce qui te prend de me parler en français ?

— J'ai eu un client français aujourd'hui, et *oh là là*, qu'est-ce qu'il était bel homme !

---

1   En français dans le texte.

— Ouh, dis donc.

Je sirote mon vin en me dirigeant vers la salle de bains dans l'intention de me faire couler un bain.

— Il était même sexy à mort.

— Est-ce que tu lui as fait comprendre qu'il t'intéressait ?

— Il est marié. Zone interdite.

J'avale péniblement mon vin et remercie le seigneur de m'avoir évité cette conversation en face à face avec Lizzy. Je dois être rouge écarlate et ma culpabilité doit crever les yeux. Je pose mon verre sur le bord de la baignoire et ouvre les robinets.

— Quel dommage.

— Pas pour sa femme.

Lizzy rit et je me force à l'imiter. Mon portable semble rougir en même temps que moi. Il est si chaud qu'il me brûle l'oreille.

— Hé, est-ce que tu as revu ton nouveau mec ?

Apparemment, leur premier rencard s'est bien passé et il y en a eu deux autres depuis, mais Lizzy reste vague sur les détails.

— Je t'en parlerai ce soir.

— Je ne pourrai pas venir. C'est l'inauguration de la galerie, rappelle-toi. Tu n'as qu'à tout me raconter maintenant. Tu ne m'as même pas dit son nom !

— Tu ne pourrais pas t'éclipser avant la fin ?

— Je ne voudrais pas paraître impolie, Lizzy.

Je verse du bain moussant dans la baignoire et tente de faire taire ma mauvaise conscience.

Je deviens beaucoup trop douée pour mentir, et ce n'est pas une qualité dont je suis fière.

— Je t'appelle si j'y parviens.

— D'accord, capitule-t-elle avec un long soupir. Amuse-toi bien à ton cocktail ultra-chic !

— Merci.

L'excitation finit par damer le pion à mon sentiment de culpabilité. Je vais pouvoir passer du temps avec Jack après l'inauguration ! Il faut juste que je me maîtrise le temps que nous serons à la galerie. Mais dès que nous serons sortis, fini les politesses et à nous les roulages de pelle !

Je raccroche, jette mon portable dans un coin et commence à me déshabiller. Les sourcils froncés, je réalise que Lizzy a encore évité de me révéler le nom de son mec. Je note dans un coin de ma tête qu'il faudra que je l'appelle demain et que j'exige une réponse.

J'entre dans la baignoire, mais ne parviens pas à m'installer confortablement. La paroi de la baignoire est trop dure lorsque je m'y adosse. Je remue et tente de trouver une position confortable en me demandant ce qui se passe. Lorsque l'un des diamants de mon bracelet scintille dans la lumière des spots, je comprends ce qui ne va pas. Avec un soupir, je caresse pensivement le bijou et me tortille dans la baignoire. Ça ne sert à rien. Pas de Jack contre lequel m'appuyer. Prendre un bain ne sera plus jamais comme avant. Je fais une croix sur ce moment de détente et prends finalement une douche.

* * *

Incroyablement fière, j'admire ma dernière création, la nouvelle galerie de Colin, depuis le bout de l'allée. Elle est absolument parfaite, et même si elle paraît toute neuve après les rénovations, elle ne fait pas tache comme l'ont prétendu les autorités locales en de nombreuses occasions.

Je monte l'allée, armée de ma bouteille de champagne, et franchis tranquillement la porte ouverte. Dans chaque coin de l'impressionnante entrée, est exposée une œuvre extraordinaire.

— Annie !

Colin apparaît et me serre dans ses bras, tandis que je ris.

— Salut !

J'attends qu'il me relâche pour lui tendre ma bouteille.

— Tu n'aurais pas dû.

Il m'entraîne vers l'immense extension située à l'arrière.

— Regarde-moi ça, s'émerveille-t-il, les yeux levés vers le toit. N'est-ce pas la toiture la plus spectaculaire que tu aies jamais vue ?

— Splendide, avoué-je, la contemplant quelques instants, avant de remarquer les personnes réparties par petits groupes.

Certaines admirent les œuvres, d'autres le bâtiment, et d'autres encore bavardent simplement en sirotant du champagne. Je ne vois pas Jack, mais repère Richard. Il me remarque et lève son verre.

— Tiens.

Colin saisit une flûte sur le plateau d'un serveur qui passe et la place dans ma main.

— Bois un verre, mêle-toi à la foule et écoute toutes ces personnes chanter tes louanges.

Il désigne l'espace extérieur à travers les portes pliantes.

— Il y a un tas de gens qui attendent de rencontrer l'architecte du nouveau foyer de mes chefs-d'œuvre.

Rougissant un peu, je sors dans le jardin minimaliste, où une foule de personnes boivent un verre en bavardant. Mais toujours pas de Jack. J'aperçois les vitrines qu'il a proposées ; trois d'entre elles fièrement accrochées au mur de brique abritent trois œuvres incroyables de Colin.

— Est-ce que tu as faim ? me demande celui-ci, la main tendue vers un immense buffet. Sers-toi si tu as un petit creux.

— Merci Colin.

Je préfère savourer mon champagne avant de goûter à la nourriture.

— Je mangerai un morceau plus tard.

— Comme tu veux.

Colin m'entraîne vers un groupe de personnes debout autour d'une haute table.

— Bonsoir, lancé-je en serrant toutes les mains tendues.

— Annie, je te présente Rick.

Colin désigne un homme costaud aux cheveux gris et à l'impressionnante moustache.

— Je sais que tu es normalement en congé ce soir, mais il adorerait te parler d'une propriété qu'il songe à acheter.

Rick sourit jusqu'aux oreilles.

— Ravi de vous rencontrer, Annie.

Sa poignée de main est ferme ; ses énormes doigts boudinés recouvrent entièrement les miens.

— Moi de même, Rick. Parlez-moi donc de cette propriété.

— C'est un bâtiment historique. Protégé.

Il grommelle presque, visiblement peu impressionné.

— Il se trouve près de Grosvenor Square. Qu'est-ce que je pourrais en faire, au juste ?

Je ris.

— Pas grand-chose. Est-ce qu'il est délabré ?

— Totalement.

— Des rénovations seront les bienvenues dans ce cas, mais la conservation du patrimoine vous aura à l'œil. Vous ne pourrez pas utiliser n'importe quels matériaux, toute démolition sera impossible et vous devrez employer des ouvriers qualifiés spécialisés.

— Qu'est-ce que vous dites ? s'écrie Rick, l'air plutôt mécontent.

— Je dis que ça va vous coûter la peau des fesses. Mais vous aurez sans doute droit à des subventions. Ça vaut le coup de se renseigner.

Il éclate de rire et avale une gorgée de scotch.

— Je vais peut-être y réfléchir. Bonjour le stress ! Bon, dites-moi, qu'est-ce qui vous a inspiré la conception de cet endroit ?

D'un large geste, Rick désigne tout l'espace, du jardin jusqu'au toit. Je dois dire que l'effet est impressionnant, exactement comme je l'espérais.

Je souris et commence à lui parler de mon travail avec grand plaisir. C'est un répit bienvenu dans mes cogitations. Mais que fait donc Jack ?

* * *

Richard me rejoint tandis que je me ressers un verre à l'intérieur.

— Ça change ! dis-je avec un sourire en désignant sa tenue.

Il rit et prend un verre.

— J'ai dû faire de gros efforts, mais ça valait le coup. Je suis sûr que tu es d'accord.

Je l'imite lorsqu'il lève les yeux vers le toit.

— C'est à la fois le meilleur et le pire projet que j'aie jamais conçu.

Je me suis fait plus de cheveux blancs pour ce toit que pour tous mes autres projets réunis.

— Jack avait totalement foi en toi, déclare-t-il, les yeux posés sur moi.

Je sirote mon champagne, faute de savoir quoi répondre. Je lui adresse un sourire gêné puis balaye la pièce du regard en essayant de paraître désinvolte.

— Il n'est pas là ?

Richard secoue légèrement la tête.

— Il a été retenu, répond-il à voix basse.

Je fais de mon mieux pour garder mon sang-froid et le regarde. Retenu ? Je n'aime pas son air entendu. C'est comme s'il essayait de me faire comprendre quelque chose. Pourquoi est-il retenu ? Qu'est-ce qui s'est passé ? J'envisage de filer aux toilettes afin d'envoyer un message ou un e-mail à Jack, mais ce serait évidemment stupide. Stephanie semblait en forme lorsque, par malheur, je l'ai rencontrée tout à l'heure. Mais il ne faut pas se fier aux apparences. Je sais qu'en privé, tout n'est pas rose entre eux.

Soudain nerveuse, je vide mon verre d'une traite et en attrape un autre.

— J'espère qu'il va pouvoir venir, soufflé-je faiblement en m'éloignant. Excuse-moi, il faut que j'aille aux toilettes.

Je pivote sur les talons, mais me fige aussitôt. Un tremblement s'empare de mes mains. Mes yeux sont rivés à l'entrée de la galerie dans laquelle vient d'apparaître Jack.

Avec sa femme.

— Annie ! chantonne Stephanie, ravie de me voir, comme si j'étais sa meilleure amie.

Elle attrape un verre de vin sur le plateau d'un serveur et le vide d'une traite, avant d'en prendre un autre.

— Je croyais que tu sortais avec des amis ce soir.

Elle me rejoint et plante un baiser sur ma joue, qui me file littéralement la chair de poule.

Je risque un regard du côté de Jack. Son visage est grave et il n'y a pas la moindre étincelle dans ses yeux.

— Je ne reste pas longtemps, rétorqué-je. Je vais bientôt les rejoindre.

La soirée que j'attendais avec impatience depuis des jours vient de tomber à l'eau. Je suis anéantie.

— Formidable !

Stephanie me libère et s'intéresse à Richard, qui observe Jack avec une inquiétude justifiée.

— Bonsoir, Richard.

— Stephanie, répond-il avec un sourire crispé et un hochement de tête. Tu es toujours aussi magnifique.

Stephanie pose la paume sur sa poitrine et esquisse une moue.

— Tu es trop gentil.

Ce n'est pas moi qui vais la contredire. On dirait un vrai pot de peinture et son corps est enveloppé dans une longue robe de satin, plus faite pour se rendre à l'opéra qu'à l'inauguration d'une galerie. Jack s'avance en déglutissant péniblement.

— Annie.

Il m'adresse un signe de tête poli et sourit légèrement à Richard, avant de s'emparer d'un verre, dont il a clairement besoin. Je donnerais n'importe quoi pour pouvoir lui demander ce qui se passe. Pourquoi est-elle là ? Qu'est-ce que c'est que ce bordel ?

— N'est-ce pas merveilleux ? roucoule Stephanie en arrêtant un autre serveur afin d'échanger son verre vide contre une flûte pleine. Vraiment merveilleux.

Elle lève sa flûte et porte un toast.

— À mon mari.

Cette situation est absolument affreuse.

— À Jack.

Richard fait tinter son verre contre celui de Stephanie et je l'imite tout en planifiant mentalement ma fuite.

— Et à Annie ! intervient Jack à ma stupéfaction. Nous n'avons fait que suivre ses instructions.

Je sens mon dos se raidir.

— Merci.

J'avale ma salive et me concentre sur mon champagne. C'est vraiment tout ce qui m'aide à tenir le coup.

— Mais bien entendu !

Stephanie pose sa main manucurée sur le bras de Jack. Mes yeux se posent involontairement dessus et je lui interdis silencieusement de le toucher.

— Tu impressionnes tellement Jack, Annie.

Je lance un regard choqué à Jack. Il lui a parlé de moi ? Il est stupide ou quoi ?

— Je n'ai fait que mon travail.

Je fais de mon mieux pour évacuer le sujet.

— Annie et moi avons prévu de déjeuner ensemble ! annonce Stephanie, l'air ravie.

Contrairement à moi. De son côté, Jack paraît tout à fait horrifié.

Il faut que je me sorte de ce merdier, et vite. Ignorant le visage rayonnant de Stephanie, je feins la surprise.

— Tiens, voilà Gerrard.

Je pointe le jardin du doigt, bien qu'il n'y ait pas le moindre Gerrard en vue.

— Excusez-moi, je vais lui dire bonjour.

Je sors comme une flèche et m'incruste dans le premier groupe venu. La conversation me parvient vaguement. J'essaie de participer, d'écouter les autres, histoire de me calmer et d'empêcher mes yeux de vagabonder, mais, quels que soient mes efforts, mon esprit joue les rebelles. Je jette un coup d'œil désinvolte derrière moi et m'aperçois que quelques personnes se sont jointes à Jack, Richard et Stephanie. Tous sont captivés par leur conversation. Jack est enfin là, mais je ne peux pas profiter de sa présence. Stephanie est sans cesse collée à son mari, lui caresse le bras, lui sourit et vide verre sur verre. C'est insupportable.

Me détachant du groupe, je sors mon portable et envoie un message à Lizzy, afin de lui demander où la bande s'est réunie.

— Je n'ai pas pu faire autrement.

Le souffle de Jack effleure la base de ma nuque et me fait frissonner. Mais pas de façon agréable, comme lorsque je ressens des picotements, le souffle coupé, obligée de me retenir de lui sauter dessus. Il vient se placer devant moi et cherche mon regard.

— Je suis désolé.

— Qu'est-ce qui s'est passé ?

— Elle a insisté pour venir. Qu'est-ce que je pouvais faire ?

Je secoue la tête et m'écarte de lui, sur mes gardes, craignant qu'on nous observe.

— Je n'en sais rien, admets-je. Jack, il faut que tu la dissuades de déjeuner avec moi.

Il lâche un rire grave, sarcastique.

— Mais comment tu veux que je fasse ?

Mon cœur se serre lorsque je réalise qu'il a raison et qu'il est tout à fait déraisonnable de ma part d'attendre une chose pareille de lui.

— J'attendais cette soirée avec une telle impatience.

Je regrette instantanément d'avoir exprimé le fond de ma pensée. Ce n'est pas sa faute. Je ne devrais pas le culpabiliser.

— Je sais, Annie. Elle m'a dit que vous vous étiez croisées.

— Devant chez moi. Elle allait chercher ton costume au pressing.

Je désigne son costume trois-pièces gris avec mon verre de vin.

— Il est superbe, soit dit en passant.

Jack esquisse un sourire.

— Tu es magnifique, et je ne peux même pas te toucher !

Son regard troublé par le désir plonge dans le mien.

— Il faut qu'on se voie plus tard. Dis-moi que c'est possible.

— Mais comment ? Tu es avec ta femme.

Je ne veux pas avoir l'air amer, mais en réalité, je le suis.

— Je trouverai un moyen, m'assure-t-il.

— Ce n'est pas le moment de faire une bêtise, Jack, l'avertis-je. Richard est au courant, et si nous ne faisons pas attention, ta femme le sera bientôt aussi.

— Il faut que je te voie, insiste-t-il d'une voix rauque, me défiant de refuser d'un regard dur. Réponds simplement au téléphone quand je t'appellerai.

Il s'écarte de moi, un sourire faux aux lèvres.

— Mais te voilà ! roucoule Stephanie en glissant un bras dans le sien. Vous parlez boulot, je parie.

— Comme toujours, confirme Jack en regardant dans son verre.

Qui est à nouveau vide.

— Bon, ça suffit. Je t'ordonne de divertir ta femme immédiatement.

Stephanie pivote vers lui et pose les lèvres sur sa joue.

Je vomis intérieurement, l'estomac révulsé.

Lorsque mon portable sonne dans ma main, je détache mon regard de cette femme insupportable collée comme une sangsue à l'homme que j'aime.

— Excusez-moi, marmonné-je en retournant vers la galerie.

Alors que j'ouvre le message de Lizzy, je décide de me prendre la cuite de ma vie aujourd'hui même.

Je mets la main sur Colin, le remercie et lui présente mes excuses. Je n'avais pas anticipé sa déception. Il s'accroche à moi, tente de me faire rester en m'offrant une nouvelle flûte de champagne, mais je résiste. Rien ne peut me convaincre de m'attarder ici.

Je me dirige vers les toilettes afin de retoucher mon rouge à lèvres. En entrant, la première chose que je vois dans le miroir, c'est ma tête. J'ai une mine terrible. Toute pâle, traumatisée. M'agrippant au bord du lavabo en pierre, j'inspire à fond dans l'espoir de retrouver des forces.

Boum !

Je quitte mon reflet du regard et me tourne vers la rangée de cabines, l'oreille tendue. Qu'est-ce que c'était ?

Boum !

Un bruissement et des chuchotements s'élèvent de la cabine la plus éloignée. Je me force à ne pas bouger, ou du moins j'essaie. Et j'ai beau ordonner à mon cœur bruyant de se taire, il ne m'écoute pas.

Soudain, les murmures se transforment en gémissements. Mon sang se fige. Ce son se fraye un chemin jusqu'à mon cerveau et s'y incruste, faisant en sorte que je ne l'oublie jamais.

Les gémissements de Stephanie.

Des gémissements d'extase et de plaisir.

— Enlève-moi ma robe, halète-t-elle. Arrache-la-moi, Jack.

Mon estomac se révulse. Je me plie en deux et hoquette au-dessus du lavabo. Ensuite, les cris prennent le relais.

— Oh, Jack ! Oui ! Vas-y ! Prends-moi !

— Stephanie, grogne Jack.

Je sors en courant des toilettes. Les hoquets de ma nausée et les tressaillements de mon corps me font trébucher et tituber. Je suis à deux doigts de vomir, mais je ne peux en aucun cas retourner dans les toilettes pour dames. Je file donc aux toilettes pour handicapés, claque la porte et m'agrippe des deux mains à la cuvette tout en essayant de maîtriser mon souffle. J'ai la tête qui tourne. Je suis dégoûtée. Je me sens trahie.

Un sanglot désespéré s'échappe de ma bouche. Je me prends la tête des deux mains dans l'espoir de faire taire le son atroce qui passe en boucle dans ma tête.

— Non, gémis-je en m'effondrant, le corps secoué d'émotion et d'épuisement.

Il faut que je parte d'ici. Sur-le-champ.

J'ouvre la porte à toute volée et quitte la galerie en courant. Je ne m'arrête pas avant d'avoir atteint le bout de la rue. Je hèle un taxi et grimpe dedans. Je vais retrouver mes amis et noyer mon chagrin dans l'alcool. Espérons que ça suffira à me faire oublier ce cauchemar. Je m'étais toujours interdit de les imaginer ensemble. Je n'avais encore jamais laissé mon esprit s'aventurer dans ces eaux sombres, mais lorsqu'un couple baise quasiment sous vos yeux, il est difficile de l'ignorer. Je me sens blessée. Totalement anéantie. Et la fureur me fait presque perdre la raison. Impossible de l'en empêcher.

18

— La voilà ! s'écrie Lizzy lorsque j'entre dans le bar à champagne et les repère, tous perchés sur de hauts tabourets autour d'une table.

Micky me fait signe puis désigne le siège et le verre de vin qui m'attendent.

— Quel brave garçon, ce Micky ! le complimenté-je en me laissant lourdement tomber sur mon tabouret.

— Est-ce que ça va ? demande-t-il, l'air inquiet.

J'ai tenté de réparer les dégâts dans le taxi, mais j'imagine que même avec un maquillage parfait, ma souffrance ne passerait pas inaperçue.

— Oui, assuré-je, la main levée, afin d'interrompre Lizzy qui s'apprête à parler.

Elle referme aussitôt la bouche avec une moue et me regarde vider mon vin d'une traite.

— Ça va très bien, ajouté-je en reposant bruyamment mon verre.

Nat, Micky et Lizzy m'observent tous attentivement un instant.

— Parfaitement bien.

J'inspire, expire, inspire, expire.

— Elle va bien, répète lentement Lizzy. Tu en es vraiment sûre ?

J'acquiesce d'un signe de tête.

— J'ai juste un problème avec un connard de chauffeur de taxi.

Lizzy lève les yeux au ciel.

— Bon, autant que je vous annonce ma nouvelle tout de suite, ce sera fait.

Lorsqu'elle se redresse, tous nos yeux se braquent sur elle. Lizzy se met à remuer nerveusement sur son siège.

— Eh bien, commence-t-elle, concentrée sur son verre de vin. Il faut que je vous dise quelque chose, mais avant, je tiens à préciser que j'ai bien réfléchi à ce que je faisais et que j'apprécierais votre soutien.

Chacun de nous s'adosse à son tabouret. Je regarde mes amis et tente de deviner à quoi ils pensent. Ils ont l'air tout aussi intrigués que moi.

— Je ressors avec Jason, avoue Lizzy, avant de saisir son verre et de le vider, recroquevillée sur son siège.

Soudain, tout est clair dans mon esprit.

— C'était donc lui que tu rejoignais pour le dîner !

Je comprends mieux pourquoi elle se montrait aussi secrète. Lizzy hausse les épaules.

— J'ai accepté de le revoir, oui. Je ne voyais pas l'intérêt de te l'annoncer parce que je pensais lui dire de tourner la page, que c'était fini. Mais quand je l'ai revu, quand j'ai compris combien il se sentait coupable... Je l'aime.

À nouveau, elle hausse les épaules.

— Je n'y peux rien.

Lorsque l'atmosphère devient insupportablement lourde, je cesse de réfléchir et saisis sa main.

— Écoute ton cœur, c'est tout, affirmé-je, totalement sincère.

Des larmes de soulagement lui montent aux yeux et Lizzy serre les lèvres au point qu'elles blanchissent. Elle est incapable de parler, la pauvre, aussi se contente-t-elle de hocher la tête. Je me sens vraiment mal pour mon amie. J'ai vu combien elle était affectée lorsqu'elle a découvert la liaison de Jason, et j'ai maudit la femme qui avait fait irruption dans sa vie. Une femme comme moi.

Donnant un coup de pied discret à Nat sous la table, je me réinstalle sur mon tabouret et la laisse faire sa part du boulot, bien qu'elle soit beaucoup moins enthousiaste que moi, ça crève les yeux. Le pauvre Micky, quant à lui, se contente de nous regarder faire nos trucs de filles.

— Je crois que je vais aller retrouver les gars, marmonne-t-il, les yeux levés au ciel.

— Bon, sans transition...

Nat lève son verre avec un sourire malin et je me demande un bref instant si elle a aussi décidé de laisser une nouvelle chance à John. Ensuite, je me rappelle l'incident du chewing-gum avec son gosse et rejette aussitôt cette idée. Il va encore falloir du temps avant qu'elle ne retrouve sa longue et somptueuse chevelure.

— Je me suis inscrite dans une agence matrimoniale.

Nous lui lançons tous quelques regards bizarres, puis nous éclatons de rire.

— Ben quoi ? demande Nat, mécontente. Au moins, je pourrai préciser clairement ce que je souhaite ou non chez un homme.

— Des gamins, par exemple ? suggère Lizzy, consternée.

— Exactement, confirme Nat. Gentils papas, prière de s'abstenir.

— Putain de merde, murmure Micky, exaspéré. Est-ce qu'on pourrait parler foot avant que je perde mes couilles pour de bon ?

Je ris et lui pince la joue.

— Toi aussi, tu tomberas amoureux un jour.

Il grogne, dégoûté par cette suggestion.

— Si nous sommes toujours amis, toi et moi, ce n'est pas pour rien. Tu m'imagines en gentil mari, un rouleau à pâtisserie à la main ?

Je vois. Apparemment, Micky et moi sommes amis parce

que nous sommes aussi allergiques l'un que l'autre aux histoires d'amour. Il raconte n'importe quoi, évidemment. Si nous sommes amis, c'est parce que nous nous connaissons depuis toujours, mais sa réflexion me met tout de même mal à l'aise. Je déglutis péniblement et tente de penser à autre chose. Soudain me revient la raison pour laquelle je m'accroche à mon verre de vin comme à une bouée de sauvetage. Ensuite, je remarque qu'il est vide et attrape la bouteille posée au milieu de la table. *Soûle-toi ! Noie tes souvenirs dans l'alcool !*

— En gentil mari ? intervient Nat. Toi, le vrai mâle ?

Elle bondit de son tabouret et brandit une épée imaginaire.

— C'est moi le plus fort ! rugit-elle, avant d'éclater de rire en chœur avec Lizzy.

Au bout d'un moment, elles me regardent d'un air interrogateur, comme si mon impassibilité les surprenait. Je hausse les épaules. Ma vie est une vraie catastrophe en ce moment, je n'ai aucune envie de rire.

— Vous êtes vraiment trop connes.

Micky descend de son tabouret et jette un œil du côté de la porte.

— Je vais dire bonjour aux potes. Ensuite, je tenterai de me trouver une femelle.

Il s'éloigne, le sourire aux lèvres, très content de nous laisser entre filles. Mes copines, elles, se tordent toujours de rire.

* * *

Une heure plus tard – peut-être deux, je n'en suis pas sûre –, je suis passablement éméchée et chaque gorgée de vin anesthésie un peu plus mon cerveau. Un répit bienvenu. Je me tourne sur mon tabouret et vois Nat seule sur la piste de danse. Son verre de vin en l'air, la tête baissée, elle se déhanche sur *Boy from School* de Hotchip. Je garde les yeux sur elle tout en cherchant Lizzy à tâtons afin d'attirer son attention. C'est trop drôle, il faut absolument qu'elle voie ça.

— Regarde un peu.

— Et merde, c'est pas comme ça qu'elle va se trouver un mec bien, gentil papa ou non, lâche Lizzy en glissant de son tabouret.

Elle rejoint Nat et l'entraîne doucement, un bras passé dans le sien, car elle ne cesse de trébucher en chemin. Après avoir stabilisé Nat sur son siège, Lizzy s'assied sur le tabouret voisin et se rapproche suffisamment d'elle pour pouvoir la rattraper si elle s'effondre.

— Y a un truc qu'il faut que je te demande, dit Nat d'une voix traînante, le regard levé vers Lizzy, tout en gardant un œil fermé. Comment tu peux avoir envie un seul instant de ressortir avec Jason ?

Je pousse un soupir bruyant.

— Nat, c'est son choix. Nous devons le respecter.

— Je sais, mais on se pose quand même tous la question.

Nat tente de plaquer la paume sur la table, mais rate sa cible. Lizzy bondit pour la rattraper avant qu'elle ne tombe de son tabouret.

— Et l'autre femme, au fait ?

— Ça ne te regarde absolument pas, interviens-je, pressée de mettre un terme à cette conversation.

— C'est bon, me tranquillise Lizzy. Il faut bien qu'on règle cette question une bonne fois pour toutes.

— Ouais, renchérit Nat en cherchant son verre de vin à tâtons sur la table.

Lizzy le pousse plus loin et pose un verre d'eau devant elle. Nat l'attrape et l'agite en direction de notre amie.

— Quel genre de femme peut bien s'intéresser à un homme pris, franchement ? Même moi, je m'abaisserais pas à ça.

Ma gorge se serre. Je garde le silence tandis que la conversation que je redoute depuis des mois s'engage sans prévenir et menace de foutre ma soirée totalement en l'air.

— Les hommes pensent avec leur bite !

Nat se balance sur son tabouret.

— Chez eux, le cerveau se trouve dans les couilles !

Je me recroqueville intérieurement. Je sais bien qu'il est plus sage de la fermer, mais j'aimerais tout de même offrir mon point de vue à Nat. Je n'en fais rien, cependant. J'en suis incapable. Je n'ai pas d'autre choix que de rester assise à les écouter critiquer ladite femme, la traiter de tous les noms, évaluer son degré de perversion, bref : la tailler en pièces. Brutalement. Sans la moindre pitié.

À raison.

Je me tasse de plus en plus sur mon tabouret. Une migraine s'installe sous mon crâne et mon cœur me fait mal. Il serait stupide de croire un seul instant que quelqu'un peut me comprendre. Le minuscule espoir que je nourrissais vient de s'envoler. Cette situation est insupportable. J'attrape mon sac à main, bondis de mon tabouret et file aux toilettes, si pressée d'échapper à ce jeu de massacre que j'en oublie de les prévenir. Des larmes me picotent les yeux et il ne faut surtout pas que mes amies s'en aperçoivent.

Je m'enferme dans une cabine jusqu'à ce que mon estomac barbouillé cesse de tanguer et que mon esprit se calme. Je n'étais pas préparée à ça. Il est facile pour moi de martyriser ma conscience, mais je n'ai aucun contrôle sur les pensées des autres. Pour la première fois depuis que je me suis embarquée dans cette aventure, je me sens terriblement seule. Où est Jack ? Que fait-il au lieu de me tenir dans ses bras, de m'assurer que tout va bien se passer ? La colère qui bouillonne en moi fait revenir la nausée. Il est avec sa femme. Il la saute dans les toilettes d'une galerie. Soudain, mon portable sonne. Et bien qu'il risque de me faire exploser de colère, j'ouvre son message.

Où es-tu passée ? Tu me manques.

Les lèvres retroussées de dédain, je supprime ces mots vains. À l'évidence, je ne lui manquais pas du tout il y a quelques heures. Je quitte les toilettes puis me dirige tout droit vers le bar et commande une bouteille. Lorsque mon portable sonne cette fois, je me force à répondre.

— Allô ?

— Où es-tu ? demande-t-il à voix basse.

Je l'entends mal à cause de la musique. Il a dû trouver un endroit calme pour m'appeler, loin de sa femme.

— Annie ?

— Je suis occupée.

Je raccroche, mais avant que j'aie le temps d'emporter nos verres, mon portable recommence à sonner.

— Quoi ? aboyé-je d'un ton sec.

— Mais qu'est-ce qui t'arrive ?

— Rien. Retourne auprès de ta femme, Jack.

Je mets fin à l'appel et repars vers notre table en ignorant ses trois tentatives suivantes.

Je fais signe à Nat et Lizzy qui sont sur la piste de danse. Elles lèvent les pouces lorsqu'elles aperçoivent la bouteille dans ma main.

— Annie Ryan ! s'exclame une voix masculine derrière moi, attirant mon attention.

Je tourne la tête et découvre un mec bien charpenté au sourire mignon, appuyé à une table proche. Et je vois ses cuisses. Des cuisses épaisses de rugbyman.

— Tom, répliqué-je, faisant de mon mieux pour ne pas hésiter sur son prénom.

C'est le dernier homme avec qui j'ai couché avant Jack. L'ami d'un ami de Jason.

— Bien vu, me taquine-t-il. Comment vas-tu ?

— Bien, merci. Et toi ?

— On fait aller.

Il pointe mon verre vide du doigt.

— Je t'offre quelque chose à boire ?

L'occasion inattendue qui se présente soudain à moi met un terme direct à ma colère noire. Moi qui croyais que l'alcool était la seule issue... Peut-être que je me trompais. J'ignore la bouteille pleine que je viens de poser sur la table et réponds en souriant :

— Pourquoi pas ? Un verre de sauvignon, s'il te plaît.

— Petit ? Grand ?

— Grand.

Tom se dirige vers le bar et passe commande, tandis que je tente de faire taire la partie stupide de mon esprit tordu qui m'ordonne de ne pas commettre un acte que je risque de regretter. En réalité, il n'est pas vraiment difficile de l'ignorer. Mon seul regret à l'heure qu'il est, c'est d'avoir eu une aventure avec un homme marié. Techniquement, je suis célibataire. Je suis techniquement libre de faire ce que je veux quand je veux. C'est Jack qui est marié, pas moi. Et il n'est pas le seul à avoir le droit de s'amuser. Je me tourne vers la piste de danse où Lizzy et Nat, bourrées, se bousculent comme des idiotes, et j'attire leurs regards. Lorsque Lizzy sourit et Nat lève les pouces, je devine qu'elles ont repéré Tom. Persuadées que je suis restée célibataire ces quatre derniers mois, elles seront sûrement prêtes à tout pour que Tom et moi finissions dans le même lit cette nuit.

Avec un sourire reconnaissant, je prends le verre que Tom me tend et me refamiliarise avec son physique. C'est un homme à la beauté sauvage. Son nez a visiblement été cassé plusieurs fois et il a une cicatrice bien nette en travers du front. Ses cheveux sont courts, coiffés avec du gel. Il a le cou épais.

— Alors, quoi de neuf ? lancé-je, afin d'engager la conversation, tandis qu'il se perche sur le tabouret de Lizzy.

— Plein de choses, en fait. Je suis parti en Écosse l'année dernière pour travailler dans un centre d'entraînement pour enfants.

— Super. Mais tu n'y es pas resté ?

— C'était un programme d'un an proposé par un des clubs de la ligue. Nous ouvrons un centre ici à Twickenham le mois prochain.

Je hoche la tête.

— Ça alors, tu joues au rugby ?

Tom rit.

— Comment tu as deviné ?

Je hausse les épaules et pose mon verre sur la table.

— Les oreilles en chou-fleur, sans doute.

— Hé ! Je porte un casque de protection.

Tom tend la main et me donne un petit coup de poing dans la mâchoire.

Je souris avec coquetterie.

— Je te taquinais. Ce boulot a l'air super.

— Ouais, je m'éclate. Et toi, qu'est-ce que tu deviens, Annie ?

Il boit une gorgée de sa pinte et sourit.

— Nous n'avons pas vraiment eu le temps de discuter, la dernière fois.

Je lui rends son sourire en me remémorant cette nuit-là. Beaucoup d'alcool, beaucoup de rires, et nous avons fini au lit.

— Non, mais nous avons fait beaucoup d'autres choses.

— J'ai essayé de t'appeler plus tard.

Tom me regarde attentivement.

— Pourquoi tu m'as donné ton numéro, si tu ne prévoyais pas de me répondre ?

— Le travail a un peu pris le pas sur le reste de ma vie.

— Je me suis dit que tu sortais peut-être avec quelqu'un.

— Oh, non !

— Et en ce moment ?

J'avale ma salive, puis inspire profondément.

— Non, rétorqué-je d'une voix ferme et cent pour cent convaincue.

19

Ne me demandez pas ce que je fais, parce que je n'en ai aucune idée. C'est une manie chez moi, en ce moment. Une chose est sûre, je souffre le martyre intérieurement, d'autant plus qu'au fond de moi, je sais que je n'ai pas le droit de me sentir trahie. Dans mon esprit, les questions se bousculent. « Je me sens trahie », en voilà une phrase idiote ! Peut-être est-ce mon karma. Peut-être le destin a-t-il décidé qu'Annie Ryan n'avait pas le droit d'être heureuse. Elle n'a pas le droit d'avoir ce qu'elle souhaite désespérément parce qu'elle a menti et trahi afin de l'obtenir.

Je sors du taxi devant mon appartement, suivie de près par Tom. Lorsqu'il claque la portière, le bruit résonne dans l'air nocturne autour de nous. Il s'est passé quelque chose devant le bar, pas grand-chose, juste un regard, mais ça a suffi pour qu'il me demande si j'avais besoin de compagnie cette nuit, et ça a suffi pour que je dise oui. Tout en montant l'allée, je me demande ce que je suis en train de faire et ce que je vais bien pouvoir y gagner. Aucune réponse ne me vient. Je me venge parce que je souffre à mort et ça réveille mon penchant autodestructeur. Je glisse la clé dans la serrure, pousse la porte et laisse Tom me suivre à l'intérieur.

— Sympa, déclare-t-il en fermant la porte derrière lui. Ça fait longtemps que tu habites ici ?

— Juste quelques mois, réponds-je par-dessus mon épaule, avant de me diriger vers la cuisine. Thé, café, alcool ?

— Ce que tu prendras.

Je réfléchis un instant, les yeux posés sur la bouilloire puis les verres à vin. C'est idiot, mais une chose aussi simple que le choix de notre boisson risque fort de déterminer la tournure que prendront les choses.

— Du blanc, ça te va ? proposé-je en descendant deux verres du placard.

— Super.

Tom se dirige vers la double porte qui mène au jardin.

— J'adore, s'exclame-t-il en la déverrouillant, tandis que je remplis deux verres. J'habite au cinquième étage d'un gratte-ciel. Aucun espace extérieur.

J'emporte nos verres et le rejoins dans mon petit jardin.

— Tiens.

Tom lève le sien, avant de boire une gorgée.

— Santé, lancé-je.

Il flâne jusqu'au saule, pousse quelques branches et jette un coup d'œil à l'espace caché derrière.

— Ouah, vraiment cool.

— C'est mon petit coin tranquille, acquiescé-je, alors que m'assaille un flash inattendu : les gémissements de plaisir exaspérants de Stephanie.

Et puis le grognement de Jack. Ces sons passent en boucle dans ma tête. Encore et encore, plus bruyants à chaque fois. Je grimace, ferme les yeux, mais Tom interrompt mon profond désarroi :

— Tu ne m'as jamais dit quel était ton métier, au fait.

— Je suis architecte.

— Cool. Tu as dessiné des bâtiments que je pourrais connaître ?

— Comme le Shard ou quelque chose d'aussi emblématique ? suggéré-je avec un sourire taquin.

Tom rit.

— Je sais que le type qui a dessiné le Shard était italien.

Tu n'es pas italienne, et tu n'es incontestablement pas un mec.

Il me lance un clin d'œil coquin qui me fait rire.

— Il s'appelle Renzo Piano. Malheureusement, je ne lui arrive pas à la cheville. Un jour, peut-être...

Je hausse les épaules.

Tom sourit et fait un pas vers moi. Seuls quelques centimètres nous séparent à présent. Je lève les yeux vers lui et découvre un regard doux, interrogateur.

— J'espère que je n'ai pas mal interprété les signes, dit-il.

Lorsqu'il s'approche, je retiens mon souffle et attends que ses lèvres se posent sur les miennes. Recevant son baiser, je soupire et me détends. Ses lèvres sont douces et tendres ; sa bouche embrasse lentement la mienne. Mon esprit se vide. Quel soulagement ! Quel répit ! Pas question de rater l'occasion de me libérer de mes chaînes mentales. Même si cette trêve n'est que temporaire.

Mon verre de vin dans une main, je passe mon bras libre autour de ses larges épaules et réponds à son baiser. Mon empressement le force à accélérer un peu le rythme. Avec un peu de chance, la douleur va finir par s'éloigner. Pas de chance : mon obscurité est soudain envahie par des images de Jack. J'essaie d'ignorer son beau visage, lorsque Tom fait glisser ma robe sur mes bras, exposant les bretelles de mon soutien-gorge. Le soutien-gorge que Jack m'a offert. Je persévère et fais passer notre baiser à la vitesse supérieure, dans l'espoir de surmonter mon manque de courage momentané. Mais soudain, tout s'arrête net lorsque retentit un grand fracas. Tom s'écarte rapidement de moi et jette un œil du côté de la double porte.

— Qu'est-ce que c'était ? demande-t-il, un peu hébété.

— Je n'en sais rien.

Je fais quelques pas vers l'appartement afin d'aller voir et, juste au moment où j'arrive dans la cuisine, Jack déboule du salon. Je m'arrête brusquement, choquée de le voir ici. Les yeux hagards, il paraît totalement dément. Il me dévisage en haletant, la chemise sortie du pantalon, le gilet de son costume ouvert, le nœud de sa cravate pendant au milieu du torse. Il a l'air d'une loque humaine. Dès que ses yeux se lèvent et se posent quelque part derrière moi, sa mâchoire se crispe. À l'évidence, il a découvert que j'avais de la compagnie.

Je redoute aussi que Jack pète les plombs et saute à la gorge de mon « invité ». Je ne peux pas le laisser faire une chose pareille. Je me tourne donc vers Tom.

— Désolée, mais je crois qu'il vaut mieux que tu partes.

Je prends le verre de vin de sa main et le pose. Le regard noir qu'il lance à Jack ne me plaît pas du tout.

— C'est qui ce mec ? intervient Tom sans quitter des yeux le forcené qui se tient dans l'entrée de ma cuisine.

J'entends Jack prendre une inspiration et attends qu'il dise quelque chose, mais il reste silencieux. Que peut-il répondre, de toute façon ? « Je suis un homme marié, mais je me tape cette fille » ?

— Un ami, réponds-je en prenant Tom par le bras. Viens, je te raccompagne.

En chemin, je regarde Jack, dont la mâchoire est aussi crispée que la sienne. Il nous laisse passer, mais ses narines se dilatent agressivement. De toute évidence, il fait son possible pour ne pas se jeter sur Tom et lui casser la gueule.

— Je ne suis pas sûr que je devrais te laisser seule avec lui, hésite celui-ci, au moment où nous atteignons la porte d'entrée.

Elle est ouverte et des éclats de bois se dressent autour de la serrure.

Je n'en reviens pas.

— Il n'est pas de ce genre-là, murmuré-je faiblement en essayant de sourire.

— Il me semble que ta porte d'entrée n'est pas du même avis.

Tom pointe le bois du doigt avec un froncement de sourcils.

Je m'en veux tellement de l'avoir mis dans cette situation !

— Je suis vraiment désolée pour tout ça.

— Un ex ? demande-t-il, le sourcil levé.

Je me contente de hocher la tête. Que répondre autrement ?

— J'ai comme l'impression qu'il a du mal à tourner la page, plaisante Tom. J'espère que vous allez réussir à régler le problème.

Il est si gentil que je me sens encore plus coupable. Tom se penche puis dépose un baiser sur ma joue.

— En tout cas, pense à moi si vous n'y parvenez pas, hein ?

Je lève la main et serre son bras.

— Merci pour les boissons et le brin de causette.

— Pas de problème. À plus, Annie.

Je tente de refermer la porte plusieurs fois, mais le loquet ne tient plus. Les dégâts sont importants : des morceaux de bois ont volé en éclats, dont certains jonchent le sol. Jack a donc ouvert ma porte d'un coup de pied ? Il a ouvert la porte d'un coup de pied et déboulé dans mon appartement comme s'il avait des droits sur moi ?

Je retourne dans la cuisine et le trouve appuyé contre le mur, la tête renversée, le souffle toujours bruyant, les poings serrés. Lorsqu'il m'entend entrer, Jack se redresse et me regarde avec un rictus. Pas question de me laisser intimider.

— Où est Stephanie ?

— Mais on s'en fout, putain ! hurle-t-il, m'obligeant à reculer de quelques pas, le doigt pointé sur moi. Tant pis si je passe pour un malade, mais tu n'as pas le droit de voir d'autres hommes ! Comment tu as pu me faire ça, putain ?

Comment j'ai pu lui faire ça ? Comment *j'ai* pu *lui* faire ça ?

— Non, mais quel sale con !

J'envoie valser le verre du vin posé sur le plan de travail, qui traverse la cuisine et s'écrase contre le mur. Le fracas résonne une éternité dans l'air.

— Tu crois que ça m'a amusée de vous entendre, elle et toi, tout à l'heure ?

Jack rentre la tête dans les épaules, les yeux écarquillés, méfiants.

— Tu nous as entendus ?

— Dans les toilettes à la galerie ! Tu n'as même pas pu attendre d'être chez vous pour la sauter !

Je suis obligée de me couvrir les yeux afin de faire taire les sons récurrents dans ma tête. Les mains de Jack m'enveloppent les poignets et essaient de dégager mon visage.

— Ne me touche pas !

Je lutte contre lui, agitée, hystérique, et pleure sans pouvoir me maîtriser.

— Mais putain, Annie !

Jack tente plus énergiquement de me calmer. Il me fait pivoter, serre mes mains derrière mon dos et me plaque contre le mur. Ensuite, il presse le corps contre le mien pour me maintenir en place et respire au même rythme que moi.

— Calme-toi.

Son grand corps m'empêche peut-être de m'échapper, mais je ne cesse pas pour autant de trembler comme une feuille, tandis que des torrents de larmes coulent sur mes joues.

— Va-t'en, intimé-je en sanglotant. Va-t'en.

— Je n'irai nulle part, répond-il.

Jack se débrouille pour me tenir d'une seule main à présent. Je ferme les yeux, pressée de retrouver l'obscurité dans laquelle est plongé mon esprit, mais je ne parviens pas à refouler les vagues de désespoir qui me traversent. Sans me relâcher, Jack attend que mes sanglots cessent avant de parler.

— Je l'ai emmenée aux toilettes pour qu'elle se calme, Annie. Elle faisait n'importe quoi. Elle était de plus en plus bruyante, de plus en plus insultante et impolie.

— Je l'ai entendue gémir. Et toi, tu grognais, putain ! Elle te demandait de lui retirer sa robe. Tu l'as fait ? Est-ce que tu lui as enlevé sa putain de robe, Jack ?

Il me fait pivoter en gardant mes mains derrière mon dos et mon corps pressé contre le mur. Ses joues recouvertes de barbe se creusent de colère.

— Elle essayait de me déshabiller. Elle était ivre, Annie. Je ne faisais que l'obliger à me lâcher. Je ne grognais pas, je chuchotais parce que j'avais entendu quelqu'un entrer dans ces putains de toilettes !

J'appuie l'arrière de la tête contre le mur, dans l'espoir d'échapper à son regard furieux.

— Est-ce que tu m'entends ? me rugit-il en pleine figure. Est-ce que tu écoutes ce que je suis en train de te dire ?

J'acquiesce d'un signe de tête, le menton tremblant, le visage cuisant.

— Si tu étais restée dans ces toilettes une minute de plus, tu aurais entendu notre dispute. Tu m'aurais vu sortir de là en trombe. Tu aurais vu Stephanie gifler une serveuse sous prétexte qu'elle matait mon cul.

Horrifiée, j'inspire à fond, incapable d'éprouver le moindre soulagement.

— Mais qu'est-ce que tu racontes ?

— Ça, on peut dire qu'elle nous a fait un sacré numéro, ce soir, lance-t-il avec un rire sardonique.

— Tu aurais dû me prévenir, lâché-je dans un murmure.

— Tu ne m'en as pas laissé le temps.

Jack ferme les yeux. Son corps se détend contre le mien, puis il s'écarte, soulève sa chemise et se tourne. Une main plaquée sur la bouche, je découvre l'état de son dos : rouge, à vif. Je suis terrifiée.

— Chaque fois que je la regarde, Annie, souffle-t-il à voix basse, je lis la menace dans ses yeux. Elle sait que je l'ai déjà quittée dans ma tête.

Le grincement de ses dents ne m'échappe pas lorsqu'il

baisse sa chemise et se tourne vers moi. Ses paupières s'ouvrent et son regard plonge dans mes yeux écarquillés.

— Elle ne va pas me faciliter les choses, même si elle n'est pas au courant pour toi et moi.

Je renifle, envahie par un sentiment de culpabilité. Jack traverse ces épreuves tout seul – il doit faire face à Stephanie et sa tyrannie au quotidien, et pendant ce temps-là, je me contente de faire l'autruche.

— Toi seule me donnes le courage d'essayer de me sortir de là. Ne me laisse pas tomber maintenant, ma puce. S'il te plaît.

Le regard de Jack se pose sur mon épaule et je vois les creux de sa mâchoire détendue recommencer à palpiter. Sa main se lève et suit légèrement la bretelle de mon soutien-gorge. Ce n'est pas un geste affectueux.

Je comprends ce qui menace de lui faire perdre son sang-froid, au moment où il pose son regard dégoûté sur moi.

— Tu portes les sous-vêtements que je t'ai offerts, murmure-t-il.

Jack tente d'inspirer à fond afin de se calmer, mais il y échoue totalement. Saisissant le haut de mes bras, il me maintient en place.

— Tu allais laisser un autre homme te baiser, alors que tu portais les sous-vêtements que je t'ai offerts ?

Je secoue faiblement la tête.

Il recule.

— Est-ce que tu l'as embrassé ? Dis-moi que tu n'as pas fait une chose pareille.

Je suis aussitôt sur la défensive.

— Depuis des mois, j'accepte que tu te couches auprès d'*elle* tous les soirs. Pas moi. *Elle.*

Un nouveau flot de larmes ruisselle sur mes joues.

— C'est auprès de moi que tu devrais te coucher !

Je lâche un sanglot et toussote en regardant ailleurs.

Jack pousse un grognement et me relâche.

— Cette situation est vraiment malsaine, grommelle-t-il en passant une main frustrée dans ses cheveux.

Comme il ne me soutient plus, mes genoux cèdent. Je glisse le long du mur et tombe sur les fesses. Jack pose les poings sur ses yeux, les frotte brutalement et laisse tomber la tête en arrière.

— Je sais que tu as peur des conséquences, Annie, concède-t-il, calmement cette fois. Tu peux me croire, j'ai la trouille aussi, mais j'en ai plus qu'assez de ces histoires.

Mon cœur tambourine dans ma poitrine lorsqu'il se laisse lourdement tomber sur les genoux, prend mes mains et se rapproche de moi.

— Annie, écoute-moi.

Jack me serre les mains, le visage très sérieux.

— Si je continue à vivre cet enfer, il ne restera bientôt plus rien de moi.

Il laisse tomber mes mains, attrape mes joues et tient mon visage, tandis que mes larmes continuent à couler.

— Je suis fou amoureux de toi, chérie, et je déteste cette situation totalement dingue qui me maintient éloigné de toi. Je me fiche des conséquences. Je ne peux plus la laisser me manipuler. Et je me fiche de ce que penseront les gens quand je la quitterai.

Il m'embrasse sur le front et laisse sa bouche posée sur ma peau, tandis que mes mains montent jusqu'à ses épaules et s'agrippent à lui.

— Nous sommes restés trop longtemps sur notre petit nuage, ma puce. Je ne veux plus de cet amour à temps partiel. Je veux être avec toi seule. J'essaie de gagner du temps, mais chaque jour est une journée de perdue avec toi. Et c'est une autre partie de moi qui s'émiette.

Je craque dans ses bras en réalisant que nous avons atteint un point critique. Je visualise déjà ce qui nous attend – la souffrance, l'abattement –, certaine que ce sera pire que tout ce que je peux imaginer.

— Je ne veux pas te perdre, murmuré-je faiblement, consciente que Stephanie a la capacité de manipuler Jack, de le culpabiliser et d'influencer sa décision.

Comment peut-elle être heureuse en le sachant aussi malheureux ?

— Tu ne me perdras pas, je le jure devant Dieu.

Jack inspire tout en éloignant les lèvres de mon front et approche le visage du mien, de sorte que je le regarde.

— Ça ne va pas être facile, mais tant que tu m'attends au bout du chemin, je suis capable de tout surmonter.

La voix de Jack tremble, tout comme sa lèvre inférieure.

— Je suis terrifié à l'idée que le jeu n'en vaille pas la chandelle à tes yeux et que tu me quittes.

— Mais non ! lui assuré-je en agrippant ses mains posées sur mon visage. Jamais je ne pourrais te quitter. Je t'aime trop pour ça.

Je déteste le voir aussi soulagé, comme s'il avait douté de mon amour pour lui. Il se peut que je ne l'aie pas exprimé avec des mots, mais je l'ai fait de toutes sortes d'autres façons. Je ne me serais jamais mise dans cette situation si notre amour n'était pas aussi puissant. Aussi stimulant. Aussi vivifiant. Jack est toute ma vie. Il est mon cœur qui bat. Il est tout pour moi. Jack hoche la tête et me caresse les cheveux, puis sa main se pose sur ma nuque et la masse.

— Nous allons donc surmonter ça ensemble. Nous trouverons une solution.

Il se laisse tomber sur les fesses et m'attire contre lui, s'accrochant à moi comme s'il ne m'avait jamais tenue dans ses bras avant. Son cœur bat fort. Comme il ne cesse d'avaler sa salive, je comprends combien il est ému.

— Je t'aime. Je ne regretterai jamais de ne pas être rentré directement chez moi ce soir-là, affirme-t-il à voix basse.

Je souris malgré l'épuisement et le serre plus fort.

— Traverser cette rue pour te rejoindre est la meilleure décision que j'aie jamais prise.

Jack embrasse ma tête sans arrêt et me touche partout. Je me blottis dans ses bras, de plus en plus apaisée par ce contact.

— Tout ira bien, chuchote-t-il.

Se détachant doucement de moi, il sourit légèrement, le regard empreint de l'inquiétude et de l'appréhension que j'éprouve moi-même.

— Mieux vaut que j'y aille, décide-t-il à regret, au moment où son portable sonne.

Avec un soupir las, il regarde l'écran en même temps que moi. Lorsque le prénom de sa femme apparaît sous nos yeux, nous paraissons encore plus découragés.

— Où est-elle ?

— À la maison. Je suis parti dès qu'elle a commencé à s'en prendre à moi physiquement.

Je grimace, mais la colère m'envahit aussitôt. Plus tôt il sera sorti de là, mieux ce sera. Jack se lève, m'aide à me relever puis écarte mes cheveux de mon visage humide.

— Il faut que je répare ta porte avant de partir.

Me prenant par la main, il traverse le vestibule. Ma porte est littéralement sortie de ses gonds. Impossible que Jack répare ça. Il va y passer la nuit.

— Je vais appeler un serrurier.

— Pas question de te laisser avec ta porte dans cet état.

— Tu n'avais qu'à réfléchir avant de l'enfoncer, rétorqué-je en marmonnant.

— Tu n'avais qu'à réfléchir avant d'inviter un homme...

Je lève la main, la plaque sur sa bouche et ses yeux s'écarquillent. Ensuite, ses lèvres s'entrouvrent et remuent un peu, puis il me mord la main.

— Aïe !

Je recule aussitôt, mais ne parviens pas à me venger avant qu'il me saisisse par la taille et me plaque contre son corps. Soulevant mes bras et les passant autour de ses épaules, Jack colle le nez contre le mien. Quand je le fusille du regard, il rit bêtement. Je ne vois pas du tout pourquoi. Cette soirée a été aussi drôle qu'un film d'horreur.

— Mais qu'est-ce qui peut bien te faire rire ? demandé-je, indignée.

— Rien. Mais si je ne ris pas, je risque de pleurer comme un putain de bébé.

Je soupire.

— Il vaut mieux que tu y ailles.

Ses yeux brillants se ternissent immédiatement.

— Je n'ai pas envie de te quitter.

— Tu n'as pas le choix, répliqué-je en me détachant de lui.

Je me dirige vers la porte avant de craquer et de le supplier de rester.

— On peut se voir demain ? me propose Jack. Je dois être au bureau toute la journée, mais je pourrai m'éclipser une heure pour le déjeuner.

Je m'efforce de garder les bras le long des flancs quand il s'arrête devant moi et m'adresse un regard plein d'espoir. Après tout ce qui vient de se passer, je n'ai qu'une envie : l'attraper par la taille, le plaquer au sol et me blottir contre sa poitrine. Et l'empêcher d'aller la retrouver.

— Tu dois aller au bureau ? Mais on est samedi, demain.

— J'ai des trucs à terminer.

Sans doute une excuse pour ne pas rester chez lui.

— Où veux-tu qu'on se retrouve ?

— Il y a un petit resto au fond des docks.

— C'est un peu près de vos bureaux, non ?

— Aucun de mes collègues ne traînera dans le coin un samedi.

— D'accord, accepté-je sans hésiter.

Si ça ne pose pas de problème à Jack, aucune raison pour que ça m'en pose un.

— Midi, ça ira ? Je prends un café avec Micky à dix heures. Je ne devrais pas en avoir pour plus d'une heure.

— Midi, confirme Jack, avant de s'arrêter devant la porte

et d'examiner le bois fissuré. Appelle tout de suite le serrurier et envoie-moi un message une fois qu'il sera passé.

Il se tourne vers moi et m'adresse un regard sévère.

Je soupire.

— Je ne vais quand même pas te déranger pour ça !

— Bien sûr que si. Je ne dormirai pas tant que tu ne m'auras pas donné de nouvelles.

Jack devient un peu trop téméraire, non ? En tout cas, tous les signes sont là : il enfonce ma porte, me propose de le retrouver pour le déjeuner, m'ordonne de lui envoyer un message avant qu'il aille se coucher. Je sais qu'il a pris sa décision, mais il doit encore prendre quelques précautions, réfléchir à la meilleure façon de la quitter et trouver le meilleur moment pour le faire. Des vagues froides parcourent mes veines à cette pensée.

Après m'avoir embrassée sur la joue, il descend l'allée.

— Je t'enverrai l'adresse du restaurant.

— D'accord. À demain !

Je referme ma porte du mieux que je peux, puis pars à la recherche de mon portable afin d'appeler un serrurier. Celui-ci ne peut pas me préciser l'heure à laquelle il passera. Une fois que j'ai prévenu Jack, je ne vois rien d'autre à faire que de m'asseoir dans mon canapé et attendre son arrivée, alors que je rêve de me mettre au lit et de couper le son de mon cerveau. Jamais je n'y arriverai, de toute façon. Il va la quitter. On pourrait croire que c'est ce que toute femme amoureuse d'un homme marié veut entendre de sa bouche, mais à cause de tout ce que je sais, je suis plus terrifiée que folle de joie.

Terrifiée pour Jack.

Mon Jack.

20

Je me réveille lorsque des coups retentissent – insistants, affolés. Comme un zombie, je titube le long du couloir et atteins ma porte d'entrée, puis secoue mon bras mort, les yeux toujours pas en face des trous. Un fourmillement m'empêche de saisir la poignée de la porte afin de la tourner et d'ouvrir. J'encourage mentalement mes muscles à se réveiller tandis que les coups se poursuivent et me vrillent les tympans. Changeant de main, je finis par hurler :

— Une minute !

J'ouvre la porte à toute volée et râle, avant de découvrir qui est le coupable. Je me réveille brusquement lorsque la silhouette floue prend les traits de Jack. Il a l'air un peu troublé.

— Mais qu'est-ce que tu fais ?

— Il est treize heures, grommelle-t-il en me poussant à l'intérieur, avant de refermer la porte derrière lui. Tu n'as pas répondu à mon message lorsque je t'ai envoyé l'adresse du restaurant et tu n'es pas venue.

Il pointe un doigt vers mon visage.

— Je me suis fait un sang d'encre !

Je cligne des yeux plusieurs fois, en attendant que les informations parviennent à mon cerveau.

— Treize heures ? J'étais censée retrouver Micky à dix heures !

Prise de panique, je pivote sur mes talons et me précipite

dans le salon afin de mettre la main sur mon portable. Je soulève les coussins du canapé et les lance par-dessus mes épaules. Pas de portable. Je glisse la main sur les côtés et cherche à tâtons.

— C'est ça que tu cherches ?

Jack prend mon portable sur le meuble de la télé et l'agite en l'air.

— Oui !

Je me précipite et le lui arrache des mains. La batterie est à plat.

— Merde !

Je me dépêche de le brancher et attends impatiemment qu'il s'allume. Différents sons se mettent à tinter, les uns après les autres. Je grimace en voyant appels manqués et messages jaillir sur l'écran ; pas seulement de Micky, mais de Nat et Lizzy aussi. J'imagine très bien mon vieux copain les appeler pour savoir où je suis. Parcourant les messages, je m'aperçois que chacun de mes amis en a laissé un, afin de me demander où je suis passée et si j'ai bien pris mon pied. J'appelle aussitôt Micky, de peur qu'il soit sur le point de débarquer chez moi.

— Merde, dis-je en tombant sur son répondeur. C'est Annie. Je viens seulement de me réveiller. Appelle-moi ! conclus-je en riant comme une idiote.

Après avoir raccroché, j'entreprends d'appeler Nat et lui sors la même excuse, m'éloignant de Jack lorsqu'elle me demande un peu trop bruyamment si j'arrive encore à marcher. Quand je me tourne vers lui, ses narines se dilatent dangereusement.

— Je te rappelle, soufflé-je avant de raccrocher.

Ensuite, j'appelle Lizzy. Elle ne sera sans doute pas aussi facile à duper.

— Mais qu'est-ce que tu foutais ? me lance-t-elle en guise de bonjour.

— Je viens de me réveiller.

Le visage plissé, j'attends son grognement incrédule. Jamais je ne me suis réveillée aussi tard depuis qu'on se connaît. Je regarde Jack et le vois lever les yeux au ciel, preuve de son agacement.

— Je suis en chemin. Je tenais à m'assurer que tu n'étais pas morte.

— Pas besoin !

Je lance un regard affligé à Jack, qui se laisse tomber sur le canapé.

— Je sors, mes parents m'attendent.

— Oh. D'accord. Alors, comment c'était ? Tu vas le revoir ? Il me plaît bien ton rugbyman !

Je tourne le dos à Jack et grimace.

— Je ne peux pas te parler maintenant.

— Oh, mon Dieu ! Il est encore là ?

Elle couine, surexcitée.

— Appelle-moi plus tard ! Je veux tous les détails.

— D'accord.

Je raccroche et laisse tomber mon portable sur le canapé, épuisée par cette longue série de bobards.

— Je n'arrive pas à croire que j'ai dormi aussi tard.

Ce n'est pas surprenant, pourtant. Le serrurier n'est arrivé qu'à quatre heures du matin et je ne me suis pas couchée avec cinq heures.

— Pas de souci, grommelle Jack. Ce n'est pas comme si j'avais frôlé la crise cardiaque.

— Que craignais-tu qu'il me soit arrivé ? dis-je en passant devant lui pour me rendre dans la cuisine. Tu redoutais le retour du forcené qui a enfoncé ma porte, peut-être ?

— Mais il est revenu ! répond-il, la voix grave et rauque... tout près derrière moi.

Je pivote et heurte son torse.

— Oh !

Jack m'attrape et me soulève, puis il m'offre un long baiser passionné en guise de bonjour.

Les lentes rotations de sa langue m'aident aussitôt à me détendre.

— Hmm... Salut, toi.

— Tu m'as manqué, putain.

Sans détacher les lèvres des miennes, il me repose sur le sol.

— Ça fait douze heures qu'on s'est quittés.

— Chaque minute est aussi longue qu'un siècle, grogne-t-il dans ma bouche. Je n'ai pas fermé l'œil de la nuit. Je n'ai fait que rêvasser jusqu'au matin et marteler la table du restaurant un million de fois avec ma fourchette en t'attendant.

Il recule et me fusille du regard.

C'est alors que je la vois. Une horrible marque rouge sur sa pommette. Mon regard s'ancre dans cette tache, tandis que la fureur me déchire le ventre.

— Ce n'est rien.

Jack couvre la marque et s'éloigne, afin d'éviter mon regard furieux.

— Ah oui ?

Stupéfaite, je commence à trembler de rage. Elle l'a déchiqueté avec ses putains d'ongles hier soir, et plus tard, elle a tenté de le défigurer ?

— Tu ne peux sans doute pas riposter, Jack, mais rien ne pourra m'en empêcher.

Enragée, je le dépasse en trombe, bien décidée à mettre la main sur Stephanie et lui rendre la monnaie de sa pièce pour ces marques, et toutes celles que je n'ai pas vues aussi.

— Arrête, Annie.

Il enroule un bras autour de ma taille et me soulève du sol.

— Elle n'a pas le droit de te faire ça ! rugis-je en me dégageant. Je te le jure, Jack, je lui arracherai ses putains de bras pour qu'elle ne puisse plus jamais te toucher !

— Annie, calme-toi à la fin.

Sa voix est si calme, si posée, lorsqu'il me ramène dans la cuisine.

— Tu ne vas rien faire du tout.

Me déposant sur le sol, il m'adresse un regard d'avertissement.

Ce n'est pas juste.

— Qu'est-ce ce que ça te ferait si tu me trouvais dans cet état ? lui lancé-je en pointant la marque du doigt.

Je grimace en imaginant la main de Stephanie entrer en contact avec son visage. Son beau visage.

Jack me répond par un grognement menaçant.

— Ne pose pas de questions stupides, Annie.

— Ce n'est pas stupide, mais sincère. Réponds-moi.

Son expression se fait meurtrière.

— Je serais capable de tuer.

— C'est bien ce que je disais.

Mes lèvres forment une fine ligne droite, tandis que Jack s'arme visiblement de patience.

— Je ne suis pas venu ici pour me disputer avec toi. S'il te plaît, laisse-moi gérer ça.

J'ouvre la bouche pour protester à nouveau, mais il la couvre de sa paume. Mes yeux se plissent de colère.

— S'il te plaît.

Sa supplication fait éclater ma bulle de rage comme une aiguille et une boule se loge dans ma gorge. Voilà que je le stresse encore plus, comme s'il n'avait pas suffisamment de soucis. Finalement, même si j'arracherais volontiers les membres de sa femme un par un, je cède et retire sa main de mon visage afin de pouvoir parler.

— Je suis désolée.

— Ne t'excuse pas, je suis ravi que tu m'aimes autant.

Ses doigts se glissent dans mes cheveux et agrippent la base de ma nuque.

— Tu m'entends ?

Je hoche la tête, et Jack fait de même.

— Parfait. Maintenant, prépare-nous du café.

Il plante un baiser sur le bout de mon nez, me fait pivoter dans ses bras et me congédie avec une tape sur les fesses.

Je commence à préparer un bon café, fort et bien chaud, mais je m'arrête tout en versant les grains dans mon énorme mug.

— Où est-elle, au fait ? demandé-je en me retournant.

— Partie me faire un café, répond-il d'un ton désinvolte.

Il a beau plaisanter dans l'espoir de détendre l'ambiance, ça ne m'amuse pas du tout.

— Tu n'es pas drôle.

— Elle est chez ses parents.

Jack lève les yeux au ciel, comme si je devais le savoir.

— Nous...

Son front se plisse un peu.

— Enfin, ça ne s'est pas très bien passé quand je suis rentré.

Il pointe la marque du doigt sur son visage et, pour la première fois, je me demande pourquoi elle l'a frappé.

Oh, putain, est-ce qu'elle a tout compris ? Nous avons semé un tas d'indices hier. A-t-elle tout passé en revue et compris ? Ou Jack lui a-t-il dit qu'il la quittait ? Je commence à transpirer puis rassemble tout mon courage et pose la question qui fâche.

— Qu'est-ce qui s'est passé ?

— Comme d'habitude.

Jack hausse ses épaules musclées avec dédain.

— Je n'ai pas dit ce qu'elle voulait entendre, alors elle a sorti ses griffes et les cris ont commencé. Elle est partie chez ses parents. C'est l'anniversaire de son père. Ils sont passés la prendre et l'ont emmenée chez eux pour la soirée puisqu'ils donnent une fête avec toute la famille, les amis et les associés. L'idée de me retrouver là-bas, à faire semblant que ma vie est parfaite, que nous sommes le couple parfait, ne m'a pas tenté, bizarrement.

Je verse deux cuillerées de sucre dans son café – exactement comme il l'aime – et mélange en le regardant. Avec quelle désinvolture il débite tout ça ! Il s'est habitué à cette situation – aux drames, aux disputes, aux griffures – et ce n'est pas bon. Je lui tends son café, m'appuie au plan de travail et serre ma tasse entre les paumes.

— Enfin bref.

Jack avale une gorgée rapide, pose son mug, puis entreprend de prendre mes mains. Je résiste et bois une longue gorgée de café, avant qu'il me le prenne. Riant sous cape, il le pousse sur le plan de travail puis saisit mes hanches et se cale contre moi, le visage près du mien.

— Ça suffit. Chez toi, je veux seulement être au septième ciel.

— Ah oui ?

Je recule lentement lorsque sa paume glisse sur ma taille avant de descendre plus bas et de caresser l'intérieur de ma cuisse, à quelques millimètres de mon entrejambe. Je me raidis.

— Mon septième ciel, déclare-t-il en réprimant un sourire.

Je pousse un petit cri faussement choqué.

— Insolent !

Jack éclate de rire, un vrai rire heureux qui se fraye un chemin direct jusqu'à mon cœur. Ensuite, il se baisse et me hisse sur son épaule. Je pousse un cri amusé, tandis qu'il sort de la cuisine en me maintenant en place, un bras passé sur l'arrière de mes cuisses.

— Mon café !

À vrai dire, peu importe mon besoin de caféine, je proteste pour la forme.

— On s'en fout du café, grogne-t-il. J'ai quelque chose de bien meilleur à t'offrir.

Souriant comme une idiote, je m'agrippe à ses hanches et mate ses fesses alors qu'il m'emmène dans ma chambre. J'atterris sur le lit en riant. Jack retire sa veste de costume, s'en débarrasse avec insouciance, tire sur sa cravate, puis ses doigts défont rapidement les boutons de sa chemise. Immobile et heureuse, je le regarde se déshabiller et me lèche les lèvres d'un air provocateur quand il baisse son pantalon sur ses robustes cuisses. Il envoie valser ses chaussures, enlève ses chaussettes, son pantalon et se retrouve en boxer. Mes yeux se posent sur son entrejambe. Jack bande ; la forme de sa queue proéminente m'appelle. Dès qu'il glisse le doigt sous l'élastique de son boxer et le baisse, elle jaillit. Je perds mon souffle, tout excitée.

Lorsque je tends la main, lui demandant de venir à moi, Jack secoue la tête.

— Enlève ton T-shirt, m'ordonne-t-il, la voix à cran et ferme.

Mes mains descendent tout droit vers le bord de mon T-shirt. Je le passe par-dessus ma tête, et mes seins apparaissent, surmontés de tétons roses et durs. Il sourit, le regard pétillant.

— Maintenant, viens ici.

Agenouillée, je rampe jusqu'au bout du lit, les yeux fixés sur son sexe en érection. Enfin, le bout de mon nez touche celui de sa queue. Jack n'avait pas tort : il a quelque chose de bien meilleur que le café à m'offrir. Ma langue jaillit de ma bouche, enthousiaste et affamée, mais il recule, à ma grande déception.

— Tu veux goûter ?

J'essaie de paraître cool et désinvolte. Enfin, je fais de mon mieux. Incapable de me retenir plus longtemps, je pousse sa main et referme les lèvres sur sa chair. Le ventre de Jack se contracte, puis son corps se plie en deux pour essayer d'échapper à ma vilaine bouche. Je ne le laisse pas faire.

— Putain de merde, Annie.

Sa main se pose sur ma tête et me presse contre lui.

— Putain !

Son aboiement de plaisir stupéfait se transforme bientôt en profond gémissement d'extase.

Les yeux levés, je m'avance et m'installe confortablement, savourant la sensation de la peau tendue, veloutée de son membre viril qui va et vient dans ma bouche. La tête renversée, la gorge tendue, Jack avale péniblement sa salive. À maintes reprises.

Son goût est divin. Bien meilleur que celui du café. Je veux bien remplacer la caféine par une dose de Jack tous les matins. Ses mains empoignant mes cheveux commencent à se détendre et ses hanches se mettent à pivoter afin de venir à la rencontre de ma bouche. Son plaisir se décuple dès que j'empoigne son sexe. Ensuite, c'est Jack qui augmente mon plaisir, lorsqu'il lâche mes cheveux, tâtonne et prend chacun de mes seins dans ses paumes. Mes gémissements se joignent aux siens. Mon rythme vacille un bref instant, le temps que je savoure la sensation de ses caresses sur mes seins gorgés de désir. Et puis soudain, je commence à pomper, le bout de sa queue heurtant le fond de ma gorge. J'entends des marmonnements, des gémissements, des aboiements désespérés mêlés de plaisir. Tous ces sons m'encouragent. Faisant glisser la main sur son ventre, je tâtonne entre ses cuisses et caresse ses lourdes couilles avec tendresse. Son corps convulse.

— Ohhhh... puuuutain.

Je souris, libère lentement sa queue, puis je fais le tour de son gland avec la langue sans cesser de le regarder. Subitement, sa tête tombe. Jack ferme les yeux, mais une morsure insolente sur le bout de son gland l'oblige à les rouvrir. Son regard m'apparaît voilé, troublé par le désir.

— Meilleur que le café ? demande-t-il.

Sa poitrine se soulève, puis ses yeux se posent sur ses mains qui me pétrissent les seins. C'est plutôt moi qui devrais lui poser cette question, mais au lieu de le faire, et au lieu de lui répondre, je fais aller et venir ma main bien serrée sur son sexe pour le punir.

— Putain de m..., s'étrangle-t-il, comme propulsé en avant sur des jambes instables.

Ses gestes sur mes seins devenant brutaux. Je grimace,

mais surmonte ce léger inconfort et accélère le rythme de ma main.

— Merde... Annie...

Ma langue fait le tour de son gland, tandis que mon poing continue à s'agiter. Lorsque je sens que son orgasme est proche, je prends le haut de sa queue dans ma bouche et le suce. Ce qui cause sa perte. Un flot de jurons jaillit de sa bouche, ainsi qu'un tas d'avertissements en tous genres. Je le prends alors tout entier et le sens jouir par longs jets saccadés ; son essence se déverse peu à peu dans ma bouche.

— Oh, bon sang, murmure-t-il, essayant de reprendre son souffle, l'entrejambe plaqué contre mes lèvres.

Après s'être libéré, il tombe sur moi et m'écrase sur le lit de son corps lourd et suant. Je souris, satisfaite, et avale sa semence.

— Tu es vraiment incroyable, halète-t-il, pesant comme un poids mort sur moi.

— Maintenant, j'ai vraiment besoin de ce café.

Jack rit et se hisse péniblement sur les coudes jusqu'à ce qu'il voie mon visage. J'ignore la marque sur sa joue et lui adresse un sourire éclatant, assez contente de moi.

— Je veux la même chose chaque jour du reste de notre vie ensemble.

— C'est pas gratuit, l'avertis-je.

— Donne-moi ton prix, chérie.

Son ton est si sérieux que je ne sais pas quoi dire. Je le taquinais. Je n'avais rien de précis en tête.

— Je peux y réfléchir ?

— D'accord, mais jusqu'à demain seulement.

Il se penche, m'embrasse sur le front puis roule sur le dos.

Je me redresse aussitôt sur les coudes et baisse les yeux vers lui.

— Pourquoi demain ?

A-t-il décidé d'annoncer à Stephanie que tout était

terminé ? Une fois encore, je commence à transpirer, et ce n'est pas dû aux efforts que je viens de fournir.

— Parce que tu vas me refaire exactement la même chose.

Jack pointe du doigt sa semi-érection puis ma bouche.

Un peu apaisée, je me laisse tomber sur le dos à côté de lui. Un peu seulement, car nous n'avons toujours pas parlé du moment où il allait lui annoncer. J'ai besoin de savoir. J'ai besoin de me préparer... à l'idée de devoir quitter le pays, entre autres. Je n'ai pas voulu lui poser la question pour l'instant, et je n'ai aucune intention de le faire, mais je suis sans arrêt au bord de la crise cardiaque, et ce n'est pas bon pour moi.

— Jack, je ne te demande pas ça pour faire pression sur toi, mais pourrais-tu me dire à peu près quand tu projettes de...

Ma question reste en suspens. Impossible de la terminer, je ne sais pas pourquoi.

— J'ai essayé ce matin, avant que ses parents passent la prendre.

Il secoue la tête et regarde ailleurs.

— Mais chaque fois que j'ai voulu prononcer ces mots... C'est comme si elle savait ce qui allait venir. Elle me lance un regard dément, histoire de me rappeler ce qui se passera si je la quitte.

— Tu es sûr qu'elle le sait ?

Peut-être qu'il se trompe. Je n'arrive pas à décider s'il vaut mieux qu'elle s'y attende ou non.

— Oh, sûr et certain. Hier soir, au lit, elle...

— Hé !

Je le regarde, mi-amusée, mi-stupéfaite.

Jack laisse tomber la tête sur le côté, observe mon expression incrédule, prend ma main et la serre.

— Écoute-moi, m'ordonne-t-il doucement.

Je prends donc mon courage à deux mains, inspire profondément et grimace en attendant ce qui va suivre.

— Pour des raisons évidentes, je suis allé dormir dans la chambre d'amis cette nuit.

Il ferme les yeux et son corps frémit visiblement.

— Elle est venue me rejoindre au milieu de la nuit. Je l'ai repoussée, Annie.

Jack pointe du doigt la marque sur sa pommette.

— Elle est au courant, tu peux me croire.

Toutes sortes d'émotions passent dans ses yeux gris, ainsi qu'un léger sentiment de culpabilité. Jack doit lire la peur dans les miens, car il se dépêche de poursuivre.

— Elle ne m'obligera pas à rester. Je te le promets.

Silencieuse, je réfléchis un instant. Il faut qu'il la quitte. Il faut qu'il le fasse immédiatement. Ce serait nécessaire même si je ne faisais pas partie de sa vie. Cette situation est intenable à tous points de vue. Je me mords la lèvre nerveusement.

— Est-ce que tu vas lui parler de moi ?

— Non.

Jack secoue énergiquement la tête.

— Non. Pas question de te mêler de près ou de loin à ça. Ce sera très dur, bien sûr. J'ai tellement besoin de te savoir près de moi.

Il ne veut pas de moi sur le champ de bataille. Il tient à me protéger des répercussions. Ça ne changera rien à la situation, cependant. Nous devrons encore nous cacher parce que personne ne devra découvrir notre liaison. Une autre question me vient instantanément à l'esprit. Toutefois, je ne la lui pose pas. Dans combien de temps pourrons-nous simplement... être ensemble ? Quel est le délai acceptable pour tourner la page ? Quel est le délai acceptable pour qu'une femme commence à sortir avec un homme qui a récemment quitté sa femme ? Plusieurs mois ? Plusieurs années ?

Je me ferme un peu en me demandant dans combien de temps je pourrai affirmer que Jack est à moi. Rien qu'à moi.

Ne profiter que d'une partie de lui, c'est mieux que rien. Je ne pouvais pas le quitter avant et je ne le peux toujours pas. La seule issue à notre problème n'en est pas du tout une. Elle ressemble plutôt à une punition. Quand Jack la quittera, les gens s'apercevront de l'état dans lequel il a laissé Stephanie. Il ne fait aucun doute qu'elle s'effondrera. Ils jugeront Jack et s'ils apprennent que nous sommes ensemble, ils me jugeront aussi.

— Annie ?

La voix anxieuse de Jack m'oblige à détacher le regard du plafond et à le poser sur lui. Le visage inquiet, il me serre la main. Glissant les doigts entre les miens, il s'y agrippe fermement, comme s'il percevait mon découragement et redoutait que je ne le quitte.

— Si les gens apprennent que nous sommes ensemble, ils rejetteront la faute sur moi, dis-je, le regard à nouveau rivé au plafond. À leurs yeux, je serai la cause de l'effondrement d'une femme, et ils n'auront pas tort, Jack. Quelles que soient les circonstances de votre séparation. Je crois bien que je suis en train de pourrir mon karma à vie.

— Hé.

Jack roule contre moi et s'étend le long de mon flanc, tandis que je reste sur le dos, les yeux rivés au plafond.

— Tu n'es pas la cause de notre séparation, Annie. Tu n'es qu'un facteur parmi tant d'autres.

Je ris légèrement.

— Arrête, Jack. Franchement, combien de personnes avaleront ça, d'après toi ? Si tu ne m'avais pas rencontrée dans ce bar ce soir-là, tu resterais avec elle, heureux ou non. Je fais partie des raisons pour lesquelles tu la quittes. Tout le problème est là. Inutile de me faire des illusions : les autres penseront tous la même chose quand ils apprendront que nous sommes ensemble.

— Je t'aime, lâche-t-il, les dents serrées de frustration. Je l'ai déjà quittée une fois, tu l'as oublié ? Je ne romps pas avec elle sous prétexte que l'herbe est plus verte ailleurs, ou que le sexe est fabuleux avec toi.

Il tend la main vers mon visage et l'attire vers le sien.

— Je ne nage pas en plein délire, Annie. Je suis simplement fou de toi. Je me fiche de ce que penseront les gens quand ils l'apprendront, mais je ferai de mon mieux pour que ce moment arrive le plus tard possible. Il faut que je te tienne éloignée de tout ça.

Jack dépose un léger baiser sur le côté de ma bouche.

— Je suis seulement de passage sur cette terre. Je n'ai qu'une seule vie et je refuse de passer la fin de mes jours avec la mauvaise personne. Si seulement je t'avais rencontrée il y a quinze ans. Mais ce n'est pas le cas. Inutile de se lamenter là-dessus.

Son regard se trouble et suit son pouce qui caresse lentement ma lèvre inférieure.

— Je peux seulement remercier le ciel de t'avoir enfin fait entrer dans ma vie.

Lorsqu'il repose lentement le regard sur le mien, je sens ma lèvre trembler sous son doigt.

— C'est toi et moi contre le monde, ma puce. Ne baisse pas les bras, tu m'entends ?

La tristesse déforme mes traits, ma gorge se serre. Je me retourne, me hisse sur son torse et enfouis le visage dans son cou, en mal de proximité et de réconfort... En mal de Jack.

— Je t'aime.

Ma voix tremble d'émotion et mon corps se presse le plus possible contre le sien.

— Je te tiendrai la main tout le temps que durera cette épreuve, s'il le faut.

— Je ne te laisserai jamais partir, Annie. Pour rien au monde.

21

Je jette un coup d'œil par-dessus mon épaule en entendant les pas de Jack dans la cuisine. Le portable à la main, il le fait tourner lentement d'un air pensif. Je trempe une cuillère dans ma tasse de café tout chaud. Il a enfilé son boxer, mais son expression distraite m'empêche de savourer pleinement la vue de son corps.

— Est-ce que ça va ? m'inquiété-je en remuant lentement mon café.

— C'était le père de Stephanie, répond-il, le portable levé. Je devrais être à sa fête d'anniversaire, auprès de ma femme.

Son sourire est tendu.

— Imagine le scandale si quelqu'un remarque mon absence et en tire quelques déductions.

Posant ma cuillère sur l'égouttoir, je prends ma tasse et me tourne vers lui.

— Si tu dois y aller... Eh bien...

J'inspire à fond dans l'espoir de trouver la force de prononcer les mots qui me fendent le cœur. Mais c'est inutile. Je ne peux pas lui dire de partir.

— Je n'ai pas envie d'y aller, dit-il doucement.

Mon sourire est soulagé, mais triste.

— D'accord, rétorqué-je, faute de mieux.

Le fait qu'il choisisse de rester ne me procure aucune satisfaction revancharde. Cette histoire est plus qu'une simple rivalité entre filles.

— Je ne voudrais pas aller trop vite en besogne, mais j'espérais qu'on pourrait faire quelque chose ensemble, poursuit Jack en m'adressant un regard plein d'espoir.

— Comme... ?

Nous pouvons rarement nous offrir le luxe d'aller où nous voulons et de faire ce que nous aimons.

— Comme glander chez toi, propose-t-il avec un haussement d'épaules, presque embarrassé. Regarder une émission idiote à la télé, manger des cochonneries, flemmarder.

Je souris. À quoi bon se risquer à sortir dans un lieu public, alors que je peux rester cachée ici avec Jack et le couvrir de baisers toute la journée ?

— Cette idée me plaît.

— C'est vrai ?

Il m'adresse son magnifique sourire éclatant. L'idée qu'une chose aussi simple puisse le rendre aussi fou de joie me touche profondément.

— Il faut que je fasse un saut au magasin, déclaré-je en posant mon mug dans l'évier. J'ai besoin de lait.

— Et de cochonneries à grignoter, intervient-il, son excitation croissante. Achète donc un paquet de ces bonbons à la fraise. Ces fraises géantes, tu vois ? Plusieurs paquets, même ! Et si je nous cuisinais quelque chose ?

— Tu veux cuisiner pour moi ?

J'adore cette idée. Jamais un homme ne l'a fait avant lui. Absolument aucun, et c'est merveilleux que Jack soit le premier.

— Oui.

Il se dirige vers les tiroirs et les ouvre un par un.

— Je vais te faire une liste. Où ranges-tu tes stylos et le papier ?

— Ici.

Je tends la main vers une étagère, en descends un bloc-notes puis cherche un stylo dans mon sac. Je les lui tends. Jack s'assied et commence à écrire. Regardant par-dessus son épaule, je découvre sa liste. Sa longue liste. Du bouillon de bœuf ? De la farine de maïs ? De la crème fraîche ? Il va donc tout faire lui-même ?

— Des sucettes au sucre ? le questionné-je, les sourcils froncés.

— Oui.

Jack lève les yeux vers moi.

— Tu vois ces petits sachets de sucre avec une sucette à la fraise à l'intérieur ? Tu la lèches et tu la trempes, et quand la sucette est terminée, tu lèches ton doigt afin de finir le sucre.

Oh, mon Dieu, il est adorable.

— Tu lèches ton doigt et tu le trempes dans le sucre... Serait-ce le dessert ?

Jack essaie de me fusiller du regard, mais ses yeux brillent trop pour ça.

— J'ai autre chose en tête pour le dessert.

Il arrache la feuille du bloc-notes et me la tend.

Je prends le papier, me penche et lui offre mes lèvres.

— Et qu'est-ce que j'aurai comme récompense, après t'avoir livré tous ces trucs ?

Posant la bouche sur la mienne, il sourit.

— Je te prépare un dîner, ma chère. Que peux-tu vouloir de plus ?

— Je trouverai certainement quelque chose.

Son sourire s'élargit.

— Une nuit ici ? me suggère Jack.

Je recule, un peu surprise.

— Entière ?

— Elle dort chez ses parents.

M'endormir et me réveiller à ses côtés ? Je presse les lèvres fort sur les siennes, afin de lui donner un baiser énergique, mais Jack passe à la vitesse supérieure. Il m'attire sur ses genoux et force ma bouche à s'ouvrir en donnant quelques coups de langue contre mes lèvres. Je m'ouvre à lui et profite quelques minutes de son affection.

Lorsque son entrejambe se soulève contre mes fesses, je sens son érection.

— Tu ferais mieux d'y aller avant que je t'entraîne dans la chambre.

Comme si c'était un problème ! Je m'accroche plus fermement à lui, ma façon de lui indiquer que je suis tout à fait partante.

— Allez, vas-y.

Ignorant mes grommellements de protestation, Jack me tapote les fesses et tente de me faire descendre de ses genoux.

— Et si on prenait le dessert maintenant ? On n'a qu'à dîner plus tard.

Je presse la poitrine contre la sienne et mordille son oreille en faisant exprès de soupirer bruyamment. Je suis chaude comme la braise après ce baiser passionné. C'est lui qui m'a mise dans cet état, il doit assumer ses responsabilités.

Jack rit et me force à me relever.

— Est-ce que je peux utiliser ta douche pendant ton absence ?

— Bien sûr, accepté-je d'un ton morose en me dirigeant vers ma chambre, afin d'enfiler quelques vêtements.

— Dis donc, tu marches bizarrement ! me crie-t-il, amusé.

Décidant de l'ignorer, je tente d'éteindre le désir qui s'est éveillé entre mes cuisses... et qui me fait marcher comme si ma culotte me rentrait dans les fesses.

* * *

Après avoir trouvé tous les articles inscrits sur la liste de Jack, je me dirige vers la caisse, attrape quelques magazines sur l'étagère à proximité, ainsi qu'une barre chocolatée, les jette sur le tapis roulant, puis je range mes courses dans un sac, à mesure que la caissière les fait défiler devant sa machine. Une fois dehors, je choisis un magazine, passe le sac dans le creux de mon bras et repars vers chez moi. Je le feuillette tout en mâchant ma barre, sans regarder où je vais.

Captivée par la lecture des derniers potins, j'oblige tout le monde à s'écarter de mon chemin.

— Annie !

Levant les yeux, je vois Lizzy en tenue de sport traverser la rue à petites foulées, le front brillant de sueur, les cheveux attachés en queue-de-cheval floue, un frappuccino à la main. Je range le magazine dans mon sac et mâche rapidement en attendant qu'elle me rejoigne.

— Non, mais depuis quand tu cours, toi ?

— Trop de vin, c'est tout. Soit j'arrête d'en boire, soit je contre ses effets. J'ai bien dû prendre quatre kilos après ma rupture avec Jason.

Elle tend la main et tire sur le côté de mon sac.

— Tu as fait des courses ?

— J'avais juste besoin de lait.

— Et de bonbons.

— J'ai envie de glander chez moi aujourd'hui.

— Je croyais que tu allais chez tes parents ?

— J'ai été retenue par le boulot.

J'aimerais bien savoir quelle tête je fais quand je mens, parce qu'intérieurement, je me sens vraiment nulle.

— Je participe à une expo le week-end prochain à Liverpool.

Réglons ça pendant qu'on y est.

— Ça demande beaucoup de préparation.

— Ah, d'accord.

Lizzy semble aussi intéressée que je l'espérais. Autrement dit, pas du tout.

— Hé, au fait, raconte-moi comment ça s'est passé !

Le sourire aux lèvres, elle commence à courir sur place.

— Est-ce que ses cuisses sont toujours aussi impressionnantes ?

Je pince les lèvres et secoue la tête.

— Il est sympa, mais...

— Pfff, soupire-t-elle, avant de laisser tomber la tête en

arrière d'un air désespéré. Tu es une femme sacrément difficile à satisfaire, Annie Ryan.

Ma bouche esquisse un sourire crispé. C'est totalement
faux. Je veux Jack, c'est tout.

— Comment va Jason ?

Les yeux de Lizzy pétillent, et c'est merveilleux à voir.
J'espère juste que ce con ne va pas tout gâcher.

— Il se montre tellement attentif et romantique. Je sais
bien que vous n'y croyez pas vraiment, mais il fait de gros
efforts.

— Dans ce cas, je suis heureuse pour toi.

— Je sais bien.

Elle m'embrasse sur la joue et s'éloigne.

— On déjeune ensemble demain ? Nat devrait se joindre
à nous.

— Bien sûr.

— Je t'appelle demain matin !

Lizzy disparaît au coin de la rue. Je poursuis ma route
et tente d'ignorer le sentiment de culpabilité qui m'accable
depuis que j'ai menti à ma meilleure amie. Une fois encore.

* * *

Lorsque je franchis la porte d'entrée, un Jack à croquer
m'attend dans le couloir, fraîchement douché. Ses cheveux
mouillés sont souples, ses joues mal rasées sont... eh bien,
mal rasées, et il est de nouveau en boxer. Son regard s'éclaire
lorsqu'il me voit, mais au lieu de m'attraper et de m'embrasser, il me prend le sac des mains et plonge la tête dedans.
Son grand corps tremble presque d'excitation.

— Qu'est-ce que je dois faire d'un accueil pareil, au juste ?
demandé-je en le regardant fouiller dans le sac.

Jack s'arrête aussitôt et lève les yeux vers moi avec un
sourire mignon. S'il n'avait pas l'air aussi adorable, je
garderais mon air indigné. Mais finalement, je souris aussi.

— Et dire que je suis comblé à l'idée de glander et bouffer des cochonneries avec toi !

— C'est tellement poétique, ris-je en envoyant valser mes tongs.

Jack prend le sac dans une main, m'attrape avec l'autre et me soulève par-derrière, un bras passé autour de ma taille. Ensuite, il m'emporte dans le salon. Ou ce qui était jadis mon salon. À présent, il ressemble à une chambre toute prête à accueillir la plus magnifique des soirées-pyjama.

— On peut commencer, propose Jack en se dirigeant vers la cuisine. Je cuisinerai plus tard. Après le film.

— D'accord, acquiescé-je en regardant autour de moi.

Il est allé chercher tous les oreillers de ma chambre, ainsi que ma couette, et a retiré la couverture et les coussins du canapé. Mon immense dessus de lit est étalé sur le sol, un oreiller est appuyé contre le canapé et les coussins ont été dispersés au hasard sur les côtés. Jack a fermé les rideaux, ce qui rend la pièce plus sombre et confortable, et allumé la télé, mais le film qu'il a choisi est sur pause.

— *Top Gun* ? l'interrogé-je, déconcertée.

— Ouais, j'adore.

Jack revient de la cuisine avec ses fraises géantes, me prend par la main et m'attire sur les couvertures.

— Le meilleur film jamais réalisé.

Il entreprend ensuite de me déshabiller jusqu'à ce que je me retrouve en petite culotte. En gros, il lui faut des avions et des bonbons.

Sans cesser de sourire, je le laisse faire de moi ce qu'il veut et m'installer où il veut.

— Qui rêvais-tu d'être ?

— Iceman, répond-il aussitôt, sans que j'aie besoin de préciser ma pensée, et sans réagir à mon ton moqueur. Tu es bien installée ?

Jack s'accroupit et me regarde, confortablement calée entre les coussins en petite culotte.

— Très bien.

— Parfait.

Il attrape la télécommande, prend place à côté de moi et commence à engloutir des fraises gélifiées.

Je secoue la tête en souriant puis soulève son bras et me blottis douillettement contre son flanc. Inutile de le nier : c'est carrément le pied.

L'esprit un peu ailleurs, je regarde *Top Gun* pour la première fois depuis vingt ans. J'écoute Jack mâcher, sens sa poitrine se soulever et s'abaisser, et savoure simplement notre intimité. C'est nouveau pour nous de glander ensemble. De temps à autre, une demi-fraise me bloque la vue et j'ouvre la bouche, laissant Jack la glisser entre mes lèvres. Mais, rapidement gavée, je suis obligée de repousser sa main au bout d'un moment.

— Je ne pourrai jamais manger ce que tu vas me préparer.

Mes paupières sont lourdes, mon corps se love naturellement contre le sien. La dernière chose que je vois, c'est Maverick et Goose se déchaînant sur *Great Balls of Fire*.

* * *

Je ne me suis jamais sentie aussi sereine et à l'aise. Je flotte entre sommeil et conscience, le torse de Jack chaud sous ma joue, ma jambe tendue sur ses cuisses, la paume sur sa poitrine. Son bras passé autour de ma taille me serre contre lui, tandis que son menton est posé sur le sommet de ma tête. Depuis mon paradis ensommeillé, je note que le film est sans doute terminé, car seul le léger souffle de Jack rompt le silence. Me blottissant davantage contre lui, je soupire de bonheur, les yeux fermés, et le sens réagir à mon mouvement, lorsqu'il embrasse le sommet de ma tête dans son sommeil. Ensuite, je m'assoupis de nouveau.

* * *

Le sursaut de son corps sous le mien me réveille, puis le doux son de mon prénom oblige mes paupières à s'ouvrir lentement.

— Annie, répète Jack.

Je lève le visage vers lui, mais il ne me regarde pas. Ses yeux sont rivés sur l'autre côté de la pièce. Lorsque je tends lentement le cou pour découvrir ce qui attire son attention, toute la chaleur que je ressens se dissipe d'un seul coup. Je m'éloigne brusquement de son corps, ignorant mes muscles endormis qui protestent violemment et me font souffrir. Je n'ai pas le temps d'esquisser les gestes lents dont ils ont besoin, car s'ils ne sont pas totalement réveillés, mon esprit l'est bel et bien. Tout comme mes yeux qui, écarquillés, contemplent Lizzy et Micky, debout dans l'entrée de mon salon.

22

Je me ferme comme une huître et regarde ailleurs, honteuse. La déception qu'expriment leurs visages est insupportable. Et ce n'est rien à côté de ce qui m'attend. Leur silence est insoutenable.

Lorsque Jack remue à côté de moi, je le regarde. Son expression est sérieuse, mais je vois qu'il cherche désespérément à me rassurer. Hélas, c'est l'échec total.

— Tu veux que je parte ? demande-t-il à voix basse, m'offrant une raison de plus pour gamberger.

Est-ce que je veux qu'il parte ? Je n'en sais rien. Jack peut-il me soutenir utilement dans ces circonstances ou sa présence ne fait-elle qu'aggraver la situation ? Il doit comprendre à mon expression que j'ignore totalement quelle est la meilleure tactique, car il cherche ma main et la serre.

— Je reste.

Jack prend la décision à ma place. Pas du tout aidée par mon cerveau, je me fie à son instinct et acquiesce d'un léger signe de tête.

— Tu peux partir, intervient Micky.

Je le regarde. Jamais je n'avais vu mon meilleur ami aussi sérieux.

— Je préfère rester, réplique Jack d'un ton ferme.

Il se lève, pas du tout embarrassé par sa quasi-nudité. Suivant son exemple, je rassemble les couvertures, les soulève et me redresse afin d'affronter mes amis.

Micky affiche un dédain suprême.

— Admettons que je ne te laisse pas le choix.

— Admettons que tu me laisses le choix et qu'on évite le grabuge, répond Jack, les muscles de son dos dangereusement contractés.

— C'est bon ! s'interpose Lizzy, les mains levées, l'air tout aussi énervée que les deux hommes.

Elle ferme les yeux et rassemble ses forces.

— Mais enfin, qu'est-ce que tu fous exactement, Annie ?

— Elle couche avec un homme marié, c'est tout ! crache méchamment Micky. Pourquoi tu ne cours pas rejoindre ta femme, hein, histoire de lui raconter ce que tu trafiques ? Ou tu préfères peut-être que je m'en charge ?

Jack s'avance d'un air menaçant, ne me laissant d'autre choix que de bondir entre eux, avant qu'ils ne commencent à se bagarrer dans mon salon. Je pose une main ferme sur le torse de Jack.

— Stop ! Je crois que tu ferais mieux d'y aller.

Il secoue la tête dès que je lève les yeux vers lui.

— Non, refuse-t-il d'un ton catégorique. Sinon ces deux-là vont réussir à te démolir et à éveiller le doute en toi.

— Exactement ! hurle Micky. On va la ramener à la putain de raison !

— Mais arrête ! dis-je en me tournant vers mon plus vieil ami. Je sais très bien ce que je fais.

— Ah oui ? intervient Lizzy. À mon avis, tu as totalement perdu la tête, Annie. Qu'est-ce qu'il t'a promis ? Qu'il allait la quitter ?

Elle rit froidement.

— Ils disent tous ça, mais dès qu'il s'agit de passer à l'acte, ces mecs n'en ont soudain plus les couilles ! Tu n'es qu'une distraction pour lui. Quelque chose d'excitant, de différent. Tu ne le vois donc pas ?

— Ce n'est pas du tout ça !

Je commence sérieusement à perdre mon sang-froid. Lizzy n'a pas le droit de se servir de son expérience comme élément de comparaison. Nos histoires sont aux antipodes l'une de l'autre.

— Si vous n'avez rien de mieux à faire que de rester plantés là à me juger, autant que vous partiez. Vous n'avez aucune idée de ce qui se passe, et je n'ai pas l'impression que vous êtes disposés à m'écouter, alors sortez !

Mes deux amis reculent, choqués. La main de Jack se pose sur mon épaule afin de me calmer. Ça ne marchera pas. Je suis furieuse qu'ils pensent tout savoir sur notre situation. Ce n'est pas le cas. Nous ne faisons pas que coucher ensemble. Je recule et m'appuie au torse de Jack, l'air déterminé : je suis dans son camp, pas dans le leur.

— Calme-toi, Annie, intervient Jack à voix basse, avant de me faire pivoter vers lui.

Il baisse les yeux vers moi avec un sourire doux, puis lève la main et essuie tendrement chacune de mes paupières.

— Ça fait partie du processus. C'est l'un des défis que nous allons devoir affronter.

Il me parle comme si nous étions seuls dans la pièce, ce qui produit l'effet escompté. Sa voix douce m'incite à ravaler ma frustration et à me ressaisir.

— Ne mets pas tes amis à la porte. Tu as besoin d'eux.

Il se baisse et pose les lèvres sur mon front. Même si je ne vois plus son visage, je sais que Jack garde un œil sur mes amis.

— Je vais m'habiller, conclut-il.

Il se dirige vers ma chambre, mais ralentit en atteignant la porte, car Micky lui bloque le passage. Mon ami met quelques secondes à se décider, mais il se pousse finalement sur le côté et laisse Jack passer, les lèvres retroussées. Lizzy pousse un soupir lorsque Jack disparaît. Micky se détend un peu. Ensuite, tous deux me regardent, mais avant qu'ils ne commencent à me passer un savon, je leur tourne le dos et ramasse mon T-shirt sur le sol.

— Autant que vous allumiez la bouilloire, si vous comptez rester. Il faut que je m'habille.

— J'y vais, soupire Lizzy en prenant Micky par le bras, afin de l'entraîner vers la cuisine.

Enfin seule, je passe les quelques minutes suivantes à canaliser ma rancœur bouillonnante. C'est inutile. Il faut que j'affronte les choses de manière directe. Fini les cachotteries.

Lorsque je les rejoins dans la cuisine, Lizzy sirote un verre de vin et Micky a une bière à la main. Formidable, je les ai poussés à boire.

— Je ne t'ai pas donné cette clé pour que tu puisses violer mon intimité, Micky, lâché-je en allant chercher un verre dans le placard, afin de me servir du vin.

Et voilà que cette histoire me donne aussi envie de boire !

Aucun d'eux ne sait quoi répondre, mais je sais bien que la conversation ne va pas s'arrêter là.

— J'avais rendez-vous avec Jason pour une séance d'entraînement cet après-midi, m'explique Micky. Il m'a dit qu'il avait croisé Tom.

Il penche la tête sur le côté, les sourcils levés.

— Et Tom lui a raconté qu'un type avait enfoncé la porte de ton appartement.

— Non, mais à quoi tu pensais ? reprend Lizzy, son verre de vin tendu vers la porte. Je savais bien que tu nous cachais quelque chose.

— Et ça t'étonne ? Pourquoi me serais-je confiée à vous, puisque j'étais sûre que vous réagiriez ainsi ? Je ne m'attends pas à ce que vous me compreniez, de toute façon.

— Qu'est-ce qu'il y a à comprendre au juste ? me coupe Micky en se laissant tomber sur une chaise. Tu nous mens depuis des mois ! Tu fais ce que personne ne devrait faire.

— Tu crois peut-être que je ne le sais pas ? Tu crois vraiment que je me suis embarquée là-dedans sans réfléchir ?

— Absolument.

Micky lâche un rire amer.

— Ce n'est pas un jeu ! Jack n'est pas le trophée que je rêvais de remporter. Je l'aime, putain !

Le niveau de décibels qu'atteint ma voix me choque moi-même. Lizzy et Micky me regardent avec des yeux exorbités. Cependant, je ne leur laisse pas le temps d'exprimer le fond de leur pensée.

— Je n'ai pas arrêté de me prendre la tête ! Je me suis accablée de reproches et je n'ai cessé de redouter les conséquences de mes actes, mais rien de tout ça n'a pu me faire oublier mes sentiments pour lui. Je ne peux pas faire semblant de ne rien ressentir. Je ne peux y mettre un terme parce que j'ai peur.

Ma voix commence à trembler, mais je tiens bon, déterminée à leur montrer les choses de mon point de vue.

— Peu importe si j'en bave autant, parce que je l'aime. Je l'aime tellement que ça fait un mal de chien.

Je me martèle la poitrine.

— C'est flippant, mais l'idée de ne plus le revoir, de devoir faire une croix sur lui, me terrifie.

Je conclus mon discours par une gorgée de vin, puis pose mon verre sur le plan de travail d'une main tremblante.

— Je ne vous demande pas de me donner votre bénédiction. Je vous demande juste de ne pas prétendre que vous avez tout compris, parce que ce n'est pas le cas.

— Tu n'as pas le droit de mettre le grappin sur ce mec, Annie, affirme doucement Lizzy. Ne fais pas ça, je t'en prie.

— C'est trop tard.

Je baisse les yeux vers le sol.

— Et je ne l'ai jamais obligé à s'intéresser à moi. Il l'a fait de son plein gré.

— Tu crois que sa femme verra les choses comme ça ? demande Micky. Qu'en penseront les gens, d'après toi ?

— Ce sera difficile, admets-je. Mais je dois me faire à

l'idée que je ne peux pas influer sur la façon dont les gens me considéreront. Tant pis s'ils me traitent de briseuse de ménage, de salope, de pute, de sale égoïste. Rien ne me fait plus souffrir que la pensée de vivre sans Jack. Son mariage le rend malheureux. Cette marque sur son visage est l'œuvre de sa femme. C'est elle qui lui a fait ça !

Il y a un bref silence et tous deux me regardent, stupéfaits.

— Oh merde, soupire Lizzy, avant de poser son verre de vin en secouant la tête.

Cette situation la dépasse peut-être, mais elle comprend ce que je ressens pour Jack. Elle s'approche de moi, passe un bras autour de mes épaules et me serre contre elle.

— Mais dans quoi tu t'es embarquée, Annie ?

— Je suis tombée amoureuse, réponds-je simplement, parce que c'est l'unique raison pour laquelle je me suis embarquée dans cette pénible aventure.

À l'instant où le regard de Jack a croisé le mien dans ce bar, un lien s'est créé entre nos cœurs, et à présent, ce lien est si fort que je n'ai d'autre choix que de me battre et espérer que nous ne serons jamais séparés, car si Jack me quitte, il emportera une partie de mon cœur. Je serai anéantie. La boule dans ma gorge grossit et je craque dans les bras de Lizzy. J'entends Micky jurer, puis un léger sanglot s'échappe de la bouche de mon amie. Je pleure sans bruit contre son épaule. Je lui suis si reconnaissante de faire l'effort de me réconforter ! Lizzy finit par s'écarter de moi et me prendre par les épaules. Ses yeux brillent de larmes tandis qu'elle essuie les miennes, le visage triste.

— Petite idiote, lâche-t-elle tendrement, la voix brisée par l'émotion. Je ne peux pas m'empêcher de me réjouir que tu aies rencontré un homme dont tu es aussi amoureuse, et en même temps, je suis morte d'inquiétude pour toi.

Je déglutis en lui adressant un hochement de tête compréhensif, car mon état d'esprit est exactement le même que le sien. Micky pousse un soupir audible, nous rejoint et passe ses bras costauds autour de nous.

— Ça y est, je suis officiellement une fille, marmonne-t-il en nous embrassant tour à tour sur la tête. Putain.

Une légère toux nous interrompt. Aussitôt, notre petit groupe se sépare.

— Désolé de vous déranger, lance Jack.

— Tu as intérêt à la soutenir, l'avertit sévèrement Micky.

Jack ne réplique pas et n'a pas l'air insulté par cette menace à peine déguisée. Je me retiens de dire à mes amis qu'il faudra aussi que je le soutienne.

— Je le ferai, répond-il, sans ciller.

— Si tu lui brises le cœur, je te massacre, tu peux me croire.

— Ça n'arrivera pas, rétorque froidement Jack en posant ses calmes yeux gris sur moi. Si je lui fais du mal, je me tuerai avant que tu puisses t'en prendre à moi.

J'entends le petit cri surpris de Micky et me mords la lèvre, tandis que le silence s'installe. Il n'y a plus rien à dire. Lizzy donne un coup de coude à Micky afin qu'il cesse de dévisager Jack, puis elle l'entraîne hors de la cuisine.

— Je t'appelle demain matin, m'assure-t-elle, totalement bouleversée par les révélations de la soirée.

Jack se pousse pour les laisser passer et leur adresse un signe de tête respectueux. Lorsque la porte se referme, il se tourne vers moi d'un air grave, les mains enfoncées dans les poches de son pantalon. Tout devient si réel à présent.

— Est-ce que ça va ?

Je hoche la tête, mais l'émotion reprend le dessus et je m'effondre à nouveau, incapable d'analyser ce qui vient de se passer. Jack traverse la pièce en quelques enjambées et m'attire contre lui. Un câlin bienvenu... Il me serre fort dans ses bras, me tranquillise et embrasse mes cheveux.

— On va s'en sortir, me rassure-t-il. Je te le promets.

Je le crois sur parole, car je ne peux vraiment rien faire

d'autre, et prie pour qu'il ait raison tout en m'accrochant physiquement à lui. Je me sens déjà vidée de toute énergie. Ce manque de résistance m'inquiète. Ma force de caractère va bientôt être mise à rude épreuve. Espérons que je tiendrai le coup.

Inspirant profondément, Jack m'étreint une dernière fois, avant de me soulever dans ses bras et de me porter dans ma chambre. Il me dépose sur le lit puis disparaît le temps d'aller chercher les oreillers et la couette dans le salon. Après avoir glissé un oreiller sous ma tête et nous avoir déshabillés, il me rejoint, me force à me coucher sur le flanc et ramène la couette sur nous. Son long corps se love parfaitement contre le mien.

— Chaque fois que je te quitte, je souffre, Annie. Je me fais des films et je stresse parce que je ne sais pas dans combien de temps je serai à nouveau auprès de toi. Je ne peux pas continuer comme ça.

Il embrasse l'arrière de ma tête et me serre contre lui.

Nous sommes inextricablement liés.

Protégés du monde extérieur. Protégés de la tempête qui se prépare.

— Peu importe ce qui se passera, ce qu'elle me fera ou ce qu'elle se fera à elle, me chuchote-t-il à l'oreille. Je la quitte demain.

23

La tristesse qui me submerge quand j'ouvre les paupières menace de me faire tourner de l'œil. Jack est parti. Je me retourne et regarde fixement l'oreiller sur lequel était posée sa tête la nuit dernière. Je sens encore la chaleur de son corps contre le mien. Ma main glisse sur les draps vers l'oreiller tiède ; il n'est pas parti depuis longtemps. En manque terrible d'affection, je lui en veux d'avoir filé sans me réveiller. Mais une petite voix raisonnable dans ma tête me répète que c'était la meilleure solution. Je ne crois pas que j'aurais réussi à le laisser partir. C'est aujourd'hui qu'il la quitte.

Il serait facile de rester cachée sous ma couette toute la journée, mais je la repousse d'un geste énergique et sors de mon lit. Un petit mot est posé contre la lampe sur ma table de chevet. Je le saisis entre deux doigts et le lis.

Ne t'enfuis pas de là. x

Ce n'est pas à prendre au pied de la lettre, bien sûr, genre « Ne sors pas de ton appartement ». Jack refuse simplement que je sorte de sa vie. J'approche le papier de mon nez et inspire en lui promettant silencieusement de ne pas le faire. Ensuite, je le repose sur le meuble et traverse tranquillement mon appartement, décidant d'avaler un café avant de prendre une douche et de commencer ma journée. L'idée est simple : travailler, ne pas sortir de mon atelier avant le soir.

Après avoir enfilé un jean déchiré, mon T-shirt de U2 et mes tongs, je me dirige vers mon bureau et m'assieds. Puis je contemple l'écran vide de mon ordinateur. Pendant une éternité. Je tripote mon stylo pendant dix minutes puis gribouille sur du papier. Je commence au moins dix e-mails et tente de répondre à vingt autres. Je gribouille encore, jette finalement mon stylo, pose les coudes sur mon bureau et laisse tomber mon visage entre mes mains. Je ne vais pas y arriver de cette façon. Attrapant mon ordinateur portable et son étui, j'enroule un foulard autour de mon cou et appelle Lizzy avant d'ouvrir ma porte d'entrée. Elle répond au bout de deux sonneries.

— Salut, répond-elle, l'air sombre.

— Salut, lancé-je en arrivant sur le trottoir. Comment vas-tu ?

C'est tout ce que je trouve à dire. La situation est manifestement tendue entre nous, et je déteste ça.

— Je n'ai pas beaucoup dormi, admet-elle. Nat est passée me voir. Elle voulait avoir de tes nouvelles.

— Tu lui as tout raconté ?

— Non. Ce n'est pas à moi de le faire, Annie. Et j'ai beau désapprouver toute cette histoire, je saisis très bien la complexité de ta situation. Ton secret est bien gardé, ne t'en fais pas.

Honteuse, je ferme brièvement les yeux. Ce qu'il y a entre Jack et moi paraît si sordide lorsqu'elle en parle. Mais je ne peux rien faire contre ça.

— Merci.

— Où es-tu ?

— En route pour Starbucks.

— Déjà ? Mais on est dimanche et il n'est que huit heures !

— J'ai besoin d'aller faire un tour, avoué-je spontanément. Jack va annoncer à Stephanie qu'il la quitte aujourd'hui. Je ne peux pas rester chez moi toute la journée en attendant de ses nouvelles.

— Je vois, rétorque-t-elle faiblement. Est-ce qu'il va lui parler de toi ?

— Non.

— Qu'est-ce qu'il va lui dire dans ce cas ? Elle voudra forcément savoir pourquoi.

Je regarde mes pieds. Sa froideur m'est insupportable, mais je sais très bien que je ne peux rien attendre d'autre de sa part. Elle m'a peut-être serrée dans ses bras quand j'ai craqué hier soir, mais elle ne sautait pas vraiment de joie non plus.

— Il y avait déjà des failles dans leur mariage, Lizzy, annoncé-je, la voix tremblante.

— Forcément, Annie. Sinon Jack ne serait pas allé voir ailleurs.

— Il ne l'a pas fait exprès, répliqué-je sans la moindre méchanceté, mais le plus fermement possible.

— D'accord, d'accord. Ce que je veux dire, c'est que beaucoup de mariages ont des failles, mais quand un couple prononce ses vœux, il promet de s'aimer pour le meilleur et pour le pire. Il accepte de surmonter tous les obstacles.

Je m'immobilise sur le trottoir.

— Existe-t-il un vœu disant qu'il est acceptable de faire du mal à l'autre physiquement ? Fait-on promettre à la femme de ne jamais griffer son mari et de ne jamais lui filer de gifles ?

Comme mon amie ne répond pas, je soupire.

— Lizzy, je ne t'ai pas appelée pour entendre ce petit discours.

— Et je n'ai pas décroché pour te rassurer, réplique-t-elle, ce qui me fait grimacer.

Davantage de larmes me montent aux yeux. Je les essuie d'un geste brutal, essayant de ne pas renifler ni pleurnicher, de crainte qu'elle n'entende ma tristesse. Je ne cherche pas à éveiller sa compassion ; je veux juste retrouver mon amie. Mais je crois qu'elle n'existe plus pour le moment.

— Je comprends, lâché-je avant de couper l'appel.

Mon portable glisse de mon oreille dans le creux de ma main et mon bras tombe lourdement le long de mon flanc. Les joues mouillées de larmes, je poursuis mon chemin en sentant quelques regards se poser sur moi.

J'accepte peu à peu l'idée que mon univers doive s'effondrer avant d'être rebâti. Avec Jack. Jack tout entier.

* * *

Un café à la main, je flâne jusqu'à Hyde Park. Je longe les grilles un moment avant de trouver un portillon ouvert sur Park Lane, puis je me promène en direction de la Serpentine. J'aperçois Micky au loin, sur la crête d'une colline. Accroupi, il crie des encouragements à un type qui fait des pompes, un sac sur le dos. Je m'assieds sur un banc, suis leur entraînement jusqu'à la fin, puis je reste assise une heure de plus à le regarder s'occuper d'une autre cliente – Charlie, cette fois. Lorsqu'ils ont terminé, elle le serre dans ses bras et Micky fait de même. Ce geste semble si affectueux ! Ça ne colle pas vraiment avec le comportement habituel de Micky. Celui qu'il adopte avec ses conquêtes, du moins. Il n'a pas encore réussi à la mettre dans son lit, c'est sûr. Il y a du laisser-aller ; ça fait des mois qu'il l'entraîne !

Je n'ai aucune intention de manifester ma présence, mais quand il se retourne et se dirige vers moi, je réalise qu'il sait probablement que je suis là depuis le début. Il est en nage ; ses biceps brillent sous le soleil de ce milieu de matinée. M'adressant un petit sourire, il s'assied à côté de moi sans un mot. Je reste aussi silencieuse que lui, car j'ai une peur bleue de devoir réentendre la rengaine de Lizzy. Vais-je perdre tous mes amis en tentant d'avoir Jack rien que pour moi ?

Je sens sa main prendre la mienne et la serrer doucement. L'observant du coin de l'œil, je découvre qu'il garde les yeux fixés devant lui. Mon regard tombe sur nos mains posées sur ses genoux. Nous ne disons rien pendant une éternité, les yeux rivés aux plaines herbeuses de Hyde Park, tandis qu'autour de nous, la vie se poursuit.

Après une éternité de non-dits entre nous, Micky se lève et se penche pour m'embrasser sur le front.

— Je suis là, dit-il.

Je lève les yeux vers lui, incapable de sourire ou de le remercier, mais je fais en sorte qu'il lise la gratitude dans mon regard. Mes yeux se mouillent à nouveau. Micky soupire en essuyant une larme solitaire. Ensuite, il s'éloigne et me laisse seule sur mon banc.

Trois personnes occupent tour à tour la place à côté de moi au cours de l'heure suivante. Un vieux type afin de se reposer, un autre homme afin de manger un sandwich, et enfin un joggeur afin de s'étirer. Tous arrivent puis repartent, poursuivant leurs vies respectives. Des vies simples, sans doute. Des vies dépourvues de trahisons, de souffrance et de sentiments de culpabilité.

La dame sur le banc d'en face me regarde, souriante, tout en installant son bébé dans son landau. Je lui rends son sourire avant de me lever et de reprendre ma route. Je ne sais pas où je vais, mais mon pas est régulier. Tout à coup, je ralentis, l'esprit envahi par le doute, puis je m'immobilise au milieu de l'allée. Me retournant peu à peu, je regarde la femme pousser son landau dans ma direction.

L'idée me frappe comme la foudre. Des étincelles traversent mon corps et irradient mon ventre terrifié. Je fouille dans mon sac, cherchant à tâtons mon téléphone d'une main tremblante. Lorsque je le trouve enfin, j'appuie sur les mauvaises icônes des douzaines de fois d'un doigt tremblant, pressée d'ouvrir mon calendrier. Il ne me faut que quelques secondes pour compter les semaines écoulées. Et quelques-unes de plus pour que le malaise s'empare de moi. J'ai soudain très chaud et la tête me tourne.

Je commence à hyperventiler – mon souffle se fait de plus en plus superficiel, mon environnement disparaît dans un tourbillon.

— Est-ce que ça va ?

Je regarde distraitement sur le côté et découvre la femme au landau arrêtée à côté de moi. Elle a l'air sincèrement inquiète. Mes yeux se posent sur le bébé qui dort maintenant paisiblement. Soudain, mon estomac se contracte. Je me plie en deux et vomis quasiment sur mes pieds.

— Oh, mon Dieu ! s'écrie la femme en me frottant le dos.

Je parviens à lever une main entre deux haut-le-cœur. La violence de mes vomissements me donne les larmes aux yeux. Ou bien est-ce que je pleure vraiment ?

— Ça va, parviens-je à croasser, acceptant la lingette qu'elle me tend afin de m'essuyer la bouche. Merci.

Je me redresse et m'enfuis, trop inquiète pour me préoccuper de cet épisode dégradant.

* * *

Je finis par atterrir dans des toilettes publiques. Non que j'aie jamais imaginé me retrouver dans cette situation, mais si c'était le cas, je ne me serais jamais attendue à faire une chose pareille dans un lieu aussi impersonnel, que des milliers de gens ont utilisé avant moi. Et pourtant, me voilà assise sur le siège de ces toilettes, les yeux fixés sur un test de grossesse.

Positif.

Les deux bandes me narguent, me crient que je ne suis qu'une conne négligente. Négligente n'est sans doute pas le mot qu'utiliseront les gens, une fois au courant. Fourbe plutôt, ou bien manipulatrice, sournoise, calculatrice. Rien de ce que je dirai ou ferai n'y changera quoi que ce soit. C'est une chose avec laquelle je vais devoir vivre, comme je vais devoir m'habituer à ce qu'on m'accuse d'avoir volé le mari d'une autre femme.

La douleur est d'autant plus intense que la seule personne qui saura que je ne l'ai pas fait exprès est celle que je ne peux justement pas appeler maintenant. Je ne peux pas appeler ni voir Jack. Je n'ai personne vers qui me tourner. Tous les autres me démoliront sans aucun doute et me refuseront le câlin dont j'ai besoin.

Mon univers ne s'effondre pas petit à petit. Il s'écrase brutalement autour de moi. J'ai l'impression que tout part en vrille. Ce test positif n'éveille en moi aucun sentiment de fierté. Je ne ressens même pas un soupçon d'excitation. Je suis surtout bouleversée. C'est sans nul doute la pire chose qui pouvait arriver. Cette nouvelle change tout.

Je laisse tomber le test dans mon sac, sors de la cabine, me lave les mains et évite le miroir en sortant. Je n'ai pas besoin de me voir pour savoir que j'ai une tête de zombie. Je frissonne, j'ai le souffle court et mon corps semble s'être vidé de son sang. J'ai l'impression de n'être plus que l'ombre d'une femme. Et c'est certainement ce que pensent aussi tous les gens que je croise.

* * *

Au moment où le soleil commence à se coucher, je pense avoir fait le tour de tous les parcs de Londres. Mes pieds me font mal, mais ce n'est rien en comparaison de ma tête, de mon ventre et de mon cœur. Je n'ai aucune nouvelle de Jack. Je me demande s'il a dû l'emmener à l'hôpital parce qu'elle a tenté de commettre l'irréparable. Je me demande même s'il lui a annoncé qu'il la quittait. Je me demande s'il est couvert de griffures. Je ne peux pas rentrer chez moi et attendre seule. Je ne peux pas affronter mes parents ni mes amis. Je n'ai nulle part où aller. Je ne me suis jamais sentie aussi seule.

Alors que je me traîne péniblement jusqu'à la porte d'un café, mon portable sonne. Mon cœur fait un bond. Je me dépêche de sortir mon téléphone de mon sac et jette un œil à l'écran. Je n'ai même pas la force de me sentir coupable lorsque la déception me submerge : ce n'est pas Jack. J'envisage un instant d'ignorer l'appel de Lizzy, de peur que sa négativité finisse par m'achever, mais entrevoyant tout de même une lueur d'espoir, je réponds.

— Je suis vraiment désolée, bredouille-t-elle d'une voix étranglée. Mais je suis tellement inquiète pour toi, Annie ! Je voudrais sincèrement croire en ton bonheur, ça me tue de ne pas y arriver. Tu mérites tellement mieux que cette situation de merde. Tu mérites un conte de fées. Pourquoi a-t-il fallu que tu tombes amoureuse d'un homme marié ?

— Je ne l'ai pas fait exprès.

Je me laisse tomber sur une chaise à une table proche.

— J'ai tout fait pour éviter ça. J'ai vraiment essayé de le quitter ; il faut que tu me croies.

— Ça n'a plus d'importance maintenant, pas vrai ? Tu es dans la merde jusqu'au cou.

Je lève les yeux au ciel. Si elle savait !

— Je l'aime, répliqué-je simplement.

On pourrait en débattre, se disputer au sujet des raisons et des conséquences pendant des années, la conclusion serait toujours la même : je l'aime.

— Je n'y peux rien, Lizzy, ajouté-je à voix basse, reprenant ses propres mots au sujet de Jason.

— Je sais, soupire-t-elle. Est-ce que tu as des nouvelles de lui ?

— Non, admets-je.

Encore une fois, je me demande où il est. Ce qu'il fait. Ce qui se passe.

— Qu'est-ce que tu as fait de ta journée ?

— J'ai flâné.

— Toute seule ? Toute la journée ? Pourquoi n'es-tu pas venue me voir ? demande-t-elle, perturbée.

— Tu n'étais pas vraiment chaleureuse au téléphone ce matin, réponds-je gentiment. Je ne voulais pas t'embêter.

— Annie, je ne t'aime pas moins depuis que je suis au courant de cette histoire. Tu as fait une chose que je désapprouve, mais je ne te tournerai jamais le dos.

— C'est bon à savoir, dis-je machinalement. Parce que je suis enceinte.

Les mots sortent comme ça, et je ne suis même pas choquée. Il ne me reste plus un gramme d'énergie.

— Qu'est-ce que tu dis ? s'exclame-t-elle, la voix aiguë et inquiète.

— Je suis enceinte, répété-je, même si je sais qu'elle m'a très bien entendue.

— Oh, bon sang, chuchote-t-elle, vraiment horrifiée. Oh, mon Dieu.

— Je sais.

Je n'ai pas la force d'en dire plus. Pas la force de m'expliquer. Pas la force de la supplier de se montrer indulgente ou de me comprendre. Cette journée m'a mise K.O. Je ne trouverai peut-être plus jamais la force de me relever.

— Où es-tu ?

— Dans un café près de Regent Park.

— Pourquoi ?

— Parce que je n'ai pas envie de rentrer chez moi. Parce que je ne sais pas si Jack a annoncé à Stephanie qu'il la quittait. Parce que je n'ai aucune nouvelle de lui et que ça me rend folle. Parce que je ne peux pas l'appeler. Parce que...

— Viens chez moi, m'ordonne-t-elle sans hésiter. S'il te plaît.

Je souris en réalisant que je souhaite juste être seule, bizarrement. Je n'ai pas envie de discuter ni d'écouter quelqu'un disserter sur ma situation merdique. Je le fais très bien moi-même.

— Non, ça va, lui assuré-je.

— Annie, s'il te plaît.

— Lizzy, fais-moi confiance, ça va. J'ai juste besoin de digérer tout ça.

Ou plutôt, de me torturer davantage.

— Je rentrerai bientôt chez moi, c'est promis.

Elle reste silencieuse quelques instants et finit par céder.

— Appelle-moi si tu veux que je vienne te chercher, d'accord ?

— D'accord.

Je raccroche, mais avant que j'aie pu le ranger, mon portable recommence à sonner. Cette fois, c'est Jack. Aussitôt, mon cœur se met à battre comme un fou. Je me dépêche de répondre.

— Jack ?

— Salut ma puce.

Il a l'air absolument brisé de fatigue, et j'ignore si c'est une bonne chose ou non. A-t-il réglé le problème ? L'a-t-elle supplié de ne pas partir ? A-t-il cédé à la pression ?

— Où es-tu ? demande-t-il.

Mieux vaut ne pas le lui dire. Je ne veux pas qu'il s'inquiète pour moi.

— Chez Lizzy. Est-ce que ça va ?

— Non, répond-il franchement. Aucun homme ne peut aller bien après avoir vu une femme s'effondrer à ses pieds.

— Je suis vraiment désolée.

— Je lui ai dit qu'il y avait une autre femme dans ma vie.

— Quoi ?

— Elle ne m'écoutait pas, Annie. J'étais désespéré.

— Est-ce que tu lui as dit que c'était moi ?

— Mais non, bon sang, murmure-t-il.

Je ne suis que légèrement soulagée. Il lui a avoué notre liaison. Elle va faire une fixation là-dessus et fera des pieds et des mains pour découvrir l'identité de cette femme.

— Où es-tu ?

— Chez Richard. Je bois quelques bières, histoire de décompresser. C'était...

Jack se tait. Il n'a pas besoin de me dire que la journée a été longue.

— Oui, j'imagine.

Curieusement, je ne lui en veux pas de profiter de ce moment entre hommes. J'ai encore besoin d'un peu de solitude pour analyser la chose que Jack ignore toujours. J'ai besoin de réfléchir au moment et à la façon dont je vais le lui annoncer.

— Je t'aime, ajouté-je, ne serait-ce que pour lui rappeler pourquoi nous vivons ces moments pénibles.

— Je n'en ai jamais douté une seule fois, Annie.

Il soupire bruyamment, l'air fatigué.

— Tu as besoin d'une bonne nuit de sommeil, ma puce. Je t'appellerai demain matin.

— D'accord.

— Je t'aime, ma belle. Plus que tout au monde.

Sa déclaration fait naître un petit sourire sur mes lèvres.

— Encore plus que les fraises géantes ?

— Encore plus. Dieu sait que je les aime, pourtant.

— C'est ce que j'ai cru comprendre. Je t'aime aussi.

Je raccroche et me lève afin de rentrer chez moi. J'aimerais penser que le plus dur est fait, mais je ne suis pas stupide.

Les problèmes ne font que commencer.

24

Il fait nuit au moment où j'arrive chez moi. Je file dans ma chambre, jette mon sac sur le lit et plonge la main dedans afin de retrouver le long bâtonnet en plastique. Je contemple sa petite fenêtre, espérant qu'il s'est produit un miracle. Les deux bandes me regardent toujours fièrement. Je jette le test dans mon sac, me dirige vers la salle de bains puis me regarde dans le miroir pour la première fois de la journée. Je crois que je ne m'étais encore jamais vue avec une tête pareille. J'ai le teint cireux, mes yeux verts sont voilés, mes cheveux mous, mes vêtements froissés. Je baisse la tête pour éviter de voir mon visage malheureux, et mon regard se pose sur mon ventre. Mon « gros » ventre. Pour la première fois surgit la question importante que je devrais me poser tout de suite. Peu importe ce que les gens penseront ou comment ils vont réagir – je devrais avant tout me demander si j'en suis capable. Capable d'être mère. Pas une seule fois la pensée de me débarrasser du problème n'a traversé mon esprit surmené. Je ne me suis pas demandé si je gardais le bébé.

Parce que je le garde, bien sûr.

Après la douche, je me prépare un thé avant de filer me coucher. Le sourire aux lèvres, je ramasse les emballages de bonbons autour du canapé. Et, que ce soit une idée tordue ou non, je décide de revoir *Top Gun*, me blottissant dans le canapé pour le regarder. Mon regard quitte de temps en temps l'écran, se pose sur le sol et je me revois avec Jack, bras et jambes enchevêtrés, gavés de bonbons, appuyés contre nos oreillers. Et je vois une troisième personne : un bébé. Jack, moi et une petite personne – une moitié de lui, une moitié de moi. Ma main se pose sur mon ventre et décrit distraitement des cercles. Dans moins d'un an, je devrai m'occuper d'un petit être humain. Quelqu'un qui me fera confiance et dépendra de moi. Être mère n'a jamais fait partie de mes projets, peut-être parce que mes seules ambitions étaient professionnelles. Ma vie a été mise sens dessus dessous, mais c'est moi qui l'ai voulu. À présent, il faut que j'assume. Je sais ce qui m'attend, mais maintenant que ce bébé pousse en moi, je me soucie moins des réactions des gens, et de Stephanie, que d'être une bonne mère. Je peux le faire. Avec Jack, je suis capable de tout.

Pour la première fois de la journée, j'entrevois de la beauté au milieu des ruines. Je m'y accroche de toutes mes forces, sirotant mon thé, allongée sur le canapé. Un message me parvient avant que je m'assoupisse.

Un message de Jack.

J'ai toujours été à toi. Même quand je ne te connaissais pas. Et tu as toujours été à moi. Il nous a juste fallu du temps pour nous trouver. Je t'aime. x

Je m'endors tandis que ces mots tournent en boucle dans ma tête.

* * *

Je me réveille, frigorifiée, alors que le générique de *Top Gun* défile sur l'écran. Avec un grognement, je réalise que je n'ai aucune envie de bouger et d'aller me coucher, mais j'ai trop froid pour rester où je suis. Je frissonne, me lève du canapé, éteins la télé puis attrape mon portable et tire la couverture sur mes épaules. Enfin, je me dirige vers ma chambre comme une somnambule.

J'ai presque atteint la magnifique chaleur de mon lit, ma couette me tend les bras, mais un coup à la porte m'arrête sur le seuil de ma chambre. Depuis le couloir, j'observe un instant la porte d'entrée et me demande qui ça peut bien être à cette heure-ci. Je jette un œil à mon portable. Vingt-deux heures. Il n'est pas si tard, après tout.

Je fais tomber la couverture de mes épaules, la jette sur le lit puis attrape mon sweat-shirt gris à capuche posé sur une chaise et l'enfile en marchant. En chemin, je prie pour que ce soit Jack. Cette possibilité m'incite aussitôt à marcher plus vite. J'ouvre la porte d'entrée, prête à me jeter à son cou et à ne plus jamais le laisser partir.

Mais la joie disparaît de mon visage à l'instant où je découvre l'identité de ma visiteuse.

— Stephanie.

Le souffle tremblant, je fais de mon mieux pour empêcher mes yeux de sortir de leurs orbites. Oh, mon Dieu, mais qu'est-ce qu'elle fait là ? Merde, qu'est-ce que je vais faire ? Elle a l'air d'une loque, les cheveux sales, la queue-de-cheval à moitié défaite, le visage rouge et boursouflé. Son corps recroquevillé est enveloppé dans un manteau kaki à capuche bordée de fourrure. Je lâche la porte lorsque celle-ci commence à trembler dans ma main.

Ma nervosité saute sans doute aux yeux. Le regard interdit, elle paraît un peu en transe. N'importe quelle personne normale lui demanderait si ça va. Mais je sais que ça ne va pas, et je ne suis pas n'importe quelle personne. Je suis la femme pour laquelle son mari l'a quittée. Il faut que je me débarrasse d'elle avant que mes nerfs lâchent et qu'elle comprenne tout.

— Stephanie ?

Je tente doucement de la faire réagir, tout en m'efforçant d'afficher une expression amicale.

— Je ne savais pas vers qui me tourner, croasse-t-elle, les bras serrés sur son ventre d'un geste protecteur.

— Quoi ?

Ce ton abrupt me surprend moi-même et je fais de mon mieux pour me ressaisir. Elle est donc venue ici pour me voir *moi* ?

Stephanie éclate en sanglots.

Oh, putain.

— Il m'a quittée, sanglote-t-elle. Il est parti !

Mon estomac se noue. Mon cerveau ne semble pas avoir la moindre envie de me donner un indice sur ce que je devrais faire.

— Stephanie, je...

Elle fait finalement irruption dans mon vestibule, ne me laissant d'autre choix que de m'écarter sur son passage, et frappe violemment le mur. Je détecte une odeur d'alcool quand elle me dépasse. Elle a bu.

— Il est parti, Annie ! Il est parti, il m'a laissée toute seule !

Stephanie s'écarte du mur et se place face à moi, le visage soudain sérieux, les yeux ronds, hagards.

— Mais il a besoin de moi, affirme-t-elle d'une voix ferme.

— Je suis vraiment désolée, Stephanie.

Ma bouche se réveille enfin. Il faut à tout prix que je me comporte comme une étrangère à la situation, quelqu'un de compatissant.

— Je suis sûre qu'il reviendra.

— Oui, moi aussi, acquiesce-t-elle en se mouchant. Il est un peu perdu, c'est tout.

Je hoche la tête avec enthousiasme. Tout ce qu'il faut, c'est qu'elle se ressaisisse et me laisse seule, afin que je puisse m'effondrer à mon tour. Ma crise ne sera pas aussi spectaculaire que la sienne, mais je vous garantis qu'il y aura des larmes et un coup de fil affolé à Jack. Ses traits se déforment et Stephanie recommence à sangloter. Mais elle se maîtrise mieux cette fois, le corps seulement secoué par ses reniflements et son souffle saccadé.

— Mais qu'est-ce que je vais devenir ? s'exclame-t-elle en hoquetant, les épaules tombantes.

Que lui répondre ? Je n'en ai pas la moindre idée et ça m'effraie réellement.

— Tu veux que j'appelle une de tes amies ? Quelqu'un à qui tu pourrais parler ?

Il faut qu'elle comprenne bien que je ne suis pas cette personne. Même si je n'étais pas amoureuse de son mari, ce ne serait pas le cas.

— Il n'y a personne, sanglote-t-elle. Je n'ai aucune amie.

Stephanie me regarde, pleine d'espoir. Je crains le pire.

— À part toi. Je vais rester avec toi un moment. Tu n'as qu'à me préparer une tasse de thé. Je ne me sens pas bien quand je suis seule, Annie.

— Et ta maman ? demandé-je, essayant de paraître plus inquiète que désespérée.

Elle secoue la tête.

— Papa et elle sont sortis dîner. Je ne veux pas les déranger.

J'essaie de ravaler l'angoisse qui forme une boule dans ma gorge. Mais il m'est impossible de me détendre. Stephanie veut que je sois son amie. Enfin, elle pense clairement que je le suis déjà. Elle veut déballer ses problèmes à la femme qui porte le bébé de son mari ! Je ne peux imaginer pire situation. Bon sang, je ne peux pas la mettre dehors et passer la nuit à me demander si elle va essayer de se trancher les veines !

— Je vais faire chauffer la bouilloire, déclaré-je en refermant la porte d'entrée.

Je suis totalement foutue.

Après avoir emmené Stephanie dans la cuisine, je la laisse s'asseoir et commence à préparer du thé, l'esprit en surchauffe. Je redoute la tournure que va prendre notre conversation.

— Il m'a dit qu'il y avait une autre femme dans sa vie, lâche-t-elle à brûle-pourpoint, incontestablement amusée.

— C'est sans doute juste une passade, rétorqué-je machinalement.

En fin de compte, je n'ai d'autre choix que de faire la sourde oreille et me comporter comme sa soi-disant amie.

— C'est exactement ce que je lui ai dit. Cette fille est juste une garce qui s'est offerte à lui.

Je serre les dents, pousse sa tasse vers Stephanie sur la table et m'assieds en face d'elle.

— Il reviendra. C'est ce qu'il a fait une fois, après avoir compris son erreur. Il ne peut pas vivre sans moi.

Un sourire forcé aux lèvres, je l'écoute rire et m'effondre intérieurement. Je ne veux pas en entendre plus. Stephanie se penche en avant, entoure son mug de ses mains et me sourit.

— Et si tu m'aidais à le lui faire comprendre ? Tu travailles avec lui, tu le vois tout le temps. Tu pourrais lui démontrer qu'il se trompe. Qu'est-ce que tu en dis ?

Qu'est-ce que j'en dis ? J'en dis que j'ai dû atterrir en enfer au lieu de rentrer chez moi. Blessée, je m'efforce de sourire, tandis que mon estomac ne cesse de se retourner comme pour me rappeler qu'une partie de Jack et une partie de moi poussent actuellement dans mon ventre.

— D'accord, réponds-je, la gorge serrée.

— Merci, Annie, souffle Stephanie, avant de porter son mug à ses lèvres d'un air pensif.

Elle semble vraiment se sentir mieux, à présent. Mais à l'instant où je commence à me détendre, elle repose bruyamment son mug et recommence à brailler. Je n'arrive pas à comprendre si c'est le comportement normal d'une femme abandonnée par son mari ou juste le comportement normal de Stephanie.

— Je suis désolée, s'écrie-t-elle en s'essuyant le visage. Est-ce que tu aurais des mouchoirs ?

— Dans la salle de bains. Tu sais où elle se trouve, je crois.

Prions pour qu'elle y aille sans attendre que je l'accompagne ! Mon portable se trouve de l'autre côté de la pièce, près de la bouilloire. Ça paraîtra bizarre si je le saisis au passage et l'emporte. Alors que si elle s'y rend seule, je pourrai envoyer un message à Jack, afin qu'il vole à mon secours.

Sa chaise glisse sur le sol. Stephanie se lève. J'attends qu'elle disparaisse dans le couloir pour me jeter sur mon portable et taper un message à toute vitesse.

Stephanie est là !

Je me rassieds et serre mon téléphone dans ma main en l'entendant se moucher au loin. La réponse de Jack est presque immédiate.

Quoi ? Chez toi ?

J'ai juste le temps de lui répondre par un simple « *Oui !* » avant qu'elle réapparaisse. Je glisse mon portable dans ma poche et me lève.

— Ça va ?

Elle acquiesce d'un signe de tête et fourre le mouchoir dans sa poche. Ensuite, elle s'approche et passe les bras autour de mon corps raide, qui refuse de se détendre, bien que je lui ordonne de ne pas trahir mon anxiété.

— Tu es une vraie amie, lance-t-elle, avant de se détacher de moi et de m'embrasser sur la joue.

C'est insupportable. Une sirène ne cesse de retentir dans ma tête.

Lorsqu'une sonnerie de portable se fait entendre, Stephanie pousse un petit cri et sort un téléphone de la poche de son manteau. Perplexe, je vois la joie envahir son visage lorsqu'elle regarde l'écran.

— C'est Jack ! couine-t-elle, avant de décrocher. Jack ?

Elle se tourne et sort de la cuisine en courant.

— Oui, je rentre tout de suite ! Est-ce que tu viens ? Nous allons discuter. Raisonnablement. Je t'écouterai, c'est juré.

Elle disparaît dans un tourbillon d'excitation, puis la porte d'entrée claque derrière elle.

Je me laisse tomber sur ma chaise. La dose d'adrénaline qui m'a permis de tenir le coup jusque-là disparaît de mon corps et la stupéfaction s'installe. Ma tête tombe dans mes mains, mais mon esprit las n'a pas le temps de se reposer. Mon portable se met à sonner dans ma poche. Je le sors et réponds.

— Annie, est-ce que ça va ?

Jack a l'air fou d'inquiétude.

— Super bien, réponds-je. Je viens de regarder ta femme verser toutes les larmes de son corps et l'écouter m'expliquer comment elle allait t'arracher aux griffes de la pute avec qui tu couches. Apparemment, elle me considère comme une super amie, et je dois te convaincre que tu fais une erreur. En résumé, tout est parfait.

— Quoi ?

Il semble aussi abasourdi que moi.

— Jack, je suis inquiète.

— Je suis vraiment désolé, murmure-t-il. Je ne savais pas qu'elle allait débarquer chez toi de cette façon.

— Est-ce que tu vas bien ? demandé-je doucement, inquiète de son ton las.

— Je voudrais juste être auprès de toi, admet-il, m'arrachant un sourire triste. Quelle journée de merde !

— Tu l'as dit, approuvé-je à voix basse.

Il n'a pas besoin de savoir ce qui a rendu la mienne aussi pénible.

— Il faut que je te voie, Annie. Est-ce que tu peux passer à mon bureau demain matin ?

— Tu crois vraiment que tes collègues verront ça d'un bon œil ?

340

— Il s'agira d'un rendez-vous professionnel. C'est tout.

— J'apporterai mes dossiers, accepté-je, avant de me lever et de me diriger vers ma chambre, impatiente de me glisser enfin sous ma délicieuse couette.

Je tire sur mon sac, le laisse tomber sur le sol puis m'effondre et remonte ma couette jusqu'au menton.

— Onze heures à mon bureau ?

— D'accord.

— J'ai hâte de te serrer dans mes bras, Annie.

Il a l'air tellement épuisé. Je ferme les yeux et m'imagine blottie contre sa poitrine, au chaud et en sécurité. Lui et moi, ensemble.

— Bonne nuit, ma puce.

— Bonne nuit.

Je raccroche et contemple le plafond. Comment vais-je annoncer la nouvelle de ma grossesse à Jack ? Je ne sais pas très bien s'il peut en encaisser davantage, le pauvre.

25

L e lendemain matin, je patiente nerveusement dans la salle d'attente de l'entreprise de Jack, après m'être annoncée à l'accueil. Je n'arrive pas à décider si c'est le fait que Stephanie risque de débarquer ici ou l'idée d'annoncer ma grossesse à Jack qui me rend fébrile. Cependant, je n'ai pas le temps d'y réfléchir davantage. Jack sort de son bureau et se dirige vers moi en fermant le bouton de sa veste de costume. Il a l'air épuisé, absolument crevé, mais son visage s'illumine lorsque nos regards se croisent. Il ne porte pas de cravate aujourd'hui – juste une chemise blanche au col ouvert, sa veste et un pantalon. Ses cheveux ne sont pas aussi soigneusement coiffés que la dernière fois que je l'ai rencontré dans son bureau. Mais ce n'est vraiment pas étonnant. Je crois que la journée d'hier a laissé des traces sur chacun d'entre nous.

À l'inverse de son élégante tenue, mon jean déchiré est usé, mon T-shirt trop grand et froissé, et mes tongs ne sont pas du tout adaptées à ce rendez-vous soi-disant professionnel.

Jack adresse un signe de tête à la dame de la réception. Elle lui adresse un petit sourire, presque compatissant. A-t-il annoncé la nouvelle à ses employés ? A-t-il révélé à son entourage qu'il quittait Stephanie ? Je commence à m'agiter sur ma chaise, les nerfs en pelote.

— Mademoiselle Ryan, dit-il doucement en me tendant la main.

Je la lui serre.

— Monsieur Joseph, réponds-je, tandis qu'il tire discrètement sur mon bras pour m'aider à me lever, comme s'il sentait que j'avais besoin de soutien.

Ce geste est le bienvenu. Je me sens vidée. Je n'ai pas fermé l'œil de la nuit, stressée à l'idée d'annoncer la nouvelle à Jack. C'est moi qui devrais le soulager de son stress, non l'inverse.

— Merci.

Il me serre doucement la main, avant de la lâcher et de me montrer le chemin.

— Mon bureau se trouve par ici.

C'est totalement stupide. Monsieur Joseph ? Mademoiselle Ryan ? Me montrer le chemin ? Je le connais déjà puisqu'il m'a sautée sur son bureau ! D'ailleurs, sa réceptionniste ne se rappelle-t-elle pas m'avoir vue, le jour où j'ai été convoquée par Brawler's ? Je sens qu'elle me regarde passer. Jetant un coup d'œil intéressé par-dessus ses lunettes, elle semble nous observer d'un air soupçonneux. Pour ne rien arranger, je deviens rouge écarlate et toussote en évitant rapidement de croiser son regard.

— Elle nous observe bizarrement, chuchoté-je, tandis que nous marchons côte à côte en direction du bureau.

Nos bras s'effleurent à chaque pas et ce bref contact me fait presque haleter. Nos contacts physiques me coupent le souffle depuis notre toute première rencontre. Malgré les horribles circonstances, aujourd'hui ne fait pas exception à la règle.

— Tu es parano, murmure-t-il, avant de saisir la poignée et de m'ouvrir la porte. Après toi.

Il m'adresse un petit clin d'œil, dans l'espoir de me tranquilliser. Je souris intérieurement, entre dans son bureau et fais volte-face dès qu'il referme derrière moi. Jack me soulève et me porte jusqu'à l'un des canapés, puis il s'assied avec moi, installée sur ses genoux, et me serre le plus possible contre lui.

— Bon sang, j'ai l'impression d'avoir attendu ce moment toute ma vie.

Jack passe un moment à me couvrir de doux baisers et de tendres caresses. Exactement ce dont j'ai besoin.

— Tu as bien dormi ? s'enquiert-il, prenant mon visage entre ses mains, avant de frotter le nez contre le mien.

— Très mal, admets-je. Je n'arrivais pas à oublier Stephanie.

Jack hoche la tête.

— Elle était dans un tel état.

— Je sais, ma puce. C'était horrible à voir, mais je dois rester fort, même si elle me fait passer pour un monstre. C'est mieux ainsi. Pas seulement pour nous, pour elle aussi. Ce mariage sans amour ne peut pas la rendre heureuse.

Je m'avachis sur ses genoux. Si seulement je pouvais extraire de mon esprit toutes les pensées qui me tourmentent, m'anesthésier.

— Je me sens tellement coupable, avoué-je.

Je prends la décision sur-le-champ de me rendre à l'église dès demain. Je ne suis pas croyante, mais Dieu est là pour tout le monde, non ? Il ne tourne le dos à aucune âme. Je confesserai mes péchés et prierai pour obtenir son pardon. J'espère qu'il me l'accordera. Certes, je déteste Stephanie à cause de ce qu'elle fait à Jack, mais je me sens tout de même coupable. Cette idée m'agace et me réconforte à la fois.

— Hé.

Jack m'oblige à revenir à la réalité, mais son visage s'assombrit quand il me voit fondre en larmes. Ses lèvres se serrent, tandis qu'il passe le bout du doigt sous mon œil et attrape ma larme avant qu'elle ne tombe.

— Est-ce que tu l'as fait exprès, ma puce ? demande-t-il d'un ton sérieux. Je veux dire, t'es-tu réveillée un matin en décidant que tu allais sortir dans un bar et tomber amoureuse d'un homme marié ?

Évidemment, dit comme ça...

— Mais bien sûr que non.

— As-tu tué quelqu'un ?

— Jack, soupiré-je doucement. Je n'ai tué personne, mais ça n'excuse pas mes actes.

— Tu as raison, Annie. Mais ce que je veux dire, c'est que tu n'es pas une mauvaise personne. Tu n'es pas le mal incarné ni une femme calculatrice ou manipulatrice. Tu es tombée amoureuse. Si c'est un crime, alors nous irons vivre notre amour en enfer.

— À t'entendre, nous n'avons rien à nous reprocher.

— J'essaie de regarder les choses en face. C'est tout.

Il émet un faible rire, un rire empreint d'une tristesse qu'il fait de son mieux pour me cacher.

— J'ai quitté Stephanie parce qu'il m'était impossible de l'aimer. Je l'ai quittée parce qu'il ne serait bientôt plus rien resté de moi si je ne l'avais pas fait. Je l'ai quittée parce que j'ai envie d'être heureux.

Il pince légèrement mon menton.

— Je veux que *tu* sois heureuse. Avec moi.

— Je sais, admets-je, avec un sourire triste et las. Qu'est-ce qui va se passer maintenant ?

— Je possède un appartement près de Maida Vale. Mes locataires m'ont donné leur préavis. Il sera libre à la fin du mois. En attendant, je logerai dans un hôtel.

— Est-ce qu'on pourra se voir ?

— Ça te dirait d'emménager avec moi ? plaisante-t-il, amusé par mon sourire.

Il pourrait crécher dans une tente au milieu d'un camping pourri que j'accepterais quand même de vivre avec lui. Rien ne m'en dissuaderait. Mais j'ai également l'impression que sa question sous-entend davantage de choses, aussi je prends mon courage à deux mains afin de lui annoncer ma nouvelle.

— Jack...

— J'ai accepté de voir Stephanie ce soir, me coupe-t-il. Je voulais que tu le saches, afin que tu n'ailles pas t'imaginer des choses...

— Quelles choses ?

J'écarte un peu mon corps du sien et m'en veux aussitôt de paraître aussi froissée et inquiète.

— Nous allons simplement discuter comme des adultes des dispositions à prendre.

— Ce n'est pas ce que vous avez fait hier soir ? Quand tu l'as appelée ?

— Tout ce que je voulais, hier soir, c'était l'obliger à sortir de chez toi.

— Tu as donc accepté de la voir.

— C'était le seul moyen. Je ne peux pas revenir sur ma promesse, Annie. Enfin bref, elle m'a assuré qu'elle avait les idées plus claires. Elle pense finalement qu'une petite pause nous ferait du bien.

— Une petite pause ?

Je n'aime pas ça du tout. Jack hausse les épaules.

— Histoire de faire le point. De prendre le temps de digérer notre séparation. Je ne vais pas lui refuser cette demi-heure de discussion si je peux obtenir beaucoup plus en échange. C'est le reste de ma vie qui est en jeu. Aie confiance en moi. Je sais ce que je fais.

C'est un stratagème. Forcément. J'ai écouté Stephanie hier soir et je l'ai observée. C'est une femme désespérée. Elle fera n'importe quoi pour le garder. À ce propos, d'ailleurs...

Soudain moi-même désespérée, je repousse ma nouvelle au fond de ma tête et tente de me raisonner. Je ne peux pas lui annoncer que je suis enceinte maintenant. Il a raison. Je dois lui faire confiance, même si ça me tue de le laisser la retrouver. Jack est assurément dans un sale pétrin ; je n'ai pas le droit de le stresser davantage. De lui rendre les choses plus difficiles. Je dois me montrer patiente et raisonnable.

Après tout, c'est moi qui l'aurai quand tout sera terminé. C'est moi qui vivrai un conte de fées avec le seul homme que j'aie jamais aimé. Le seul homme avec qui j'ai une relation aussi profonde.

— D'accord, parviens-je à articuler. J'irai chez Lizzy en attendant.

Je ne peux pas rester seule chez moi à me prendre la tête. Je vais devenir folle.

Jack hoche la tête.

— Comment va-t-elle au fait ? Et Micky ?

— Ils pensent que j'ai perdu la raison.

Il faut dire ce qui est.

— Mais ils sont là pour moi.

— Tant mieux.

Jack m'attire contre sa poitrine.

— Je t'aime, Annie.

Il inspire profondément et me serre de toutes ses forces.

— J'aime ta passion, j'aime ton esprit, j'aime ta façon de plisser les lèvres sur le bord de ta tasse quand tu réfléchis. J'aime ta manie de gigoter quand tu es anxieuse.

Sa bouche se presse sur l'arrière de ma tête et j'esquisse un sourire. Ces choses sont si agréables à entendre.

— Et j'aime ton T-shirt de U2, surtout quand tu ne portes rien en dessous.

Me détachant de lui, je cherche son visage, soudain pressée de le voir. Jack sourit. Mon pouce suit le contour de sa mâchoire, tandis qu'il poursuit.

— J'aime quand tu rassembles tes cheveux en formant une espèce d'ananas, aussi. Et j'aime la façon dont ton mascara coule un peu ici, à la fin de la journée.

Lorsqu'il effleure le coin de ma paupière, un sourire étire mes lèvres.

— J'aime tout ce qu'il y a d'aimable en toi.

— J'aime ta poitrine, dis-je bêtement.

Sa chaleur est si délicieuse. Je rêve de rester blottie ainsi pour toujours.

Jack émet un petit rire.

— Oublions cette semaine et partons à Liverpool. Trois jours, juste toi et moi, d'accord ?

J'acquiesce d'un signe de tête, me pelotonne contre lui et savoure ce énième moment volé. Je lui parlerai du bébé ce week-end, quand nous serons loin de Londres, seuls et détendus.

* * *

J'ai appelé Lizzy juste après avoir quitté le bureau de Jack. Elle m'a écoutée lui raconter la soirée de la veille, puis je lui ai expliqué qu'il avait prévu de voir Stephanie ce soir. Je n'ai pas eu besoin de lui demander de me tenir compagnie. Elle m'a invitée à passer chez elle vers dix-huit heures, quand elle serait rentrée du travail. Nous mangerons du curry et regarderons *Titanic* – un film dont aucune de nous ne se lasse, même après l'avoir vu un million de fois.

Elle m'accueille sur le pas de sa porte avec le plus gros câlin qu'elle m'ait jamais donné. J'en aurais eu bien besoin avant d'aller voir Jack. À vrai dire, je pourrais rester dans ses bras toute la soirée. Je prends mon portable dans mon sac et le lui tends. Inutile de vérifier toutes les minutes si j'ai un message de Jack. Ça m'empêchera de profiter pleinement de ma soirée. Lizzy le prend et le glisse dans la poche arrière de son jean. Sans prononcer un mot, me poser la moindre question, ni me pousser à parler, elle m'accompagne jusqu'à la cuisine.

Je souris, sincèrement heureuse de trouver Nat et Micky en train de bavarder et rire autour de la table. Micky me lance un clin d'œil et Nat applaudit mon arrivée. Je regarde Lizzy, histoire de savoir si elle leur a parlé de ma situation délicate, mais elle secoue la tête légèrement et sort une bouteille de vin du frigo.

Lizzy me tend un verre, mais alors que je m'apprête à le prendre, je me rappelle soudain que je ferais mieux d'éviter de boire.

— C'est sans alcool, murmure-t-elle, en allant remplir les autres verres – de vrai vin, je suppose.

Nat porte un toast et m'invite à m'asseoir sur la chaise à côté d'elle.

— Tu as une mine terrible.

— Je te remercie !

Je ris et avale une gorgée de ma boisson.

— Elle a raison.

Micky me lance un clin d'œil. Je prends une cacahuète dans le bol et la lui jette à la tête, mais il se penche, l'attrape avec la bouche et sourit de toutes ses dents.

— Mauvaise journée au travail ?

— Crevante, réponds-je avec lassitude. Mais le jeu en vaut la chandelle.

— Je l'espère, intervient Lizzy en me lançant un regard, tandis qu'elle se joint à nous.

— J'ai une grande nouvelle à vous annoncer, déclare Micky, l'air blasé, pas du tout excité.

— Cache ta joie surtout ! répliqué-je.

Micky se redresse et se racle la gorge.

— J'ai un rencard.

Un silence s'installe. Nous nous regardons toutes comme si la chose la plus bizarre au monde venait de se produire. Je croyais l'avoir mal entendu, mais les filles font la même tête que moi.

— Tu peux répéter ? demande Nat, stupéfaite.

— Un rencard, redit-il, en faisant tourner sa bouteille de bière sur la table d'un air boudeur.

Nat éclate de rire, aussitôt imitée par Lizzy et moi. C'est désopilant !

— Arrête de te foutre de nous, Micky, glousse Nat.

— Qu'est-ce qu'il y a ? s'enquiert-il, vexé.

— Tu plaisantes ? renchéris-je.

— Un rencard ?

Lizzy s'agrippe à la table pour ne pas tomber de sa chaise.

— C'est cette fille que tu coaches !

Je bondis de mon siège.

— Charlie ! Tu as décidé de l'inviter à sortir, histoire de la faire passer à la casserole !

— Mais ferme-la ! me lance Micky d'un air sérieux. Si je voulais, je pourrais me la faire comme ça !

Il claque des doigts.

— Oh, mon Dieu !

Nat rit tellement qu'elle pose son verre sur la table pour éviter de le renverser.

— Je ne peux pas... C'est le... Tu ne vas pas... Merde, c'est la chose la plus drôle que j'aie jamais entendue !

La cuisine résonne de nos rires. Depuis quand Micky a-t-il besoin d'un « rencard » pour séduire une fille ? Croit-il que nous le connaissions si mal que ça ? Merde alors !

— C'est à pisser de rire ! gloussé-je en saisissant mon verre de faux vin, avant de boire péniblement une gorgée. Où est-ce que tu l'emmènes ?

— Ah, tout de même.

Micky se penche en avant.

— C'est de ça que je voulais vous parler.

Voilà donc pourquoi il tenait tant à nous parler de ce rencard ! Un nouveau fou rire s'empare de nous.

— Allez, les filles, râle-t-il. Aidez-moi.

— Le problème, c'est que nous ne la connaissons pas, rétorqué-je. Est-ce qu'elle aime l'art, la culture, la bonne bouffe ?

— Elle adore me regarder quand je tripote mes cheveux.

Il se tourne vers moi, plein d'espoir. Oh là là, il est trop mignon.

— Mais c'est super ! reprend Nat d'un ton sérieux.

Emmène-la chez le coiffeur la prochaine fois que tu auras besoin d'une coupe.

J'étouffe un rire, désolée pour mon vieux copain. Quand il s'agit de sortir avec une femme, il ne peut s'empêcher de se comporter comme un idiot.

— Un dîner chez Hakkasan, c'est le succès assuré.

— C'est vrai ? me demande Micky. Mais c'est un peu cher, non ?

Il lève aussitôt les mains pour se protéger de nos regards noirs.

— Dans ce cas, emmène-la au Burger King, soupire Nat. Mais je sais par expérience que tu n'auras pas droit à une petite gâterie au dessert. Pour ça, il faut que tu l'emmènes à Hakkasan.

Elle lève son verre afin de trinquer.

Je glousse, tout comme Lizzy, mais Micky lève les yeux au ciel. J'adore les soirées entre potes. J'avais oublié combien elles me sont précieuses. Peu importe que mon verre soit plein de faux vin. Je suis entourée de mes amis, et c'est exactement ce dont j'ai besoin. Je les regarde tour à tour et réalise quelle chance j'ai de les avoir.

Lizzy commande quelques plats indiens et nous nous entassons dans son salon pour regarder *Titanic*. Personne ne proteste, pas même Micky.

— Sois attentif.

Nat lui donne un coup de pied dans le dos lorsqu'il s'assied sur le sol devant elle.

— Étant donné que tu ne sais pas lui faire la cour, ce film devrait te filer plein de tuyaux.

Micky se retourne et lui lance un regard las.

— Boucle-la un peu, le glaçon.

— Aïe !

— Chhhhut ! Soit vous vous taisez, soit vous dégagez.

Lizzy pointe la télécommande vers la télé et monte le volume.

Nat lui lance un regard indigné, mais referme la bouche, lorsque ma paume apaisante se pose sur sa cuisse. Plus aucun de nous ne bouge ; tandis que nous regardons Kate et Leonardo tomber amoureux, seul un soupir s'élève de temps en temps. Je tiens le coup, jusqu'au moment où Jack dessine Rose. Ensuite, le film disparaît dans un brouillard de mots. Seuls ceux de Jack sont parfaitement clairs. Ils résonnent dans ma tête.

On va s'en sortir. Fais-moi confiance.

* * *

— Annie ?

Lizzy me secoue doucement, afin de me réveiller.

— Annie, Jack a appelé.

C'est comme si elle venait de larguer une bombe au milieu du salon. Je bondis de mon fauteuil.

— Où sont passés les autres ?

Le salon est désert.

— Le film s'est terminé il y a une heure. Je ne voulais pas te réveiller. Un peu de repos ne pouvait pas te faire de mal.

Autrement dit, un peu de temps pour réfléchir ne pouvait pas me faire de mal. Je ne sais pas comment la remercier. Maintenant que je suis bien réveillée, cependant, c'est la panique qui prend le dessus.

— Où est mon portable ?

Je passe devant elle en trombe afin de partir à sa recherche.

— Sur la table ! crie-t-elle alors que j'arrive dans la cuisine.

Je l'attrape et cherche le numéro de Jack, mais Lizzy me le prend avant que j'appuie sur la touche d'appel. Je tente aussitôt de le récupérer.

— Mais qu'est-ce que tu fais ?

— Jack arrive, me tranquillise-t-elle en gardant le téléphone hors de ma portée. Je lui ai donné l'adresse. Il devrait arriver d'une minute à l'autre.

À peine ses paroles ont-elles atteint mon cerveau qu'on

frappe doucement à la porte. Je pousse un petit cri, sors en trombe de la cuisine et ouvre la porte à toute volée, à bout de souffle. Jack a l'air totalement lessivé – vanné, las, vidé –, mais le simple fait de le voir rééquilibre tout mon univers. Lorsqu'il s'avance, je me jette dans ses bras et enfouis le visage dans son cou. Je le serre si violemment que je crains d'anéantir le peu de force qu'il reste en lui.

— Annie, murmure-t-il.

Mes pieds quittent le sol. Jack me porte d'un bras et referme la porte de l'autre. Je ne veux pas qu'il me lâche. Plus jamais nous ne devons nous séparer.

— Je vous laisse, lâche Lizzy. Je serai dans ma chambre, si vous avez besoin de quoi que ce soit. Surtout, faites comme chez vous.

— Merci, répond doucement Jack, tandis qu'il continue à me porter, enroulée autour de son corps comme du lierre.

Je devine que nous entrons dans la cuisine lorsque le son de ses pas change sur le sol. Cependant, je reste accrochée à lui.

— Assieds-toi, ma puce.

Je secoue la tête dans son cou, l'entends soupirer lorsqu'il me serre dans ses bras, puis il me force doucement à le lâcher, tire une chaise et m'oblige à m'asseoir. Faisant le tour de la table, il fournit visiblement de gros efforts pour rester droit. Je le regarde sans comprendre.

— Jack, qu'est-ce qui se passe ?

J'ai beau être soulagée qu'il soit là, je n'aime pas son air abattu.

Jack tire une chaise vers lui et je le regarde s'asseoir en silence. Son coude se pose immédiatement sur la table, puis sa tête dans sa paume.

— Il faut que je te dise quelque chose.

Mon corps tout entier se tend. Je suis sûre et certaine que je vais détester ce qu'il va m'annoncer. Je n'aime pas non plus la distance qu'il a volontairement mise entre nous. Mon esprit crie la question que je refuse de lui poser. Mais qu'est-ce qui a bien pu le mettre aussi K.O. ? A-t-elle à nouveau tenté de mettre fin à ses jours ? A-t-elle à nouveau troublé sa conscience, fait ressurgir son sentiment de culpabilité ?

— Elle est enceinte, Annie.

Je fais un bond en arrière comme si on venait de me tirer une balle en plein cœur. Le sang qui bat dans mes tempes me fait presque mal.

— Elle n'arrêtait pas de vomir, dit Jack à voix basse. Alors elle a fait un test.

Ses yeux se ferment.

— Il est positif.

Lui non plus ne veut pas y croire.

— Non, dis-je en m'adossant à ma chaise, lorsque la pièce commence à tourner autour de moi.

Les battements de mon cœur ralentissent à chaque douloureuse seconde qui s'écoule. Mes membres commencent à perdre toute sensation. Elle est enceinte. Il sera pieds et poings liés le reste de sa vie. Elle sera toujours présente dans nos vies. Nos vies ? Je contemple la silhouette abattue de l'autre côté de la table. Nos vies.

— Tu ne vas pas la quitter, c'est ça ?

Sa lourde tête se soulève peu à peu jusqu'à ce que ses yeux gris rencontrent les miens. La vie en eux a complètement disparu. Ils sont vides.

— Je ne peux pas quitter mon enfant, Annie.

Ma gorge se serre. J'ai l'impression de mourir à petit feu. Mon cœur me crie de lui faire mes aveux, de lui annoncer que je suis enceinte aussi. Mais Jack poursuit avant que je puisse redresser la tête et prononcer ces mots.

— Je n'arrive pas à le croire. Elle savait que je ne voulais pas d'enfants.

Ma nouvelle retombe au fond de mon ventre et pourrit. Il ne veut pas d'enfants. Je suis de plus en plus paralysée.

— C'est dégueulasse !

354

Jack cogne du poing sur la table. Il a raison. Toute cette histoire est dégueulasse. Je ne veux pas qu'il reste avec moi par pitié, comme il va le faire avec Stephanie. Je ne veux pas m'abaisser au niveau de cette femme et le manipuler afin qu'il reste avec moi. Car elle le manipule. Elle a simplement trouvé un nouveau moyen tordu d'obtenir ce qu'elle veut. C'est une nouvelle preuve de sa folie. Je refuse de le forcer à rester avec moi. Je ne peux pas faire une chose pareille à Jack, ni à moi-même. Je ne le supplie pas. Je ne tombe pas à genoux. Mon intégrité a suffisamment souffert comme ça. Je ne peux pas lui demander d'abandonner son enfant – l'enfant que porte Stephanie – et je ne peux lui demander de quitter sa femme pour moi.

Voilà.

Tout est fini.

Je suis seule.

Et je suis soudain en colère. Je lui en veux de s'être montré aussi négligent, de lui avoir fourni l'occasion de le piéger ainsi.

— Tu couchais encore avec elle.

Je lève les yeux vers lui.

Son visage s'assombrit.

— Plus depuis des mois, Annie. Et elle prenait la pilule.

— Comment est-ce arrivé, alors ?

Honteux, confus, désolé, il laisse tomber la tête.

— Elle a oublié de la prendre une fois ou deux. Il n'en faut pas plus. Elle doit être à plus de quatre mois maintenant, parce que la dernière fois que nous avons...

— Je n'ai pas besoin de l'entendre, Jack.

Peu importe à combien de mois elle est, ou comment c'est arrivé. Ce qui est fait est fait. On ne peut rien y changer.

— Va-t'en.

Je m'efforce de garder la tête hors de l'eau. Je suis déçue, alors que je n'en ai pas le droit. Et je m'en veux à mort d'avoir moi-même été aussi négligente.

— Va-t'en, Jack, répété-je avec calme.

Rien à voir avec l'état dans lequel je suis intérieurement. Mon objectif à présent est de surmonter mon désespoir. J'ai l'impression que toute vie a quitté mon corps. Je me sens vide.

Jack secoue légèrement la tête.

— Annie...

Il tend la main afin de prendre la mienne, mais je recule le bras et pose la paume sur mes genoux, le regard baissé.

— Ne rends pas les choses plus difficiles, Jack.

Je dépense tout ce qu'il me reste d'énergie en essayant de respirer normalement.

— S'il te plaît.

Je ferme les yeux et avale ma salive. Ce sera le défi de ma vie. Moi, au moins, je n'aurai pas à passer le reste de mes jours auprès d'une personne que je n'aime pas. Je ne laisserai pas mon sentiment de culpabilité dicter mon avenir. Tant pis si c'est le choix que fait Jack.

Je me lève de ma chaise en prenant soin de ne pas le regarder. *Sois indifférente. Fermée, inexpressive. C'est fini.*

— Tu devrais partir.

— Annie, s'il te plaît, écout...

— Est-ce que ça changera quelque chose ?

Je le regarde malgré moi et découvre un visage dévasté par la détresse et le désespoir. Je tressaille et détourne les yeux.

— Si je t'écoute, est-ce que ça changera quelque chose ?

— Il faut que je sois là pour mon enfant.

Jack prononce ces mots d'une voix brisée.

— Je ne peux pas abandonner mon bébé.

L'ironie de la situation ne m'échappe pas. C'est tout ce que je mérite. C'est mon karma. Il y a un autre bébé, mais il ignore son existence. Et il ne l'apprendra jamais. Je le déteste. Mais je me déteste encore plus.

— Va-t'en.

— Annie...

— Va-t'en ! Sors d'ici !

Un bref silence s'installe, puis j'entends sa chaise racler le sol.

— Je t'aimerai toujours, Annie.

— Ne dis pas ça, lâché-je dans un souffle, incapable de rester plus longtemps près de lui. Je n'ai pas besoin d'entendre ça.

Je m'éloigne de lui, l'esprit embrouillé de douleur, des larmes de rage plein les yeux. Il me regarde partir. Je sens ses yeux fixés sur mon dos à chacun de mes pas. Mais je ne me retourne pas. Pas tout de suite. Plus jamais.

26

J'achève péniblement ma semaine de travail, après avoir enchaîné les rendez-vous dans un état de découragement total, sans cesser de lutter pour garder mon sang-froid. Chasser sans arrêt le tremblement de ma voix et les larmes qui menaçaient de couler s'est révélé être un défi herculéen. Le reste du temps, je suis restée cachée du monde dans mon appartement plongé dans l'obscurité, afin de retrouver suffisamment de force pour entamer la journée suivante.

À part pour aller à mes rendez-vous et sur des chantiers, je ne me suis aventurée dehors que deux fois cette semaine. Pour me rendre chez le médecin, puis dans une clinique privée. Lizzy, qui soutient ma décision, m'y a accompagnée.

J'avais espéré que le second test se révélerait négatif. En vain. Une échographie m'a appris que j'étais enceinte de six semaines. La dame très gentille du cabinet de consultation m'a aidée à prendre ma décision. Je suis sûre que c'est la bonne. Je ne peux pas élever cet enfant seule, mais chose plus importante encore, je ne veux pas que son visage me rappelle Jack jusqu'à la fin de ma vie. Aucun enfant ne mérite de grandir auprès d'une mère célibataire pleine d'amertume et de regrets.

Lizzy m'épaule depuis le début. Jamais elle ne m'a envoyé le moindre « Je te l'avais bien dit ! » en pleine figure. Elle se contente d'être là pour moi, de me faire un câlin quand elle voit mon esprit vagabonder et s'assure que je mange suffisamment. Elle a passé la matinée à m'aider à me préparer pour aujourd'hui. Demain, je ne serai plus enceinte. Si je passe trop de temps à analyser les conséquences de ma décision, je tomberai sans aucun doute au fond du trou noir au bord duquel je chancelle actuellement et n'en sortirai plus jamais. Il est plus facile de m'anesthésier la conscience. C'est le seul moyen pour moi de franchir cette étape horrible de ma vie. Je mérite tout ce qui m'arrive. Je l'ai bien cherché.

Le karma n'est pas qu'une saloperie de notion. C'est un psychopathe barbare.

Lizzy me tend mon sac rempli de tout ce dont j'ai besoin pour la clinique, ainsi que ma besace en cuir.

— Et si on décorait ta chambre ? propose-t-elle, dans l'espoir de m'empêcher de penser à l'endroit où nous allons. Quand tu seras de nouveau sur pied, après...

Sa phrase reste en suspens dans l'air.

— Après mon avortement, poursuis-je à sa place. N'aie pas peur de le prononcer, Lizzy.

Elle regarde ailleurs, songeuse, mais ne me dit pas à quoi elle pense. En fait, je sais exactement ce que c'est. Suis-je sûre de ma décision ? Elle m'a posé la question une douzaine de fois sans me juger ni me blâmer. Ma réponse spontanée a toujours été la même : oui. Oui, à chaque fois.

— Prête ? me demande-t-elle.

J'acquiesce d'un signe de tête et nous nous dirigeons vers sa voiture. Pendant le trajet, nous sommes silencieuses, mais pas mal à l'aise. La clinique privée de North London me semble accueillante à notre arrivée. L'extérieur orné de buissons, de pots de fleurs et de plantes lui donne presque l'air gai. L'ironie de la situation me fait sourire. La réceptionniste se montre exagérément amicale, l'intérieur paraît trop douillet. Tout ici est poussé à l'excès. Lizzy me lance un regard, tandis que je m'assieds et regarde les autres femmes installées dans la salle d'attente – toutes plus jeunes que moi, certaines apparemment accompagnées de leurs mères.

Des jeunes filles qui se sont mises dans le pétrin. Des jeunes filles venues ici pour se débarrasser de leur problème. Mes pensées angoissées me font tressaillir. Je lève les yeux vers Lizzy lorsqu'elle me tend une écritoire.

— Il faut que tu remplisses ça, explique-t-elle en s'asseyant à côté de moi, un stylo à la main.

Je pose le formulaire sur mes genoux et entreprends de remplir les cases – nom, adresse, date de naissance. Rien de compliqué, mais chaque fois que la pointe de mon stylo se pose sur le papier, je commence à trembler comme une feuille. Je suis incapable d'écrire quoi que ce soit.

— Laisse, me propose gentiment Lizzy. Je vais le faire.

— Merci.

Je recommence à observer les femmes qui m'entourent et découvre que quelques-unes me regardent aussi. Je parie qu'elles se demandent quelle est mon histoire, tout comme je m'interroge sur les leurs. Mais nous sommes toutes là pour la même raison : nous sortir du merdier dans lequel nous nous sommes mises, quelles que soient les circonstances dans lesquelles c'est arrivé. Je me demande si une seule d'entre elles s'imaginait atterrir ici un jour. Je me demande si leurs péchés sont aussi graves que les miens ? Nous avons toutes une chose en commun, mais leur raison d'être ici est-elle légitime ? Et la mienne ? Je baisse les yeux vers mon ventre et me répète que c'est la meilleure solution.

— Annie, m'interpelle doucement Lizzy en me regardant d'un air désolé, le stylo pointé vers le formulaire. Qu'est-ce que tu veux que j'écrive ici ?

Je me penche et lis la question. La raison pour laquelle j'ai décidé de subir cette intervention ? Je ne sais pas ce qui me prend, mais je me mets à rire. Tous les yeux se tournent vers moi, mais ces regards intrigués ne m'embarrassent pas ni ne me font taire. Sans cesser de glousser, je prends l'écritoire des mains de Lizzy et ignore son visage inquiet. Ensuite, je rédige la réponse la plus inappropriée qui ait sans doute jamais été écrite sur l'un de ces formulaires, version abrégée de ma vie de ces derniers mois. Je note les détails importants – l'épouse de Jack, sa grossesse – et je conclus ainsi : « Je parie qu'elle ne viendra pas ici se faire aspirer son bébé. » Je signe le document, plaque le stylo sur l'écritoire puis le pose sur les genoux de Lizzy. Soudain, mon rire se transforme en sanglots saccadés. Je me cache le visage dans les mains et laisse mes larmes mouiller mes paumes.

— Oh, merde, Annie, soupire Lizzy, avant de poser l'écritoire à ses pieds, de passer les bras autour de moi et de me tranquilliser tendrement. Il n'est pas trop tard, m'assure-t-elle en me frottant le dos. Il ne faut pas que tu le fasses, si tu n'es pas sûre à cent pour cent de prendre la bonne décision. Je ne te laisserai pas faire.

Bien sûr que si, il est beaucoup trop tard.

— Je suis sûre que c'est la bonne, mens-je en sanglotant.

Je m'écarte de Lizzy puis m'essuie les yeux.

Toutes les pensées que j'ai soigneusement refoulées vers les parties les plus profondes de mon cerveau déboulent en fanfare, alors que j'attends dans cette salle qu'on m'appelle, afin de débarrasser mon corps du dernier souvenir de Jack. Une colère inattendue commence à bouillonner dans mon ventre. Je me concentre sur la perfection de mon environnement, l'atmosphère détendue, l'amabilité du personnel et le décor luxueux. Ces gens essaient de faire en sorte que toute femme franchissant cette porte envisage avec le plus de sérénité possible l'acte qu'elle s'apprête à commettre. Ils tentent de le lui faire oublier. Parce qu'il paraît tellement invraisemblable qu'une chose aussi affreuse qu'un avortement puisse avoir lieu dans un endroit aussi joli.

— Mademoiselle Ryan ?

Je lève les yeux et découvre un nouveau membre de ce personnel souriant debout devant moi.

— Nous sommes prêts à vous recevoir. Si vous voulez bien me suivre.

Elle me montre le chemin. Est-ce que je le veux vraiment ? Je me lève avec l'aide de Lizzy et commence lentement à la suivre, les jambes lourdes, le cœur plus lourd encore.

On nous fait entrer dans une pièce. Tout aussi luxueuse que les autres. On m'indique un fauteuil. Tout aussi confortable que les autres. Une infirmière me parle. Tout aussi chaleureuse que les autres. Je signe machinalement de nouveaux formulaires avec son joli stylo argenté. J'ai l'impression d'avoir quitté mon corps. Je me vois, assise dans le fauteuil comme un zombie, tandis que des gens me parlent. Une main réconfortante tient la mienne. Lizzy, installée à côté de moi, répond aux questions afin de m'aider.

La scène est floue. Tout est flou. Tout le monde s'affaire autour de moi dans un brouillard de bruits blancs. Je hoche la tête lorsque je suis censée le faire, puis je me lève pour laisser Lizzy m'aider à enfiler une blouse. Ensuite, on me conduit dans une autre salle et Lizzy me tient la main jusqu'à ce qu'elle soit obligée de la lâcher. Je l'entends réprimer un sanglot au moment où j'entre dans une chambre blanche et aseptisée. Elle est meublée d'un lit et encombrée d'équipement médical – l'équipement médical qui va tuer mon bébé. Mon souffle est superficiel et rapide, mon corps glacé jusqu'à la moelle, mais moite de sueur. Je ne veux pas faire ça. Mais je n'arrive pas à parler lorsqu'on me prend la main, je ne parviens pas à avertir cette personne que j'ai changé d'avis. Elle me fait grimper sur le matelas dur. Son visage amical apparaît enfin, flottant au-dessus du mien. Ses lèvres remuent, mais je n'entends pas ce qu'elle me dit. Mon estomac se noue ; j'ai le tournis.

La dernière chose que j'entends, c'est : *Stop ! Arrêtez !*

Je sens qu'on me tapote le dos de la main. Je vois l'aiguille d'une seringue se rapprocher.

— Non, parviens-je tout juste à articuler. Je ne peux...

Ma langue pâteuse m'empêche de terminer ma phrase. Ensuite, tout s'assombrit.

* * *

Je me sens vaseuse, épuisée, nauséeuse. La chaleur que produit mon corps est insupportable, et pourtant je n'arrête pas de trembler. Lorsque je remue un peu, je sens un drap fin glisser sur moi. Puis, j'ouvre les yeux. Et je me rappelle où je suis. Une douleur intense m'envahit brusquement et fait convulser mon estomac. Je me tourne sur le côté et hoquette douloureusement. Mais rien ne vient. Juste de la bile.

Soudain, c'est l'agitation, des infirmières surgissent de tous côtés.

— Annie !

La voix très éprouvée de Lizzy me fait mal aux oreilles. Je grogne et me laisse tomber sur le dos.

— Annie, est-ce que tu m'entends ?

Je cligne des yeux en attendant que ma vue s'éclaircisse, puis la vois penchée au-dessus de moi. La terreur déforme son beau visage. Mais je ne parviens à l'observer que quelques secondes, car la personne derrière elle attire brusquement mon regard.

Jack.

Immobile et silencieux, il paraît sous le choc. Il reste en retrait, tandis que les infirmières s'affairent autour de moi et me demandent comment je me sens. Engourdie. Je me sens engourdie. Lorsqu'il s'approche lentement, ses yeux hagards se fixent sur les miens. Il s'arrête près du lit.

— Pourquoi tu ne m'as rien dit ?

Honteuse, je détourne les yeux, au bord des larmes. C'est trop tard maintenant.

Ses mains se posent sur les miennes, puis Jack s'assied sur le bord du lit.

— Annie, regarde-moi, m'ordonne-t-il d'un ton dur.

Mais je lui désobéis, pleine de remords.

— Monsieur, je vais devoir vous demander de me laisser la place, dit une infirmière, avec un bref signe de tête.

— Une minute ! répond sèchement Jack. Donnez-moi juste une minute.

Il prend mon visage entre les mains et le tourne vers lui, afin de me forcer à la regarder. À regarder en face ce que j'ai fait. Ses yeux sont humides.

— Mais à quoi pensais-tu ?

— Monsieur, s'il vous plaît. J'ai besoin de mesurer la tension d'Annie.

La mâchoire de Jack commence à se crisper et la pression de ses doigts se fait plus ferme sur ma joue. Il tressaille et lève les yeux, lorsque Lizzy lui prend le bras, l'encourageant à se pousser, à laisser à l'infirmière la place dont elle a besoin. Jack s'éloigne à contrecœur et regarde la femme s'approcher.

— Comment vous sentez-vous, Annie ? demande-t-elle en appuyant sur le bouton d'une machine à côté de moi, avant de glisser un petit appareil au bout de mon doigt.

— Ça va, réponds-je, tandis que le brassard gonfle autour de mon bras.

— Parfait.

Elle note ma tension artérielle sur un appareil mobile, puis retire le brassard de mon bras.

— Je vais vous aider à vous asseoir, d'accord ?

À vrai dire, j'y parviens avec une facilité surprenante.

— Dites donc, quelle histoire ! glousse-t-elle. D'habitude, les patientes tombent dans les pommes avant d'atteindre la salle d'opération, pas sur la table.

Je la regarde sans comprendre.

— Pardon ?

— Vous vous êtes évanouie, ma chère, répond-elle d'un ton pragmatique. Nous n'avons même pas eu le temps de vous endormir. Vous étiez blanche comme un linge ! Mais ne vous en faites pas. Nous avons encore le temps de réaliser l'intervention, si le médecin vous estime suffisamment remise.

Bouche bée, je regarde Jack.

— L'intervention n'aura pas lieu, gronde-t-il presque.

— Je suis toujours enceinte ? questionné-je distraitement.

— Oui, ma chère. Pensez-vous pouvoir vous lever ?

L'infirmière hausse les sourcils. Je n'en sais rien. J'ai toujours les jambes en coton, mais elles commencent à se réveiller. Je suis donc toujours enceinte ? Perdue, stupéfaite, je regarde Jack. Mais qu'est-ce qu'il fait là ?

Ses épaules s'affaissent un peu. Il se dirige vers moi et insiste pour prendre la place de l'infirmière.

— Je m'occupe d'elle.

Il paraît énervé.

L'infirmière finit par lui céder sa place, puis quitte la pièce.

— Je vous laisse régler ça entre vous, lance-t-elle, percevant la tension ambiante.

— Moi aussi.

Lizzy se dirige à son tour vers la porte.

— Je vous attends à l'accueil.

La porte se referme et nous nous retrouvons seuls ; Jack, moi et un tas de questions sans réponse.

J'entends un léger soupir, tandis qu'il me tient toujours.

— Assieds-toi, m'ordonne-t-il calmement en m'emmenant vers le fauteuil installé dans un coin.

— Ça va, je t'assure.

Je hausse doucement les épaules, retourne vers le lit et soulève mon sac. Il faut que je me débarrasse de cette blouse et que je sorte d'ici. J'enfile mon jean, mon T-shirt puis glisse mes pieds dans mes tongs.

— Pourquoi tu es là, au fait ?

— D'après toi, Annie ?

— Je n'en sais rien, Jack. C'est pour ça que je te pose la question.

J'attache mes cheveux en queue-de-cheval puis attrape mon sac besace.

Mais Jack me l'arrache des mains et le jette sur le sol.

— Est-ce que tu veux bien arrêter ça, putain ? s'écrie-t-il avec impatience en me secouant, les mains serrées sur le haut de mes bras. Pourquoi tu ne m'as pas prévenu ?

— Tu m'as dit que tu ne voulais pas d'enfants, répliqué-je machinalement.

Il me regarde avec un profond dégoût.

— Avec Stephanie ! hurle-t-il.

Lui-même surpris par le son de sa voix, Jack inspire afin de retrouver son calme.

— Je ne voulais pas d'enfants avec Stephanie, Annie.

Il baisse les bras, penche la tête en arrière et ferme les yeux.

— Tu aurais dû le préciser, rétorqué-je en regardant mes pieds.

— Je ne pensais pas avoir besoin de le faire.

— Je ne voulais pas que tu te sentes piégé.

Je serre les dents et me force à lever les yeux vers les siens. Je n'aperçois pas la moindre étincelle en eux.

— Je ne voulais pas que tu me choisisses parce que tu t'y sentais obligé.

— Arrête donc de t'apitoyer sur ton sort, Annie.

Jack s'éloigne de moi.

— Je viens à nouveau de quitter ma femme. Mais cette fois, elle est enceinte.

Il s'adosse au mur et lève les yeux au plafond.

— Je ne savais pas que tu étais enceinte quand j'ai pris cette décision. Lizzy m'a appelé alors que je sortais de chez moi, Stephanie sur les talons.

J'examine ses vêtements et aperçois quelques déchirures sur son T-shirt blanc.

— Lizzy t'a appelé ? demandé-je distraitement.

— Oui. Elle était en colère. Au bord des larmes. Comment lui en vouloir ? Tu étais sur le point de subir un avortement, Annie !

Ma mâchoire tremble. Je suis en colère, triste, soulagée.

— Je voulais que tu disparaisses totalement de ma vie.

Jack tressaille et ravale la souffrance que provoque en lui ma déclaration. Ensuite, il commence à frapper doucement

366

l'arrière de sa tête contre le mur. Le creux de ses joues palpite.

— J'ai passé toute la semaine dernière à tenter de trouver un sens à cette situation merdique. Stephanie se baladait partout avec un sourire tellement satisfait ! Elle commandait des tas de trucs pour le bébé comme si elle craignait une rupture de stock.

Il cesse de cogner la tête contre le mur et serre les poings.

— Et pas une seule fois je n'ai eu l'impression d'avoir fait le bon choix. Pas une seule fois je ne me suis senti heureux, et ça ne l'a même pas surprise. Peu importe que je souffre, selon elle. Le bébé résoudra tous nos problèmes. Grâce à lui, je finirai par aimer ma femme.

Il lâche un rire sardonique et se frappe le front avec le poing.

— J'ai trouvé sa plaquette de pilules, murmure-t-il. Intacte. Pas une seule ne manquait. Elle n'en a pas oublié « quelques-unes ». Elle n'en a pas pris une seule. Depuis des mois. Je lui ai ordonné d'avouer, mais elle a nié. Elle m'a menti en me regardant dans les yeux. J'ai compris à ce moment-là que je la haïssais. Je ne pouvais pas rester avec cette folle. Pas même pour un bébé. Je suis vraiment un sale con.

Lorsque Jack se frotte les yeux, je devine qu'il retient ses larmes. Il est sur le point de craquer. Mon amoureux, ce grand homme fort, est finalement en train de s'effondrer.

J'ai le cœur brisé pour lui. Il est tellement mal ! Mais alors que je me précipite vers lui pour le consoler, mes jambes cèdent et je suis obligée de m'asseoir dans le fauteuil.

— C'est pour ça qu'elle s'en est prise à toi, deviné-je en regardant son T-shirt déchiré, consciente qu'il dissimule de vilaines griffures.

— Elle ne voulait pas que je parte.

Jack s'écarte du mur, me rejoint et s'agenouille entre mes jambes.

— Je ne sais plus quoi penser, Annie. Quand Stephanie m'a annoncé qu'elle était enceinte, j'ai eu l'impression qu'on me volait le reste de ma vie. Et puis mon sentiment de culpabilité a pris le dessus.

Il saisit mes mains, tandis que ses yeux gris me supplient de le comprendre.

— Je ne savais pas ce que je faisais. J'étais perdu.

Jack m'attire vers lui jusqu'à ce que nos fronts se touchent.

— Je n'arrêtais pas de penser à toi, m'avoue-t-il. Comment poursuivre ma vie sans toi ? Comment survivre sans plus jamais te toucher ni te tenir dans mes bras ?

Ses mains se posent sur mon visage et caressent mes joues humides.

— Chaque jour devenait plus pénible que le précédent. Mon univers semblait plongé dans le noir. Je ne peux pas vivre comme ça.

Sa voix se brise et une larme solitaire roule sur son visage.

— Je ne peux pas vivre sans toi.

Malgré le chagrin, une petite partie de mon cœur se remet en place, tandis que Jack s'exprime avec toute son âme, de crainte que je ne le comprenne pas.

— Je suis enceinte, gémis-je pitoyablement, comme si cette nouvelle pouvait lui avoir échappé.

Le corps tremblant, je m'effondre dans le fauteuil, toute faible et tendue. Je ressens un grand soulagement, cependant. Un immense soulagement. Mon cerveau m'a peut-être fait défaut dans cette pièce, mais pas mon corps. Il a décidé de se protéger et de tout stopper, alors que ma bouche ne parvenait pas à prononcer les mots qui auraient arrêté la procédure en cours. Jack esquisse un sourire. Un immense sourire, radieux et sincère. Quelle vision magnifique ! Ses yeux pétillent comme du champagne lorsqu'ils s'arrêtent sur mon ventre. La vie réapparaît dans son regard. Il se penche, embrasse mon T-shirt, puis pose la tête sur mes genoux et glisse les mains dans mon dos.

Et dire que nous nous trouvons dans une clinique d'avortement ! J'ai soudain l'impression d'être un monstre, une personne condamnable, immorale. Le chagrin a parasité mon raisonnement. Afin de limiter ma souffrance, j'ai volontairement endigué le flot de mes pensées.

— Il faut que je sorte d'ici, annoncé-je. S'il te plaît, fais-moi sortir de cet endroit.

Jack m'aide à me relever et ramasse mon sac sur le sol, avant de passer un bras ferme autour de ma taille. Il me conduit ensuite hors de la pièce sans cesser de vérifier mon état. Je vais tellement bien. J'ai retrouvé mon Jack.

Nous rejoignons Lizzy dans la salle d'attente, sortons ensemble sur le parking, puis nous disons au revoir à grand renfort de câlins et de promesses de se parler plus tard. Lorsque Jack la remercie, Lizzy se contente de lui serrer affectueusement le bras. C'est un petit geste, mais il signifie beaucoup pour moi.

Jack m'aide à monter dans sa voiture, m'installe confortablement puis s'affaire autour de moi jusqu'à ce que j'en aie assez. Il me lance un regard noir.

— Je vais bien, Jack ! Je vais bien, assuré-je en posant le crâne contre l'appuie-tête, la paume machinalement posée sur mon ventre.

Il me tient la main pendant tout le trajet du retour, tandis que je laisse mon esprit vagabonder. Que va-t-il se passer maintenant, au juste ? J'ai récupéré Jack. Mon bonheur devrait être total. Pourtant, j'éprouve une certaine appréhension, et je crois qu'il ne faut pas l'ignorer. Nous allons devoir réfléchir soigneusement à la façon d'aborder les choses, prendre les décisions ensemble et nous montrer forts. Ça ne va pas être facile. Mais Jack sera ma récompense. J'ai cessé une bonne fois pour toutes de me demander si je le méritais ou non.

Lorsque nous atteignons mon appartement, Jack sort de la voiture puis la contourne afin de me rejoindre sur le trottoir.

— Ça va ?

369

— Mais oui ! lui assuré-je, tandis qu'il me débarrasse de mon sac.

Je me dirige tout droit vers la cuisine et allume la bouilloire, tandis qu'il laisse tomber mes sacs sur le sol près du canapé.

— Je m'en occupe, ordonne-t-il en me confisquant la cuillère que je tenais. Va te reposer sur le canapé.

— Jack, je te dis que ça va.

— Tu es un peu pâle.

Il examine mon visage en faisant la moue.

— Comment te sens-tu ?

Il pose la paume sur mon front et vérifie ma température.

C'est pas vrai !

— Tout va bien ! gloussé-je, avant de récupérer ma cuillère et de verser une tonne de sucre dans mon mug. Tu ne seras pas aussi agaçant pendant toute ma grossesse, dis-moi ? Parce que ça risque de me rendre folle.

— Je ne peux rien te promettre.

Jack m'attrape par-derrière, me fait pivoter et me hisse sur le plan de travail.

Je laisse tomber ma cuillère avec un petit cri de surprise. Étant donné les circonstances, est-il normal que je frémisse ainsi de désir ? Pas sûr. Je suis incapable d'y réfléchir. Jack frotte le nez contre ma joue et inspire à fond.

— Je t'ai retrouvée, souffle-t-il. Dieu merci, je t'ai retrouvée.

S'écartant de moi, il pose les mains sur mes hanches et me regarde comme s'il n'y croyait pas tout à fait.

— Je me rachèterai, promet-il. Je me ferai pardonner tout ce que je t'ai fait subir.

— Jack...

— Non.

Ses doigts se posent sur mes lèvres.

— Pas de discussion. Maintenant...

Il dépose un léger baiser sur ma joue.

— Va enfiler des vêtements confortables, histoire qu'on puisse flemmarder. Je vais terminer de préparer le thé.

Les mains sur mes épaules, il me pousse en direction de la porte.

— Vas-y.

J'obéis, mais jette un coup d'œil par-dessus l'épaule en chemin.

— Jack, l'interpellé-je, afin qu'il se retourne.

Il me regarde d'un air interrogateur.

— Oui ?

— Comment tu vas faire avec Stephanie ?

Je ne parle pas d'elle en réalité, mais de son état, et il le sait.

— Je n'ai pas encore trouvé de solution, admet-il. Honnêtement, je ne sais pas par où commencer.

— Tu vas lui parler de moi ?

— Il faudra bien que je finisse par le faire.

Il agite la tête vers mon ventre avec un petit sourire.

— Pas tout de suite, mais bientôt. Une fois que le calme sera revenu.

— D'accord.

Je me demande si le calme reviendra un jour.

— Peut-être qu'on ferait mieux de quitter le pays, d'abord.

Je souris, même si ce n'est pas drôle. Jack est inquiet. Je le suis aussi.

— Finalement, je crois que je vais aimer me faire dorloter, lui avoué-je.

J'adore la jubilation qui illumine aussitôt son visage. Il faut que je le laisser faire les choses à sa façon. J'en ai envie, en fait. J'ai envie qu'il s'occupe de moi. Qui l'eût cru !

— Et je vais adorer te dorloter. Tiens-toi prête, chérie.

Jack me lance un clin d'œil puis me tourne le dos.

Je glousse et file faire un brin de toilette dans la salle de bains. Les dents brossées, le visage propre, j'enfile un pantalon de jogging et un sweat-shirt, puis je vais chercher mon sac besace près du canapé et sors mon portable avant de rejoindre Jack dans la cuisine. Tous deux distraits, nous nous rentrons dedans dans l'entrée.

— Oh !

Je laisse tomber mon portable qui atterrit sur mon pied nu.

— Putain !

J'agite le pied en sautillant, le visage plissé.

— Ma pauvre ! Viens par ici, maladroite.

Il me soulève, me porte jusqu'au salon et me dépose sur le canapé.

— Voyons voir.

Il saisit délicatement mon pied et s'accroupit près de moi.

— Ça fait mal, gémis-je, tandis qu'un élancement s'installe.

Jack commence à me masser, afin d'apaiser la douleur.

— Je vais chercher de la glace.

Posant mon pied sur un coussin, il me tend la télécommande et disparaît. Il est de retour quelques secondes plus tard, mon portable dans une main, de la glace dans l'autre. Après s'être occupé de mon pied, il se dresse au-dessus de moi, pose la main sur l'accoudoir et approche le visage du mien.

— Ne bouge pas d'ici, je reviens.

— Mais où vas-tu ? gémis-je.

Nous venons seulement de nous retrouver !

— Faire les courses. J'ai besoin de sucre. J'ai envie de me pelotonner sur ce canapé avec toi et de me gaver de fraises géantes. Ensuite, je te préparerai ce repas que je te dois.

Jack va cuisiner pour moi. Dans ma cuisine.

— Allez, va chercher tes fraises ! lancé-je en gloussant, lorsqu'il se penche et me couvre le visage de baisers. Arrête !

— Je t'aime.

— Moi aussi !

Je ris en le repoussant.

— Allez, file.

Plus vite il partira, plus vite il sera revenu. J'ai envie de me coller à lui et de ne plus jamais le relâcher.

Jack s'éloigne en riant. J'appuie sur un bouton de la télé-commande... et zappe... et zappe, cherchant en vain un truc acceptable à regarder.

— Naze, lâché-je en jetant la télécommande sur le canapé.

Je ramasse mon portable lorsqu'il se met à sonner. C'est Lizzy.

— Tout va bien ? demande-t-elle en guise de salut.

À ce moment précis, oui. Tout est parfait. Il faut juste que je garde confiance en l'avenir.

— Pour le moment, oui. Merci d'avoir été là aujourd'hui.

— Je mentirais si je disais que c'était un plaisir pour moi.

Je souris, pleinement consciente d'avoir fait subir une situation traumatisante à mon amie.

— Je suis désolée. De t'avoir menti, de t'avoir infligé ce supplice aujourd'hui.

— Et je suis désolée de t'avoir jugée, répond-elle, tandis que mes yeux se mouillent. Bon, ne va pas te faire des idées, mais Jason m'invite dans un resto chic à Oxford. J'ai besoin de t'emprunter une robe de cocktail.

Je souris.

— Passe quand tu veux.

— J'arrive tout de suite !

Lizzy raccroche et je recommence à zapper distraitement en agitant les orteils de mon pied endolori.

Je suis encore en train de chercher une émission à regarder lorsqu'on frappe à la porte une demi-heure plus tard. Pensant qu'il s'agit de Lizzy, je me relève péniblement du canapé et vais lui ouvrir, un immense sourire aux lèvres.

Mais ce n'est pas Lizzy.

Mon sourire s'éteint et je deviens aussi livide qu'un cadavre.

27

— S tephanie.

Le choc est tel que je cesse de respirer et recule de quelques pas.

— Salut Annie !

Elle me sourit, rayonnante et... normale ?

— Je crois que je te dois des excuses au sujet de l'autre soir.

Remontant son sac sur son épaule, elle entre sans même que je le lui propose.

Elle n'est pas au courant pour Jack et moi, me dis-je. *Comporte-toi normalement !* Je jette un coup d'œil dans la rue. Jack sera là d'un instant à l'autre. Que va-t-il se passer ?

— Comment vas-tu ?

Il va falloir que je meuble, mais je n'ai aucune idée de ce que je devrais lui dire.

— Super bien !

Ah bon ? Elle paraît normale. Elle dit qu'elle va super bien. Mais qu'est-ce qui m'échappe, putain ?

— C'est... super.

Je souris bêtement. Il faut que je la mette à la porte.

— Je m'apprêtais à sortir, ajouté-je, le plus naturellement possible.

— Oh, je ne te retiendrai pas longtemps.

Stephanie sourit. Je jurerais que ses yeux viennent de se poser sur mon ventre une fraction de seconde. Mais non ! Je suis parano. Le stress me fait halluciner.

— Je ne te retiendrai pas longtemps, répète-t-elle. Jack va bientôt rentrer du travail.

Je n'en crois pas mes oreilles.

— Vous avez réglé vos problèmes ?

J'aurais voulu prendre un ton plus affirmatif, mais ma voix haut perchée m'en empêche.

— Oui, il ne te l'a pas dit ?

Je recule. Pourquoi cette question ? Qu'est-ce qui lui fait croire que Jack me raconte ces choses-là ?

— Non, je ne l'ai pas vu.

Stephanie sourit à nouveau, mais cette fois, je lis de la méchanceté dans son regard. Je suis absolument certaine de ne pas l'imaginer. Ce n'est pas de la paranoïa.

— Tu me prends pour une idiote ? demande-t-elle en avançant.

Mon souffle est soudain saccadé. *Dis-lui que non. Dis-lui que non, c'est tout !*

— Mais qu'est-ce que tu racontes ?

La nervosité de mon rire ne lui échappe pas.

— Tu fais donc semblant d'être mon amie depuis tout ce temps ?

Je recule, consciente de me trouver dans une situation délicate. Stephanie semble peut-être calme, mais ses paroles indiquent tout le contraire. Elle paraît d'humeur instable. Ses yeux se posent à nouveau sur mon ventre, puis sa paume caresse le sien. Stephanie sourit affectueusement tout en décrivant de lents cercles autour de son nombril. Une lueur perturbante brille dans ses yeux enfoncés.

— C'était donc toi. Tu n'es qu'une lamentable petite pute, Annie, affirme-t-elle doucement, en levant les yeux vers moi. Il ne me quittera jamais.

Mon corps se refroidit. Il ne faut surtout pas que je confirme ses soupçons. Il faut que je fasse l'innocente. Que je garde mon sang-froid.

— Je ne vois vraiment pas de quoi tu parles, Stephanie.

Elle baisse les yeux vers son poignet et fait semblant de l'examiner. Elle est en train de choisir les veines qu'elle va trancher !

— Ça ne marchera pas, lancé-je sans pouvoir me retenir, assaillie par la colère qu'a provoquée son subtil sous-entendu. Pas cette fois !

Surprise, Stephanie hausse les sourcils.

— Pardon ?

— Jack m'a tout raconté. Je sais tout.

Il est trop tard pour nier quoi que ce soit, à présent.

Ses lèvres se retroussent.

— Dès demain, tu ne seras plus qu'un lointain souvenir pour lui, petite garce. Toi et ton petit bâtard, vous n'êtes que des erreurs de parcours. Rien de plus.

J'ai envie de lui hurler à la figure que Jack m'aime, mais quelque chose m'en empêche. Ce n'est pas le fait de savoir que cette femme n'hésite pas à se défouler sur son mari, et qu'elle est certainement prête à se servir de ses griffes sur moi, mais le fait qu'elle sache que je suis enceinte. Je ferme la bouche et recule. Elle regardait bel et bien mon ventre. Personne n'est au courant, à part Jack et Lizzy.

— Comment sais-tu que je suis enceinte ?

Stephanie me fusille du regard.

— C'est Jack qui me l'a dit.

— Tu mens.

Il n'aurait pas fait une chose pareille en la sachant aussi instable. Il ne lui a même pas parlé de moi. Pourtant, elle est au courant. Elle sait que je porte l'enfant de son mari.

Je me creuse les méninges puis recule d'un bond lorsqu'une idée folle et très perturbante voit le jour dans mon esprit. Je revois Stephanie débarquer sans prévenir chez moi, à la recherche d'une amie après le départ de Jack. Elle est allée dans ma salle de bains. Elle a dû traverser ma chambre pour s'y rendre. Mon sac besace était posé sur mon lit. Et mon test de grossesse se trouvait à l'intérieur.

Cette idée semble tellement tirée par les cheveux ! Mais il s'agit de Stephanie, après tout, et le fait est que cette femme se comporte parfois comme une folle. Je file dans ma chambre, attrape mon sac et tente de mettre la main sur mon test. Depuis ce soir-là, je n'ai cessé d'utiliser ce sac et je ne me rappelle pas l'y avoir vu. Où est-il passé ?

Je retourne ma besace, vide son contenu sur le sol et le passe en revue. Pas le moindre test de grossesse. Ensuite, je fouille les poches intérieures, histoire de m'assurer qu'il ne s'est pas glissé dans l'une d'elles. Rien.

Je pousse un petit cri, lève les yeux et découvre Stephanie qui m'observe depuis l'entrée du salon. Elle sait ce que je cherche. Je n'ai pas totalement perdu la tête.

— Tu as volé le test qui se trouvait dans mon sac, soufflé-je avec stupéfaction. Ensuite, tu as prétendu que c'était le tien.

— Tu as intérêt à ne plus l'approcher ! hurle-t-elle en écrasant le poing contre l'encadrement de la porte.

Ses articulations craquent et l'impact résonne dans tout l'appartement.

— Tu m'entends ? rugit-elle, avant de serrer le poing. Je vous tuerai, ton putain de bâtard et toi ! Tu peux me croire sur parole !

Je vois les griffures dans le cou de Jack. La marque sur sa pommette. L'état de son dos. Et je vois la fureur de Stephanie. Mais je garde mon sang-froid au lieu de lui rendre la pareille et de la mettre en pièces.

— Tu ne peux pas me faire de mal, et tu ne pourras plus faire de mal à Jack non plus.

Le regard fou, elle se jette sur moi, me prenant par surprise. Elle me traîne ensuite jusqu'au vestibule et me jette contre le mur. Le souffle coupé, je n'ai pas le temps de récupérer, car sa paume entre aussitôt en contact avec ma joue. Terrassée par la douleur, je me plie en deux. Stephanie, elle, ne cesse de revenir à la charge.

— Tu l'as bien cherché !

Les coups pleuvent, tandis que je tente vainement de me défendre. Les bras pliés sur le ventre, je cherche à le protéger : Stephanie peut se défouler sur toutes les parties de mon corps, mais pas sur celle-ci. Soudain, ses doigts se referment sur mes poignets et essaient de tirer dessus.

Je visualise un bébé. Un bébé sans défense, qui compte sur moi pour le protéger.

Avec une force soudaine, je la repousse violemment. Stephanie heurte bruyamment le mur d'en face, mais je ne lui laisse pas le temps de se ressaisir. J'ouvre en grand la porte d'entrée et l'attrape par les cheveux. Mon unique but est de mettre un obstacle entre nous. L'adrénaline afflue dans mes veines ; je me sens capable de tuer.

— Je te massacrerai ! hurle-t-elle. Je te ferai payer tout ce que tu m'as fait !

Je ne réplique pas. Je ne crie pas ni ne gémis, et je n'essaie pas de lui faire du mal. Mon seul objectif est de l'éloigner de moi. De l'éloigner avant qu'elle ne nous fasse du mal, au bébé et à moi.

Usant de toutes mes forces, je la jette dehors, claque la porte et me laisse tomber contre elle. Je m'attends à ce que Stephanie se mette à marteler le bois de ses poings, mais tout est calme. Je file dans le salon et saisis mon portable, avant de courir à la fenêtre. Je la vois, debout sur le trottoir d'en face.

— Oh mon Dieu, crié-je, en apercevant la lame d'un couteau pressée sur son poignet. Non, Stephanie !

Par réflexe, je franchis la porte et m'élance pour l'arrêter.

— Ne fais pas ça, Stephanie !

Mon regard fixé sur le sien, je parviens à évaluer sa détermination tout en m'approchant d'elle. Elle va le faire. Ça ne fait aucun doute. Je me précipite vers elle dans l'intention de faire tomber le couteau ou de le lui arracher de la main, je ne sais pas très bien. Une chose est sûre, je dois l'empêcher de se blesser.

Stephanie ne bouge pas ni n'essaie de m'échapper. Non. Elle sourit puis tourne le couteau vers moi. Il faut quelques secondes de trop à mon cerveau pour analyser son geste. La lueur inquiétante dans son regard me déconcerte. J'ordonne à mes jambes de cesser de courir, de freiner avant qu'il ne soit trop tard.

Stop !

Je pousse un cri :

— Non !

Freinant des quatre fers, je plie le corps en deux et rentre le ventre le plus possible, afin d'éviter la lame qui fond sur moi.

— Salope ! hurle-t-elle. Tu ne l'auras pas !

Son corps entre en collision avec le mien : Stephanie heurte mon flanc avec un grognement. Je pousse un petit cri et tâte mon ventre, de crainte d'y trouver du sang. Je ne vois rien. Rien de flagrant, mais je ne cherche pas longtemps. Je ne peux pas me permettre de traîner ici. Je repars à toutes jambes chez moi, trop consciente des blessures qu'elle risque de m'infliger si je ne déguerpis pas. Je ferme la porte à clé et cours jusqu'à ma fenêtre, à bout de souffle.

Stephanie est invisible. À nouveau, j'examine rapidement mon ventre et m'immobilise en attendant qu'une douleur se manifeste. Rien. Des larmes de soulagement montent à mes yeux. Je saisis mon portable, appelle Jack, puis retourne à la fenêtre afin de retrouver Stephanie.

— Salut ma puce, répond-il d'un ton joyeux.

Il est heureux.

— Stephanie est là ! Elle a un couteau, Jack. Elle m'a attaquée avec un couteau.

Épuisée, je respire bruyamment.

— Merde ! s'étrangle-t-il. Où es-tu ?

Le bruit du moteur de sa voiture se fait plus bruyant, signe que Jack écrase l'accélérateur.

— Chez moi. Je l'ai jetée dehors et me suis enfermée à l'intérieur.

— Tu es blessée ?

— Rien de grave.

— Rien de grave ?

— Quelques égratignures, tout au plus.

Je baisse les yeux vers mon bras et découvre la trace de ses ongles, exactement la même que celle qui balafrait le corps de Jack.

— Elle n'est pas enceinte, Jack. Elle a volé le test de grossesse qui se trouvait dans mon sac.

Je lève à nouveau les yeux vers la fenêtre et tente désespérément de l'apercevoir. Elle a disparu.

— Quoi ?

— Le test de grossesse. C'était le mien.

— Mais elle l'a fait en ma présence.

— Est-ce que tu l'as vue faire ? Sur les toilettes ?

Cette question peut paraître stupide, mais Stephanie a très bien pu échanger le sien contre le mien.

Jack reste silencieux un instant, puis il murmure :

— Non. Je l'ai attendue derrière la porte de la salle de bains.

Je ferme les yeux, porte la main à ma joue et masse ma peau endolorie.

— C'était le mien, murmuré-je. Elle est au courant pour nous deux. Et elle sait que je suis enceinte.

Jack retient brusquement son souffle.

— Appelle la police. Je suis presque arrivé. N'ouvre pas la porte tant que je ne suis pas là.

Il raccroche avant que j'aie le temps d'acquiescer. Tout en observant la rue depuis la fenêtre, je compose le numéro des secours et approche le portable de mon oreille. Lorsque j'aperçois l'Audi de Jack au coin de la rue, je m'évanouis presque de soulagement.

— Les urgences, j'écoute ? Quel service demandez-vous ?

— La police.

Jack file tout droit vers une place de stationnement de

l'autre côté de la rue, bondit de son siège et fait rapidement le tour de sa voiture afin de traverser la chaussée. Mais il s'arrête brusquement et regarde par-dessus son épaule. Quelque chose vient d'attirer son attention. Mon cœur cesse de battre dans ma poitrine, lorsqu'il se retourne et marche en direction de cette chose. Ou de cette personne. Je ne vois pas qui c'est ; une camionnette me bloque la vue, mais je devine de qui il s'agit. Elle l'attendait. Je martèle la vitre en criant :

— Jack ! Elle a un couteau !

Il ne regarde pas de mon côté. Il ne m'entend pas. En larmes, je lâche mon portable, me précipite vers la porte, la déverrouille et sors en courant dans la rue. Folle d'inquiétude, je hurle :

— Jack !

Il me regarde, les sourcils froncés. Au moment où je déboule sur la chaussée, l'autre personne surgit de derrière le van. Mais ce n'est pas Stephanie.

Mon cerveau reconnaît vaguement Lizzy. Les yeux écarquillés, elle me regarde courir vers Jack et elle. Les pensées se figent dans mon cerveau, mes jambes ralentissent. Je m'arrête au milieu de la rue, perdue, et dévisage Lizzy, puis Jack. Immobile, la bouche entrouverte, il regarde quelque chose au loin. C'est alors que j'entends un crissement de pneus. Je me retourne lentement et vois une voiture foncer sur moi.

— Annie ! rugit Jack.

J'entends ses semelles claquer sur le béton, tandis que la voiture se rapproche.

— Annie !

Je suis incapable de bouger.

— Ne reste pas là, Annie !

La dernière chose que j'entends est le cri hystérique de Jack.

Mes os, ma chair, ma tête... tout explose sous l'impact.

Mais je ne sens absolument rien.

28

Bip ! Je n'entends que ça. Ce fichu son semble incrusté dans mon cerveau – un bruit court, aigu, répétitif qui m'agresse les oreilles. J'ai l'impression que je n'entendrai rien d'autre jusqu'à la fin de mes jours.

Tout mon environnement est noir et je ne peux pas bouger. Mon corps me semble lourd – tellement, tellement lourd – et la tête m'élance atrocement. J'ai l'impression que mon cerveau ne cesse de rebondir contre mon crâne. Tout me fait mal – ma tête, mes os... même ma peau.

Pourquoi est-ce que je souffre autant ? Où suis-je ? L'obscurité dans laquelle je suis plongée ne semble pas vouloir se dissiper. Il n'y a de lumière nulle part et j'ai beau m'encourager à bouger, j'en suis incapable. Mes yeux refusent de s'ouvrir et je n'arrive pas à parler. Tout me fait défaut.

La panique s'empare de moi, puis rapidement, elle cède la place à une véritable terreur. Je m'effondre intérieurement, hystérique et effrayée. Je pleure sans pleurer. Je me débats sans bouger. Je commence à me demander si je ne me trouve pas carrément en enfer. Suis-je donc morte ?

Bip !

Ce son. Il est insupportable.

Bip !

Un spasme agite ma paupière. Surprise, j'attends en me demandant si je l'ai imaginé. Je surmonte ma peur et patiente davantage. Un autre petit mouvement rapide agite mes deux paupières, cette fois. Je me concentre sur les muscles de mes yeux et leur ordonne de s'ouvrir.

Un nouveau spasme me remplit d'espoir – il était faible, mais bien réel. J'aperçois de la lumière ! Allez, encore. Il m'en faut plus. Je ne peux plus supporter cette obscurité. Ignorant la douleur, je fais appel à toute ma détermination et ma force.

Bip !

Au moment où mes yeux s'ouvrent, mes poumons semblent se réveiller. De l'air s'engouffre en eux et mon corps gonfle. Mes paupières se referment rapidement. La lumière crue associée à la douleur cuisante qui jaillit à travers mon corps rendent impossible de les garder ouverts.

Je ne peux pas crier. Je ne peux pas bouger pour me rouler en boule, afin d'apaiser mon atroce souffrance. Sous mes paupières, mes yeux se remplissent de larmes qui se frayent un chemin jusqu'au coin de mes yeux et coulent sur ma peau. Je fais de mon mieux pour calmer mon souffle en prendre des inspirations et expirations régulières. Ainsi, la douleur s'estompe un peu.

Petit à petit, je commence à rouvrir les yeux, obligée de les plisser à cause de la lumière. Mon environnement m'apparaît. Je ne reconnais rien. On dirait une chambre d'hôpital.

Bip !

Si je pouvais faire fonctionner quelques-uns de mes muscles, je me redresserais. Ou je sortirais du lit et irais trouver quelqu'un qui pourrait m'expliquer ce qui se passe. Je tente de tourner la tête, mais ce mouvement déclenche une nouvelle vague de douleur à travers mon corps. Je hurle dans ma tête. Oh, bon sang, je n'ai jamais eu aussi mal. D'autres larmes montent et troublent ma vue.

Bip !

Soudain, je le vois.

Endormi, il est affalé dans un fauteuil à côté de moi, la tête appuyée sur la main, le coude posé sur l'accoudoir du fauteuil. Il a l'air hagard, même dans son sommeil. Sa peau est presque aussi grise que ses yeux, et ses joues plus poilues que jamais. Il porte un vieux jean, un T-shirt et une couverture est posée sur ses genoux.

Mon Jack.

Soudain, la douleur ne me semble plus aussi violente.

Sa main enveloppe mollement la mienne, posée sur le lit. Je vois un bracelet, orné de deux breloques. *Toi & Moi.*

La vue de Jack et de ce bracelet ouvre les vannes de ma mémoire. Je ferme les yeux et remonte mentalement le temps. Assise à un bar, je bois de la tequila avec Jack. Il me lèche. Et je le dévisage, totalement subjuguée. Je me tiens en face de lui dans la rue. Je suis écrasée contre un mur rugueux puis, peu après, contre une vitre lisse dans une chambre d'hôtel. Je me réveille dans un lit, son beau corps allongé près de moi. Je cours. Je revis chaque moment de la semaine qui a suivi, me rappelle avoir été obsédée par l'intensité de notre rencontre et regretté de ne lui avoir laissé aucun moyen de me recontacter. Je revois sa tête lorsque je lui ai ouvert la porte, le soir de ma crémaillère. J'entends le verre qui vole en éclats à mes pieds. Je sens ses mains sur moi, entends toutes ses paroles et revis chaque baiser, ainsi que toutes mes douloureuses pensées. Je sens ses bras autour de mon corps, lorsque je me jette à son cou, après qu'il a trouvé une solution à mon problème de toiture. Je le revois assis en face de moi à la table de la salle de réunion, me regardant comme s'il était l'homme le plus fier au monde. Je revois un test de grossesse. Je revois sa femme et la folie dans son regard. Et enfin, je revois une voiture foncer sur moi.

Bip !

Mes yeux s'ouvrent brusquement et je suffoque. La douleur revient, mais elle est encore plus puissante cette fois. Cette fois, je sais pourquoi je souffre.

— Annie.

J'entends Jack au loin, lève les yeux et le trouve au-dessus de moi, le visage grave.

— Annie ?

Il tend la main au-dessus de ma tête et écrase quelque chose du poing, avant de reporter son attention sur moi. Il me regarde convulser sur le lit.

Ses mains me caressent le visage, lorsque je lève vers lui des yeux écarquillés, effrayés.

— Oh merde, ma puce !

Jack s'étrangle et écrase à nouveau le bouton.

— Allez !

Il jette un coup d'œil par-dessus l'épaule, lorsque la porte s'ouvre à toute volée, puis l'agitation se propage dans la chambre.

— Elle est réveillée, mais je crois qu'elle fait une crise convulsive.

Une infirmière apparaît au-dessus de moi et pousse Jack sur le côté.

— Annie ? m'appelle-t-elle d'une voix forte.

Trop forte. Elle tire sur la peau sous mes yeux et les examine.

— Annie, vous m'entendez ?

Je hoche la tête en m'efforçant de me calmer et faire taire la douleur. Lorsqu'un masque atterrit sur mon visage, j'inspire l'air à grandes goulées. Cette bouffée d'oxygène me soulage instantanément. Mes voies respiratoires se dilatent et ma panique diminue.

— Elle va bien ? demande Jack, à côté de l'infirmière.

Il a une mine terrible – épuisée, lasse et anxieuse.

— Est-ce que vous souffrez, mon chou ? m'interroge l'infirmière sans lui répondre.

Je hoche la tête. Elle se tourne aussitôt vers le pied de mon lit.

— Vérifie sa courbe. Quand a-t-elle a reçu une dose de morphine pour la dernière fois ? En intraveineuse.

— À huit heures ce matin, répond une voix féminine. Juste après la première transfusion.

— Donne-lui encore une dose.

— Tout de suite.

— Annie, nous allons vous redonner des antidouleurs, mon ange. Ce ne sera pas long, d'accord ?

L'infirmière s'empresse de suspendre un nouveau sachet de liquide au crochet, et je ferme les yeux, afin d'accueillir le liquide frais dans mon corps. Espérons qu'il anesthésiera non seulement mon corps brisé, mais aussi mon esprit. La porte se referme sans bruit et j'essaie de me détendre en me concentrant sur la proximité de Jack. Il est là. Tout ira bien parce qu'il est là.

— Annie, est-ce que tu m'entends ?

Je le sens serrer le bout de mes doigts et force mes yeux à s'ouvrir, la tête confortablement posée sur le côté. Jack tire une chaise vers le lit, s'assied sur le bord, puis se penche en avant pour prendre ma main dans les siennes et la serre doucement.

— Bonjour, ma belle, murmure-t-il, plein d'appréhension.

Certes, il a mauvaise mine, mais je dois vraiment avoir une tête à faire peur. Je plie un peu les doigts dans sa main, ma façon de lui répondre, et il sourit. Ses lèvres tremblent lorsqu'il soupire profondément et baisse le front vers nos mains enlacées sur le lit.

Je contemple l'arrière de sa tête pendant une éternité, rassemblant mes forces pour parler, apaisée par le soulagement que m'apporte la morphine.

— J... ack.

Son nom sort de ma bouche dans un bégaiement rauque. Je parviens à soulever légèrement la tête, maintenant que la douleur n'entrave plus mes mouvements.

Sa tête se redresse considérablement plus vite que la mienne.

— Ne bouge pas, ma puce, s'empresse-t-il de dire, avant de m'encourager à reposer la tête sur l'oreiller. Ne bouge pas.

— Je suis courbaturée, gémis-je.

J'ai une envie irrésistible de faire craquer tous mes os afin de les remettre en place, surtout ceux de mes hanches.

— Tu ne dois pas bouger.

Jack se rapproche et tapote mon oreiller. Ça ne change pas grand-chose, mais je le laisse tout de même s'occuper de moi.

Mon bras est aussi lourd que du plomb. Lorsque je baisse les yeux, je le trouve recouvert de plâtre, du bout des doigts jusqu'à l'épaule. Il est droit comme un i. Je regarde ensuite Jack, qui me voit évaluer la gravité de ma blessure. Avant de passer aux autres. Son visage mal rasé exprime une grande sincérité, ses yeux gris sont troublés. Il dépose le baiser le plus délicat sur le coin de ma bouche et je parviens à esquisser un petit sourire.

— C'est mieux ? demande-t-il, en cherchant le moindre signe d'inconfort sur mon visage.

J'acquiesce d'un signe de tête.

— Comment vas-tu ?

Je l'observe, tandis qu'il se laisse plus ou moins tomber sur son siège, se penche en avant et pose les avant-bras sur le lit, sa main tenant la mienne.

Il lâche un léger grognement amusé.

— Ne me demande pas comment je vais, alors que tu es immobilisée ici, comme si un camion t'était passé dessus.

— C'était une voiture, n'est-ce pas ? dis-je simplement, sans émotion.

Jack se redresse aussitôt.

— Tu t'en souviens ?

— Qui conduisait ?

Il commence à tapoter le drap autour de mes cuisses en évitant mon regard.

— Ne parlons pas de ça maintenant.

Il cherche à éviter la conversation que nous devrons avoir à un moment ou à un autre, mais je préférerais m'en débarrasser tout de suite.

— Concentrons-nous sur ta guérison pour le moment.

— C'était elle, c'est bien ça ?

J'aurais tant voulu garder une voix neutre ! Je m'en veux de laisser transparaître mon émotion, parce que le visage de Jack prend immédiatement un air malheureux.

— Elle a été arrêtée sur les lieux, murmure-t-il.

Je détourne les yeux, les lèvres serrées, afin d'empêcher des cris bouleversés de s'échapper de ma bouche, qui le feraient souffrir encore plus.

— Elle a prétendu qu'elle ne t'avait pas vue sur la route.

— Ce n'est pas vrai, articulé-je doucement en regardant mon ventre.

La question la plus importante pour moi reste bloquée dans ma gorge.

La main de Jack apparaît dans mon champ de vision et se pose doucement sur mon ventre caché sous la couverture. Je le regarde, les yeux emplis de larmes.

— Et notre bébé ? gémis-je. Je t'en prie, dis-moi que notre bébé va bien.

Ma main se pose sur la sienne. J'espère, je prie pour que mon corps blessé ait protégé notre enfant.

Des larmes commencent à rouler sur les joues de Jack lorsqu'il secoue la tête. Et mon cœur vole en éclats.

— C'est impossible.

Jack déglutit et le chagrin déforme son beau visage.

— Je ne peux pas, Annie. Je suis désolé, chuchote-t-il. Je suis vraiment, vraiment désolé.

Un sanglot saccadé s'échappe de ma bouche. De violents soubresauts agitent mon corps brisé. Je souffre le martyre.

— Non ! crié-je, les yeux débordant de larmes. Non !

Des spasmes incontrôlables secouent mon corps. Tout mon monde s'effondre, la dévastation est totale.

— Non, non, non !

Jack se lève d'un bond, penche son corps au-dessus du lit et se rapproche de moi le plus possible pour me consoler.

— Je suis désolé, sanglote-t-il, essayant désespérément de me réconforter, tandis que nous pleurons dans les bras l'un de l'autre. Je suis vraiment désolé.

Je secoue la tête, incapable d'accepter la réalité, et enfouis le visage dans son cou.

— Elle a tué notre bébé.

Jack ne prononce plus un mot – il ne s'excuse plus ni ne tente de me calmer. Il emploie le peu d'énergie qu'il lui reste pour me serrer dans ses bras et pleurer de toute son âme avec moi.

L'obscurité revient, en même temps que la douleur. Mais à présent, ma souffrance est insoutenable. Elle a tenté de m'assassiner et elle a réussi à tuer notre bébé. C'est ma pénitence. Je suis punie pour toutes les mauvaises décisions que j'ai prises. Pour avoir bravé l'interdit, on m'a infligé la punition ultime.

Je ne me le pardonnerai jamais.

29

J'ai reçu tellement de transfusions que j'ai l'impression d'être une nouvelle personne. J'ai souffert d'une hémorragie interne provoquée par une côte fêlée qui a tranché un vaisseau sanguin. La masse de sang logée derrière mes côtes m'a fait atrocement souffrir, mais lorsqu'elle a commencé à diminuer, la douleur s'est estompée au fil des semaines, et la prise régulière de paracétamol a pu remplacer mon intraveineuse. Mon bras gauche est cassé en trois endroits, et trois tendons ont été sectionnés au-dessus de mon poignet. J'ai une belle entaille à la cuisse et suis couverte d'égratignures, de coupures et de contusions bleues et noires. Pour être tout à fait honnête, j'ai toujours l'air d'être passée sous un camion, même six semaines plus tard.

Pourtant, j'endurerais cette douleur jusqu'à la fin de mon existence et garderais cette apparence sans hésiter, si ça pouvait changer un seul détail à ma vie actuelle.

Mais c'est impossible. La seule chose qui me réconforte, c'est que notre bébé, lui, n'a pas souffert.

Stephanie a été accusée de tentative de meurtre. Chose que j'ignorais, quelques-uns de mes voisins ont fait installer des caméras de surveillance devant chez eux. Lors du visionnage minutieux des enregistrements, il est apparu évident qu'elle avait l'intention de me tuer. Il a suffi que la police découvre qu'elle avait tenté de m'agresser avec un couteau quelques instants plus tôt pour décider de l'inculper.

J'ai choisi de ne pas regarder cette vidéo, contrairement à Jack. Je ne sais pas pourquoi il en avait besoin, et je ne le lui ai pas demandé. La police a également exécuté des tests sur la voiture ; la vitesse au moment de l'impact a été évaluée à cinquante kilomètres-heure. Je ne devrais même pas être en vie aujourd'hui. Stephanie a été placée sous surveillance en détention préventive, au cas où elle tenterait de mettre fin à ses jours. En outre, son avocat a demandé une évaluation psychologique. J'ai appris qu'elle avait déclaré avoir temporairement perdu la tête. Avec un peu de chance, elle sera reconnue comme folle et envoyée dans un hôpital psychiatrique. Je me fiche de l'endroit où ils l'emmènent, tant qu'il se trouve loin, très loin de Jack et moi.

Lorsque mes parents ont été remis du choc, mon père s'en est pris à Jack avec une colère que je ne lui avais encore jamais vue. Jack a encaissé sans ciller ni se chercher la moindre excuse. La culpabilité qui le dévore m'inquiète un peu plus chaque jour. Il est là, sans être tout à fait présent. Il sourit, mais ce sourire dissimule une tristesse permanente. Les choses n'étaient pas censées se passer de cette façon. Aucun de nous n'était censé souffrir autant.

Mes amis et parents vont et viennent chez moi, afin de prendre de mes nouvelles, mais jusqu'à maintenant, leur aide n'a pas été nécessaire. Jack a pris un congé pour raisons personnelles pour pouvoir rester auprès de moi, s'occuper de moi et surveiller mon corps convalescent. Je ne peux pas dire que je déteste ça, après tout ce temps passé à chercher des moments pour se voir. Je regrette simplement que les circonstances soient aussi tragiques. Nous avons perdu notre bébé. C'est une chose qu'aucun de nous ne sait gérer. Je n'ai que lui, il n'a que moi ; prions pour que ce soit suffisant.

Nous avons regardé *Top Gun* une centaine de fois et mangé un millier de fraises géantes depuis ma sortie de l'hôpital. Jack m'emmène à mes séances de physiothérapie un jour sur deux, depuis que mon plâtre a été enlevé. Entre les séances, je répète les exercices qui me sont prescrits au moins six fois par jour. Six fois ! Mes journées se résument donc à des exercices avec les bras. Jack s'assure que je ne bâcle pas le travail : il passe à chaque fois vingt minutes à répéter les mouvements avec moi, et me réprimande s'il pense que je ne les fais pas correctement. J'en ai marre des exercices !

Allongée sur le canapé, je zappe distraitement devant la télé, lorsque Jack me rejoint tranquillement, ces foutues cartes d'exercices à la main.

— Encore ! Mais on vient de les faire !

Je laisse tomber le bras, ainsi que la télécommande, sur le canapé.

— Tais-toi, me gronde-t-il gentiment en déplaçant mes jambes, afin de s'asseoir à côté de moi.

— Mais ça va beaucoup mieux. Regarde !

Je reprends la télécommande et la tends vers la télévision, bien qu'elle pèse lourdement dans ma paume.

— J'y arrive très bien.

— Oui, mais je veux que tu sois capable de faire ça.

Jack ferme le poing et le fait aller et venir devant lui, comme s'il caressait une queue invisible. Je le regarde, bouche bée, non parce que ce geste semble tout à fait inapproprié, étant donné les circonstances, mais parce que, dans ses yeux gris, brille une lueur qui avait disparu depuis des semaines. Les coins de sa bouche tremblent et les miens ne peuvent s'empêcher de les imiter. Ensuite, Jack rit légèrement et ce son agit comme le meilleur des remèdes sur moi. Je glousse et laisse tomber la tête sur le canapé. Ça fait du bien. Une nouvelle partie de mon cœur brisé se remet en place.

Mon chagrin ne disparaîtra jamais complètement, mais il faut espérer que la douleur finira par devenir assez supportable pour que j'avance. Prions pour que Jack avance dans la même direction à ce moment-là. Je relève la tête et découvre qu'il sourit. Cette vision stupéfiante me remplit d'espoir.

Avec un peu de chance, son sentiment de culpabilité diminuera à mesure que ma souffrance s'apaisera.

— Tu es très doué, raillé-je, avant de prendre sa main et de la serrer dans la mienne. Tu t'es beaucoup entraîné ?

Il passe les cartes d'exercices en revue, puis lève les yeux vers moi en haussant un sourcil.

— La branlette n'a pas grand intérêt quand la main de la femme que tu aimes s'est maintes fois enroulée autour de ta queue, répond-il d'une voix rauque.

Il me lance un clin d'œil qui me fait sourire jusqu'aux oreilles.

— Hmm... Est-ce que j'ai bien entendu ?

— Ouep.

Lorsqu'il lève une carte apparaissent des images familières.

— Maintenant, concentre-toi là-dessus.

— Après avoir entendu des paroles aussi romantiques ?

Un véritable sourire à la Jack Joseph fait son apparition.

— Concentre-toi, m'ordonne-t-il.

À contrecœur, je regarde la carte.

— Facile, prétends-je en commençant à serrer et desserrer le poing. Ensuite ?

— Celle-ci.

Il lève une autre carte.

— Et voilà.

Je plie le coude et étouffe un bâillement.

— Ensuite ?

— Annie, il faut que tu tendes totalement le bras.

Jack attrape ma main et tire sur mon bras. Je retiens mon souffle lorsque mes tendons raides se réveillent.

— C'est vrai, tu vas beaucoup mieux..., lance-t-il, sarcastique.

Lorsque je le fusille du regard, il fronce sévèrement les sourcils.

— Tu vas encore continuer longtemps à protester ?

Je marmonne et recommence à plier le bras, lentement cette fois, en le tendant le plus possible.

— Content ?

— J'essaie juste de t'aider.

— Si tu veux m'aider, allons nous balader quelque part !

J'ai beau le supplier, je sais qu'il ne m'écoutera pas. J'ai l'impression de vivre comme une prisonnière. À part mes banales visites au physiothérapeute, je passe tout mon temps dans cette espèce de cocon qui me fait peu à peu perdre la tête.

— Laisse-moi au moins entrer dans mon atelier, que je puisse travailler.

— En fait, je pensais t'emmener quelque part.

Jack tend la main vers mon visage et suit la trace d'une coupure sur ma joue.

— Mais je ne veux pas que tu t'épuises.

— Je me sens tellement mieux !

Il faut que je sorte, que je tente de retrouver un semblant de normalité dans ma vie. Je ne peux pas rester allongée ici, à me repasser sans arrêt cette horrible journée dans la tête. Il n'est pas sain non plus pour Jack de jouer les infirmiers vingt-quatre heures sur vingt-quatre. Il a besoin de s'aérer lui aussi.

— Faisons un marché, propose-t-il, penché au-dessus de mon corps allongé, le visage près du mien.

— Je t'écoute ?

Je suis prête à tout accepter.

— Je t'emmènerai quelque part si tu...

Sa phrase reste en suspens et ses yeux se promènent brièvement sur moi.

— Si je quoi ?

— Si tu acceptes qu'on emménage pour de bon ensemble.

Je tressaille sans le vouloir. Nous n'en avons jamais parlé. Comme nous n'avons jamais évoqué notre avenir commun. Depuis ma sortie de l'hôpital, nous avons consacré tous nos efforts à ma guérison, et nous avons tous deux paru nous en satisfaire. Je ne voulais pas ressasser les horribles événements qui m'ont envoyée à l'hôpital et nous ont privés de notre enfant. Jack a passé tout son temps chez moi, et je n'ai jamais remis sa présence en question. Emménager avec lui ? Où ça ? Sa maison est vide depuis qu'il est ici et que sa femme est derrière les verrous. Je sais qu'il ne voudra jamais y remettre les pieds. Quant à mon appartement, il est trop petit.

— Peut-être qu'on pourrait acheter, poursuit-il, devinant que je me pose une foule de questions. Je ne pourrai vendre mon appartement que lorsque nous saurons ce qui va arriver à...

Jack se tait à nouveau. Nous n'avons pas prononcé son prénom une seule fois depuis l'accident et je doute que ça arrive un jour. Jack a demandé le divorce et laisse son avocat s'occuper de ce dossier complexe.

— Je veux vivre avec toi. Un endroit à nous. Loin d'ici.

— À nous ?

Cette idée me plaît bien.

— Rien qu'à nous.

— Rien qu'à nous, répété-je comme un perroquet, faute de savoir quoi dire.

Un endroit rien qu'à nous.

— Un nouveau départ. Pour toi et moi.

Jack prend mon poignet et tripote mon bracelet, afin de m'obliger à le regarder.

— Si tu veux bien de moi.

Un autre petit morceau de mon cœur se remet en place. Je joins mes doigts aux siens et joue avec les précieuses breloques. Le fonctionnement de notre relation a subi un changement forcé. Avant, quand nous parvenions à nous voir, nos vêtements valsaient et nous nous jetions l'un sur l'autre, tous deux affamés. Le temps que nous passions ensemble ressemblait à une bulle de bonheur intime. Aujourd'hui, nous passons ensemble chaque seconde de la journée, mais je suis clouée au lit. Nous n'avons donc rien d'autre à faire que... profiter de la présence de l'autre. Nous aimer. Nous soutenir l'un l'autre. Nous soigner l'un l'autre le mieux possible, tout en étant incapables de nous laisser emporter par le tourbillon de plaisir qui nous a happés pendant des mois. Mais c'est tout de même agréable. Il est plus qu'épanouissant de traverser cette longue période difficile auprès de Jack. En tout cas, cette épreuve a renforcé notre amour. Il m'a vue alors que j'étais au plus mal. Je l'ai vu dans le même état. Ensemble, nous sommes plus forts que jamais, maintenant. Émue, je lève les yeux vers lui.

— Tu as toujours été à moi, avant même que je le sache.

Jack hoche la tête et passe les doigts dans mes cheveux.

— Seulement, je suis désolé que...

Je pose la main sur sa nuque et l'attire plus près de moi. Nos lèvres se touchent presque.

— Ça va aller, le rassuré-je. Tu es à moi maintenant, alors je sais que ça va aller.

Je suis consciente que ma souffrance pourrait le dévorer vivant si je cessais de la dissimuler. Je ne dois surtout pas le faire.

— Je t'ai fait subir tellement d'épreuves, murmure-t-il.

— Je m'y suis exposée toute seule.

Ce n'est pas simplement sa faute. J'ai accepté les conséquences de mes actes, dès lors que j'ai mis le doigt dans un engrenage de mensonges et de supercheries. Je n'ai simplement pas anticipé l'étendue de la douleur et du chagrin auxquels nous allions faire face. J'ai sous-estimé Stephanie.

Sa lèvre se courbe un peu.

— Je ne t'ai pas vraiment laissé le choix, hein.

— Tu veux dire que tu m'as appâtée sans relâche avec ta beauté ?

Jack approche la bouche de la mienne et m'embrasse doucement.

— Je savais que je te trouverais ivre dans ce bar, ce soir-là.

— Je n'étais pas ivre.

— Bien sûr que non.

Il sourit contre ma bouche.

— Tu as besoin d'aide pour prendre ta douche ?

Je hoche la tête contre lui et le laisse m'aider à me lever du canapé, sans lui révéler la légère sensation pénible qui m'envahit, de peur qu'il se dédise de sa promesse.

— Tu as mal, pas vrai ? s'inquiète-t-il en me tenant par la taille.

Jack marche derrière moi tandis que j'avance d'un pas traînant.

— Ça va, réponds-je, le visage plissé, lorsqu'une vive douleur me traverse la cuisse.

Je boite encore légèrement, mais je suis certaine que c'est dû à mon manque d'exercice physique. Si mes muscles et mes os protestent chaque fois que je bouge, c'est parce qu'ils ont pris l'habitude de ne rien faire.

Jack me fait entrer dans la salle de bains et ouvre le robinet de la douche. À contrecœur, je m'assieds sur le siège des toilettes, tandis qu'il sort des serviettes. Cette courte marche d'un bout à l'autre de mon appartement m'a épuisée. Un fait qui n'échappe pas à Jack puisqu'il me lance un regard entendu que je choisis d'ignorer, préférant retirer mon T-shirt. Je le perds de vue lorsque le vêtement passe par-dessus ma tête, et, quand il réapparaît, il est également torse nu. Je souris à la vue de ses abdos, de sa poitrine, de son torse absolument stupéfiant. Et je soupire.

Je laisse tomber mon T-shirt sur le sol, tandis que Jack déboutonne son jean. Lentement. Ensuite, il le pousse sur ses cuisses épaisses. Lentement. Tous ses gestes sont déterminés. Il se passe alors une chose entre mes jambes qui ne s'est pas produite depuis longtemps.

— Je vais te laver. Partante ?

Son jean atterrit sur le sol.

Je bondis du siège des toilettes. Et pousse un petit cri.

— Putain !

Je me laisse tomber sur le couvercle puis m'agrippe au lavabo, le souffle coupé.

— Annie ! Vas-y doucement.

Jack s'agenouille devant moi et évalue mon état.

Je lève les yeux vers lui en soufflant bruyamment.

— Ça fait mal, dis-je d'un ton misérable.

— D'accord. Pas de sortie. C'est trop tôt. Et pas de douche ensemble.

Je grogne, lui attrape les cheveux et tire sa tête vers moi d'un air menaçant.

— Tu vas prendre cette putain de douche avec moi. Et ensuite, on sort.

— La vache, Annie ! D'accord, d'accord.

Jack lève la main avec un petit rire et m'oblige à lâcher ses cheveux.

— Parfait.

Je recommence à respirer, détachée et posée.

— Désolée de m'être montrée aussi insistante.

Jack éclate d'un rire franc. C'est aussi doux qu'une musique à mes oreilles.

— J'adore quand tu insistes, ma belle.

Il se lève avant moi et m'offre sa main.

— Prête ?

Je la saisis, me relève doucement et laisse Jack me débarrasser de mon short, de ma petite culotte et de mon soutien-gorge. Ensuite, il me conduit patiemment jusqu'à la douche.

— Qu'est-ce que tu comptais obtenir en exhibant ton magnifique corps au juste ? demandé-je, pour son plus grand amusement. Et avec tous ces regards. Ces belles paroles. Cette voix rauque.

— Je promets de me taire à partir de maintenant.

Jack m'oriente doucement vers le banc de douche et m'aide à m'asseoir.

— Et de rester habillé, ajoute-t-il.

— Ça, tu n'es pas obligé.

Lorsque mes fesses entrent en contact avec le bois du banc, je grimace. C'est insupportable d'avoir besoin de ce truc. J'espérais être enfin capable de me tenir debout sous la douche aujourd'hui.

— J'ai l'impression d'être handicapée, me plains-je en regardant Jack s'agenouiller devant moi.

— Mais c'est ce que tu es, me fait-il remarquer, malgré mes sourcils froncés.

Il prend l'éponge, la passe sous l'eau et verse dessus une dose de gel douche. Ensuite, il prend délicatement ma cheville et la soulève avec précaution en gardant un œil prudent sur mon visage, au cas où je grimacerais de douleur.

— Ça va ? s'enquiert-il d'un ton hésitant.

Comme j'acquiesce d'un signe de tête, il commence à me savonner.

— Tu veux que je te rase les jambes ?

Je baisse les yeux et tends la main pour caresser ma peau. J'ai tenté de le faire moi-même, mais sans pouvoir aller bien loin, mes gestes étant trop limités.

— S'il te plaît.

Je n'arrive pas à croire que nous en sommes déjà à ce stade dans notre relation. Mais Jack effectue cette tâche avec le plus grand naturel. Il saisit le rasoir et commence à le passer lentement le long de ma jambe, à coups précis et doux.

— Notre histoire d'amour a franchi un nouveau cap, déclaré-je.

Sa bouche esquisse un sourire, tandis qu'il poursuit consciencieusement sa mission.

— Notre histoire d'amour fait partie des plus belles, Annie.

Il finit de me raser les jambes puis rince le reste de savon et passe les paumes sur mes jambes afin de vérifier le résultat.

— Parfait, dit-il, avant de lever les yeux vers moi.

Je le soupçonne d'évoquer davantage la perfection de notre amour plutôt que celle de son travail.

Je tends la main et caresse sa mâchoire poilue.

— Parfait, lancé-je à mon tour.

Jack tourne la tête vers ma main, embrasse doucement ma paume, puis inspire, les yeux fermés.

— Je t'aime.

Je me rapproche du bord du banc, afin d'être plus près de lui. Jack me retient aussitôt.

— Mais je veux te serrer dans mes bras !

— Dans ce cas, c'est moi qui viens à toi.

Il s'avance sur les genoux puis pose les mains sur mes cuisses et attend mon feu vert. J'écarte alors les jambes, pose les mains sur ses épaules, l'attire contre moi et serre les cuisses aussi fort que la douleur me le permet.

— Attention ! m'avertit-il, son torse humide contre le mien, mon visage enfoui dans son cou, sa tête posée sur la mienne.

En chœur, nous soupirons d'aise.

— Que c'est bon, murmure-t-il.

En effet. C'est chaud. Réconfortant. Parfait. Nous restons ainsi enlacés une éternité, savourant notre premier vrai câlin depuis des lustres. Plus rien ne me fait mal. Je ne ressens rien, à part un intense plaisir. Je pourrais rester ici toute ma vie. Je suis si heureuse dans ses bras, si à l'aise que, lorsqu'il commence à s'écarter, je grogne et m'agrippe à lui de toutes mes forces.

— Je croyais que tu voulais sortir, dit-il en me forçant à relever la tête.

— J'ai changé d'avis. Restons ici.

— Toute la vie ?

— Oui.

Jack rit.

— En voilà une qui sait ce qu'elle veut. Et si je te promets de te tenir dans mes bras toute la nuit ?

— Au lieu de dormir le plus loin possible de moi ?

— J'avais peur de te heurter dans mon sommeil.

Jack se relève et prend le shampoing.

— Ces cinq minutes dans tes bras m'ont fait plus de bien que mes six semaines d'immobilité.

Le flacon à la main, Jack me regarde. Je hausse les épaules. C'est la vérité. Ses mains sont magiques.

— C'est promis, je te tiendrai dans mes bras toute la nuit, déclare Jack.

— Et la suivante ?

— Pareil.

— Et celle d'après ?

— Annie, je te tiendrai dans mes bras toutes les nuits jusqu'à la fin de nos jours.

Ses mains se glissent dans mes cheveux foncés et malaxent mon cuir chevelu qui se couvre de mousse.

— Et je te rendrai la pareille de toutes les façons possibles.

Plongée dans un émerveillement total, je sens les mains de Jack me masser tendrement le crâne, comme s'il manipulait la chose la plus fragile au monde.

— Tu dois en avoir marre de me voir dans cet état, finis-je par marmonner.

Je n'ai pas ouvert ma trousse à maquillage et ne porte que des fringues confortables depuis des semaines.

— Tais-toi donc. Je te trouve toujours magnifique, répond-il du ton le plus sincère.

Je lui obéis et garde les paupières fermées, tandis qu'il continue à s'occuper de moi. Son bas-ventre nu étant pile au niveau de mes yeux, j'aperçois autre chose si je les baisse un peu. Je suis consciente de ne pas être prête pour ça. Il est donc inutile de l'envisager, ça ne fait qu'accroître ma douleur.

— Lève-toi maintenant.

Jack glisse un bras autour de ma taille et me soulève.

— Doucement.

Je grimace et pousse de petits cris en me relevant. Je ne suis pourtant restée assise que quelques minutes. Que je le veuille ou non, il va me falloir du temps pour retrouver la forme.

— Merci.

Ignorant ma gratitude, Jack m'enveloppe rapidement dans une serviette et m'aide à avancer jusqu'au lavabo. Je contemple mon visage blafard dans le miroir. Toujours magnifique, hein ? Je grogne, tends la main vers ma plaquette de pilules contraceptives, en sors une et l'approche de ma bouche.

Mais la pilule ne dépasse pas mes lèvres, car la paume de Jack s'est enroulée autour de mon poignet et le retient. Je le regarde dans le reflet du miroir, les sourcils froncés. Mais qu'est-ce qu'il fabrique ?

— Et si tu arrêtais de la prendre ? me suggère-t-il doucement, en observant soigneusement ma réaction.

Je suis abasourdie. Est-ce qu'il veut... ?

— Tu sais, je suis susceptible de tomber enceinte, dès que tu céderas à mes besoins.

L'amusement tord légèrement ses lèvres, tandis qu'il tient toujours fermement mon poignet.

— Parfait. Tu peux donc arrêter de la prendre.

Jack penche ma main sur le côté. Le contraceptif dégringole dans le lavabo, tourne plusieurs fois autour de la bonde et disparaît dans le trou noir. Le comprimé a disparu, mais je continue à contempler l'émail du lavabo en essayant de comprendre sa suggestion.

— Jack, je n'ai pas besoin que tu...

Ses doigts se posent sur mes lèvres, puis son corps s'approche du mien.

— Je n'essaie pas d'arranger les choses, Annie. Je ne le ferais pas avec un bébé, en tout cas. Et je n'essaie pas de remplacer celui que nous avons perdu.

Cette allusion à ma fausse couche me fait terriblement mal. Jack doit le remarquer, car il prend mes joues dans ses grandes paumes et approche mon visage du sien.

— J'ai envie de bâtir une vie avec toi, déclare-t-il doucement. J'ai l'impression d'avoir attendu toute ma vie de me sentir ainsi.

Lorsque ses pouces caressent mes joues, je ferme mes foutus yeux, car des larmes me picotent les paupières. Jack embrasse mes paupières tour à tour. Il est si tendre !

— J'ai envie de faire des bébés avec toi, Annie. Des centaines.

Je renifle, émue.

— J'ai envie de te regarder chaque jour et de sourire, parce que tu es celle que j'ai choisie pour être la mère de mes enfants. Parce que si je dois vivre une vie heureuse, je veux que ce soit avec toi.

J'ouvre les yeux et les plonge dans les profondeurs grises de ceux de Jack. La tristesse qui les habitait a presque disparu.

— Tu es mon tout, Annie Ryan.

Il m'embrasse tendrement sur le front.

— Fini la pilule.

Son baiser communique tant de choses. Il me dit que Jack me protégera. Il me dit qu'il sera toujours là pour moi. Et il me dit que, même si les gens désapprouvent mes choix, ce sont les meilleurs pour moi. Et pour Jack.

— Donne-moi juste un peu de temps, parviens-je juste à murmurer.

— Autant que tu voudras.

Jack s'écarte de moi, un petit sourire aux lèvres, auquel je ne peux m'empêcher de répondre.

— Je me ferai aux préservatifs. Je tiens juste à ce que tu saches que je serai prêt quand tu le seras.

— D'accord, opiné-je sans hésiter.

Car je sais aussi que, si je dois avoir un enfant un jour, ce sera avec Jack. Je contemple les yeux gris de l'homme qui m'était interdit. L'homme auquel je n'aurais jamais dû toucher. L'homme qui n'était pas à moi. Je murmure :

— Je fixe la limite à quatre bébés.

Son sourire. Mon Dieu, quel sourire ! Il est éclatant, presque éblouissant ; il déborde d'espoir et d'amour. Le plus gros morceau de mon cœur brisé se remet en place. Le sourire de Jack symbolise notre vie. Et les vies de nos enfants. Il symbolise le bonheur. Et la liberté.

— J'en voudrais six.

J'ignore la vive douleur qui m'assaille lorsque je me jette à son cou.

— Je t'aime, sangloté-je comme une idiote contre lui. Je t'aime tellement !

— Merci.

Jack me serre comme si je risquais de m'effondrer. C'est sans doute ce qui arriverait s'il me lâchait, mais je ne m'effondrerais pas de douleur, ni d'épuisement. Je m'effondrerais de bonheur, ce bonheur presque trop intense pour être savouré. Comme la plupart des choses que je vis avec Jack.

— Allez, viens. Je t'emmène quelque part.

— Où ça ?

— C'est une surprise.

Il dépose un baiser sur mon nez et me relâche avec hésitation.

— Tu veux de l'aide pour t'habiller ?

— Qu'est-ce que je dois enfiler ?

Jack me prend par la main et m'emmène jusqu'à ma garde-robe, puis il passe en revue mes vêtements.

— Ça.

Un T-shirt Ralph Lauren XXL.

— Et puis ça.

Un jean moulant. Il ne s'agit pas d'un endroit chic, dans ce cas.

Lentement, et avec mille précautions, Jack m'aide à m'habiller puis supervise mes gestes, tandis que j'applique la première couche de maquillage depuis des semaines sur mon visage.

— Quelle coiffure ?

Les sourcils froncés, je contemple ma tignasse. J'aurais bien besoin d'une coupe et d'une couleur.

Jack tire sur l'élastique autour de mon poignet et rassemble mes longs cheveux foncés en queue-de-cheval floue.

— Parfait.

Je n'en dirais pas autant, mais c'est toujours mieux que ma crinière ébouriffée.

— Quel genre de chaussures ?

— Quelque chose de confortable.

Jack pose ses grandes paumes fortes sur mes épaules et les masse légèrement pendant quelques agréables instants.

Je ferme les yeux et me détends sous ses mains.

— C'est agréable...

— Allons-y avant que tu t'endormes.

M'abandonnant devant le miroir, il enfile un jean et passe un T-shirt par-dessus sa tête.

— Prête ?

J'acquiesce d'un signe de tête, glisse les pieds dans mes Converse et contemple mes lacets défaits avec un froncement de sourcils. Jack s'agenouille devant moi et entreprend de les lacer, avant même que je ne tente de me pencher. Je souris, plus reconnaissante que désolée. Une telle prévenance et une telle attention sont faciles à accepter lorsqu'il s'agit de Jack.

30

Je commence à deviner l'endroit où nous allons lorsque Jack quitte la ville, mais je me tais, contente de le laisser choisir l'endroit où il m'emmène et ce que nous allons y faire. Voilà bien une chose dont je n'aurais jamais imaginé qu'elle me comblerait : laisser quelqu'un s'occuper de moi. Il me semble que c'est la meilleure chose au monde, non parce que je suis actuellement invalide et ne peux exécuter les tâches les plus simples, mais parce que les choses sont censées se passer exactement de cette façon entre nous. Pendant tout le trajet, sa main reste fermement serrée sur la mienne, posée sur mes genoux. La tête détendue contre l'appuie-tête, je le contemple, l'admire, et tente de me faire à l'idée qu'il est à moi. Tout entier. Il veut une vie heureuse et il la veut avec moi. Malgré mes souffrances physiques et psychologiques persistantes, je crois n'avoir jamais été aussi euphorique de toute ma vie. Et tout ça grâce à cet homme. Ce bel homme merveilleux.

Le dernier virage que prend Jack confirme mes soupçons.

— Chez mes parents ? demandé-je, lorsque la Jaguar de papa apparaît au loin dans l'allée, plus brillante que jamais. Mais qu'est-ce qu'on fait ici, au juste ?

— On leur rend une petite visite, répond Jack tout naturellement, avant de s'arrêter devant la maison.

Une petite visite ? Lorsque je lui ai demandé de m'emmener quelque part, j'aspirais à un endroit un peu plus dépaysant que la maison de mes parents. Après avoir détaché ma ceinture, j'attends que Jack m'ouvre la portière et m'aide à sortir. Grimaçant de douleur, je me lève de mon siège. Jack enroule un bras autour de ma taille puis m'aide à monter l'allée jusqu'à la porte d'entrée. Maman, comme toujours, ouvre avant même que nous ne frappions. Un torchon à la main, elle nous accueille avec un grand sourire.

— Annie, ma chérie.

— Salut maman !

Je la laisse m'attirer à elle et me serrer dans ses bras de toutes ses forces.

— Hé, doucement !

— Oh, je suis désolée ! Mais c'est si bon de voir revenir un peu de vie en toi.

Elle m'aide à entrer dans le vestibule. Aussitôt, la bonne vieille odeur accueillante de sa cuisine emplit mes narines. Et le son de voix inconnues emplit mes oreilles. Alors que nous avançons vers la cuisine, suivies de Jack, je lui demande :

— Qui est là ?

Sans répondre, maman nous fait finalement entrer dans la salle à manger.

— Tout le monde, ma chérie.

Je m'arrête sur le seuil et contemple la petite assemblée : tout le monde se tait et regarde dans ma direction. Lizzy et Jason, Micky et Charlie, mon père et Nat. Une chose me vient immédiatement à l'esprit : *Maman va être dans son élément avec tous ces gens à dorloter.* Puis je réfléchis : *Mais qu'est-ce qu'ils font tous là ?* Je lève une main prudente, leur adresse un faible bonjour, puis me tourne vers Jack et lui lance un regard interrogateur.

Il se contente de sourire, me prend par la main et me conduit jusqu'à la table, où m'attend un fauteuil. M'aidant à m'asseoir, il se penche puis m'embrasse sur la joue.

— Ils ont promis de te laisser tranquille.

Je ris, un peu nerveuse, et regarde maman tendre un tablier à Jack. Sans protester, il le prend et l'enfile.

— Tu vas aider ma mère ?

— Apparemment.

Il hausse les épaules et se dirige vers la cuisine devant mes yeux ébahis. Ma mère va vraiment laisser Jack l'aider ?

Je regarde mon père, qui hausse les épaules.

— Est-ce qu'elle va bien ? lancé-je d'un ton sérieux.

Ma mère a des tas de petites manies. Et il ne s'agit pas de les contrarier quand elle fait la cuisine.

— Elle a envie de se rapprocher de ton nouveau mec, répond papa avec un haussement d'épaules.

Micky rit, un bras passé nonchalamment autour des épaules de Charlie.

— Pauvre Jack, lâché-je.

Se rapprocher de mon mec. Ma mère veut se rapprocher de mon mec. Cette intention est extrêmement touchante, étant donné les circonstances dans lesquelles mes parents ont appris l'existence de Jack. Le fait qu'elle l'invite dans sa cuisine est une preuve de bonne volonté, et une façon de l'accueillir dans la famille. Mais je ne peux pas m'empêcher d'imaginer la tête de maman lorsque Jack ne fera pas les choses à sa façon.

— Il va se faire virer en dix minutes, conclus-je.

— Cinq, renchérit mon père avec un grognement. Dans cinq minutes, il s'enfuit de cette cuisine en criant.

Mon père regarde sa montre et commence à chronométrer.

Je ris et me détends un peu, mais mes muscles douloureux se tendent lorsque Nat et Lizzy se dirigent vers moi, encourageant Charlie à les rejoindre. Nat apporte une bouteille de vin, remplit quatre grands verres et en passe un à chacune.

Charlie se charge de porter le toast.

— Au véritable amour.

Je lui lance un regard et elle sourit.

— Au véritable amour, répète Lizzy, les yeux brièvement posés sur Jason, qui est assis à l'autre bout de la table en compagnie des autres hommes, moins Jack.

Papa sort les cartes à jouer et ouvre les hostilités.

— Au véritable amour, renchéris-je à voix basse, tandis que maman donne ses instructions à Jack dans la cuisine.

— Oh, la barbe ! grogne Nat, levant les yeux au ciel, avant d'avaler une grande gorgée de vin. Bon...

Elle pose les doigts sur le fond de mon verre et m'encourage à boire.

— Parle-nous de ton nouveau mec.

Aussitôt, je comprends que les filles ne vont pas surjouer la compassion. Elles ne vont pas me poser de questions, insister pour en savoir plus, ni me donner l'impression d'être une bête curieuse. Au contraire, elles vont se comporter comme si le cauchemar des derniers mois n'avait jamais eu lieu. Elles vont faire comme si Jack et moi étions un couple normal. Comme si nous nous étions rencontrés dans des circonstances ordinaires. Comme s'il n'y avait eu ni malheur ni chagrin. Je les remercie du regard et toutes me sourient en retour.

Jack entre tranquillement dans la salle à manger et pose un plateau d'amuse-gueule au centre de la table. Lorsqu'il me sourit, je m'efforce de refouler l'émotion qui me submerge de façon inattendue.

— Il est parfait, déclaré-je doucement. Beau, gentil, ambitieux et stimulant.

— L'homme idéal, en somme, renchérit nonchalamment Jack, attirant l'attention de toutes les filles.

— Hé ! On discute entre filles. Dégage !

Lizzy attrape une olive sur le plateau et la lui jette à la tête.

Jack lève les mains pour se protéger, recule puis se tourne vers mon père.

— J'ai tenu six minutes pour le moment.

— Je t'ai préparé un scotch pour te remonter, fiston, dit

mon père d'un ton désinvolte en distribuant les cartes à Jason et Micky.

Mon cœur menace d'éclater. Normal. Toute cette situation est normale. C'est exactement ce que j'ai souhaité à l'instant où j'ai craqué pour Jack, mais ça paraissait impossible. Je voulais tout raconter à mes amis sur l'homme qui faisait battre mon cœur. Je voulais qu'on discute entre filles de nos baisers, de nos parties de jambes en l'air, de mes sentiments. J'avais envie d'annoncer à papa et maman que j'avais rencontré un homme qui me rendait heureuse, et je voulais faire ceci : le partager avec eux. Je voulais que maman l'adore, qu'elle l'accueille dans sa maison. Qu'il fasse partie de la famille.

Je ne voulais pas seulement Jack, je voulais tout ça aussi.

Leur approbation. Leur amour. Cette normalité.

— Je comprends, maintenant, m'interpelle Lizzy, me tirant de mes réflexions.

Je lui lance un regard interrogateur, et elle esquisse un sourire, léger, mais sincère.

— En vous voyant ensemble, je comprends. La force de votre amour n'échappe à personne, tu sais.

Je hoche la tête en retenant mes larmes, plus reconnaissante envers elle que jamais.

* * *

— Tu n'es pas trop fatiguée ? s'inquiète Jack, tandis que nous nous éloignons de la maison de mes parents dans sa voiture et que je leur fais signe de la main.

La soirée a été merveilleuse. J'ai ri, je me suis enivrée de l'affection que n'a cessé de me témoigner Jack et j'ai savouré les regards affectueux que lui adressaient tous mes amis et ma famille. Ils ont compris. Ils *nous* comprennent. Je laisse tomber la tête contre l'appuie-tête et la tourne sur le côté afin de le voir.

— Pas du tout.

Jack sourit en regardant la route.

— Tu mens, mais je n'ai pas envie de me disputer avec toi. J'ai envie de t'emmener quelque part.

— Allons-y, approuvé-je, heureuse une fois encore de le laisser prendre les commandes.

Nous retournons en ville en bavardant de tout et de rien, puis Jack se gare dans une petite rue du centre de Londres.

— Où sommes-nous ?

Sans répondre, il m'aide à sortir de la voiture.

— Tu te sens capable de marcher quelques minutes ?

— Oui. Où allons-nous ?

À nouveau, Jack ignore ma question puis m'emmène vers la large rue voisine. Intriguée, je le suis jusqu'à ce qu'il s'arrête sur le trottoir et se tourne vers moi.

— Nous y sommes, m'annonce-t-il doucement.

Je fronce les sourcils, lève les yeux et réalise rapidement où nous sommes. L'espace d'un instant, j'ai le souffle coupé.

— C'est ici que nous nous sommes rencontrés, déclaré-je en contemplant l'intérieur du bar par une fenêtre.

— Retour à la case départ.

Jack me fait entrer puis me conduit vers l'endroit exact du bar où il me fait prendre cette position si osée. Tant de souvenirs, nets et précis, affluent à mon esprit ! Il m'aide à grimper sur un tabouret de bar, s'assied à son tour et me fait face.

— À quel point êtes-vous bourrée au juste ? me demande-t-il d'un ton sérieux en me regardant dans les yeux.

Un sourire fend mon visage. Je décide de jouer le jeu, exactement comme ce soir fatal où je l'ai rencontré.

— Je suis parfaitement sobre, merci.

— Ça vous dirait de me le prouver ?

Sa tête s'incline et ses lèvres forment une petite moue.

— D'accord.

Je hoche la tête d'un air décidé.

— Est-ce que je vais devoir prendre une position suggestive ?

— Ne me tente pas.

Jack sourit et appelle le barman.

— Deux tequilas, s'il vous plaît.

Il jette un billet sur le bar et fait en sorte d'effleurer ma main au passage. Son sourire s'élargit lorsque je retiens mon souffle. J'adorerais le tenter, le laisser manipuler mon corps comme il veut. Je suis prête à supporter la douleur que ça déclencherait à coup sûr, mais je sais que Jack ne sera jamais d'accord.

— Jouons, murmure-t-il en levant les yeux vers moi.

Un incroyable bonheur m'envahit.

— Qu'est-ce que je dois faire ?

Jack prend le sel puis ma main, dont il lèche le dos d'un long coup de langue ferme, les yeux levés vers moi.

— Tu as bon goût.

— À ce qu'il paraît, dis-je en le regardant saupoudrer le sel sur ma peau. Et ça t'arrive souvent de lécher les femmes ?

— Je n'en ai léché qu'une seule, et il n'y en aura jamais d'autres.

— La veinarde.

— C'est moi, le veinard, répond Jack en portant ma main à sa bouche

Il lèche le sel, vide d'une traite sa tequila et ronronne de plaisir, incapable de réprimer son sourire en voyant mon visage radieux.

— Il reste une tequila, dit-il en posant ma main près du verre sur le bar. Elle est tout à toi.

— Il y a une chose qui me tente beaucoup plus qu'un verre de tequila.

Je m'éloigne du script et dis exactement ce que je voulais dire le soir où j'ai rencontré Jack Joseph.

— Vas-y alors, sers-toi, m'encourage-t-il.

Il s'adosse à son tabouret et croise les bras sur sa large poitrine. Je balaye du regard le bar bondé. Nous sommes en public, tout le monde peut nous voir. Et pour la première fois depuis notre rencontre, je n'ai pas besoin de surveiller mon comportement avec lui. Je n'ai pas besoin de craindre qu'on me voie avec l'homme que je ne devrais pas fréquenter. C'est si nouveau ! J'ai du mal à m'y habituer.

— Qu'est-ce que tu attends ? demande Jack, interrompant mes pensées.

En vérité, je n'en sais rien. De me réveiller peut-être ? Je glisse de mon tabouret avec précaution, tandis que Jack se retient visiblement de m'aider. Ses cuisses s'écartent un peu ; elles m'invitent à le rejoindre. Je marche vers lui, saisis ses bras, les décroise et les glisse autour de ma taille. Jack me laisse guider ses mouvements. Je me place entre ses jambes, lève les yeux vers lui. Et je l'embrasse. En public. Avec passion, amour, tous ces sentiments que j'éprouve pour lui et que je n'ai jamais pu exprimer devant tout le monde. Cet homme est à moi.

— Tu es une rapide, déclare-t-il dans ma bouche. Je ne t'ai offert qu'un seul verre, et voilà que tu essaies de me mettre dans ton lit.

Je glousse, recule et trouve ses yeux gris. Ses yeux gris où jaillissent des étincelles.

— Ramène-moi à la maison, murmuré-je.

J'ai envie qu'il me mette au lit et me lèche partout. J'ai envie qu'il m'embrasse, me touche et me fasse l'amour.

— Tes désirs sont des ordres, ma puce.

Au beau milieu du bar, il me soulève dans ses bras devant tout le monde, puis sort dans la rue, mon corps enroulé autour du sien. Mais nous n'allons pas jusqu'à la voiture. Jack s'arrête au bout de la rue et me dépose sur le trottoir.

— Attends-moi ici, m'ordonne-t-il doucement.

Il me tourne le dos puis regarde de chaque côté de la rue, avant de la traverser à petites foulées. Arrivé sur l'autre trottoir, il se tourne vers moi. Lui d'un côté de la rue, moi de l'autre. Tandis que les voitures passent entre nous, un petit sanglot m'échappe. Je viens de réaliser où nous sommes et ce qu'il fait. Nous sommes vraiment de retour à la case départ.

— Tu voulais que je te ramène à la maison ? crie-t-il, les yeux brillants. Regarde dans ta poche arrière.

Le front plissé, je tâtonne ma poche et en sors un bout de papier. À la fois intriguée et prudente, je le déplie lentement puis regarde Jack et ce qu'il y a dans ma main tour à tour. Je lis rapidement le contenu du document, qui, je le comprends vite, comporte les dimensions d'un...

— Un terrain ? formulé-je, trop bas pour que Jack m'entende.

Je lève les yeux et découvre son air pensif.

— Qu'est-ce que c'est ?

— Chez nous, lance-t-il. Je l'ai acheté pour nous.

Mes yeux se posent à nouveau sur le papier. L'esprit confus, je tente vainement d'assimiler cette nouvelle information.

— Dis simplement oui, crie Jack.

Je ris.

— Mais je ne sais pas à quoi je dis oui !

Il lève les yeux au ciel, puis laisse tomber la tête en arrière et feint l'exaspération. Ensuite, il retraverse la rue. Je pousse un petit cri lorsqu'il me soulève de terre, même s'il le fait avec le plus grand soin. Le souffle coupé, je me retrouve plaquée contre le mur de brique derrière moi.

— J'adore ce mur, déclare-t-il, la voix rauque.

J'ai beaucoup de mal à me retenir de lui sauter dessus quand il me parle ainsi, surtout quand il évoque ce mur. Ce mur qui fait autant partie de notre histoire que la tequila, le bar et l'hôtel situé au coin de la rue. Cet hôtel où nous avons passé la nuit à nous explorer, apprendre à connaître le corps de l'autre. Un lien fort s'est créé entre nos cœurs cette nuit-là, si fort que rien ne les séparera jamais.

— Tu peux dire oui à tout ce que je te propose, Annie.

Ses lèvres rôdent à quelques millimètres des miennes.

— J'ai acheté ce terrain pour nous. Tu vas dessiner notre maison et...

— Tu vas la construire, complété-je, comprenant enfin son plan.

— Avec plein de chambres, de préférence, pour que nous puissions la remplir de bébés.

— Oh, mon Dieu.

Je laisse tomber le papier et serre Jack de toutes mes forces.

— Toi et moi, ma puce. La maison, les gamins, la vie, tout. Nous aurons tout.

— Tu es tout ce que j'ai toujours voulu, admets-je, enfouissant le visage dans son cou. Je n'arrive pas à croire que tu es enfin à moi.

— Oui, je suis tout à toi, ma puce.

Jack me serre si fort que son cœur bat contre le mien. Tandis qu'ils battent à l'unisson, un amour puissant continue à se développer entre nous. Notre lien devient plus fort encore.

— Tu m'obsèdes. Tu me possèdes. Tu me domines, murmure Jack à mon oreille. Tu es tout pour moi, Annie Ryan. Mon pouls, les battements de mon cœur, mon souffle. Tout.

Ma vue se trouble lorsque des larmes montent à mes yeux.

— Je suis prête.

— Tant mieux, parce que j'ai payé le dépôt de garantie hier.

— Non, tu ne comprends pas ce que je veux dire, Jack.

Je me libère, lui agrippe les mains puis fixe sur lui un regard déterminé.

— Je suis prête.

Je dirige ses mains vers mon ventre et regarde son visage se transformer. Il me lance un regard mêlé d'incertitude et de jubilation.

— Tu es prête ?

— N'avons-nous pas déjà perdu un temps précieux ?

— En effet, répond-il, le visage peiné.

— Ramène-moi à la maison, Jack, dis-je, sûre de moi. Mets-moi au lit et fais-moi l'amour. Vas-y doucement s'il le faut, mais je t'en prie, fais-moi l'amour.

Jack grogne et m'embrasse à pleine bouche en me serrant dans ses bras. Ses bras, l'endroit où rien ne peut m'atteindre. Mon refuge. Mon havre. Chez moi.

J'ai eu une liaison illégitime. J'ai été ce genre de femme. Je suis tombée amoureuse d'un homme marié. C'était mal et nous en avons tous deux souffert. Nous avons tous deux perdu quelque chose – et cette perte nous liera à jamais. Mais nous sommes toujours là l'un pour l'autre. Parfois, je trouve injuste que le destin ait gardé Jack loin de moi si longtemps. Mais nous étions destinés à nous rencontrer, quoi qu'il arrive. Certaines personnes étaient prêtes à tout pour nous séparer. Jack et moi avons nous-mêmes essayé de nous éloigner l'un de l'autre. Mais rien ne pouvait empêcher notre union. Rien ne pouvait empêcher cette incroyable connexion de faire voler nos vies en éclats.

Jack n'a jamais vraiment été l'homme interdit. Parce qu'il a toujours été à moi. Et j'ai toujours été à lui. Avant même que nous ne le sachions. Avant même que nous ne nous trouvions.

Et nous avons fini par nous trouver. Cependant, ce n'est pas la fin de l'histoire. Ce n'est que le début.

Le véritable amour l'a emporté. Le grand amour. Notre amour.

— Je tiendrai ta main tant que tu tiendras la mienne, murmure-t-il contre mes lèvres.

— Je ne la lâcherai jamais.

REMERCIEMENTS

Ce roman a été le plus difficile à écrire de tous jusqu'à maintenant, et il ne fait aucun doute que j'aurais fini par baisser les bras sans le soutien constant de mon entourage, en particulier celui des personnes suivantes :

Ma merveilleuse agente, Andy. Tes suggestions et conseils se sont révélés inestimables. Merci du fond du cœur. Ta fascination pour ce roman et ta foi en moi m'ont vraiment convaincue que je pouvais sortir de ma zone de confort et proposer cette histoire à mes lecteurs.

Beth de Grand Central. Tu as pris le risque de publier une auteure inconnue début 2013 avec un petit livre intitulé *This Man*. Tu m'as alors dit que tu n'envisageais rien d'autre pour moi qu'une carrière sur le long terme et que cette perspective t'excitait au plus haut point. Huit romans plus tard, ton enthousiasme ne s'est toujours pas émoussé. Je te remercie mille fois d'offrir une maison à mes livres. Et surtout merci d'avoir tenu parole. Au long terme et aux futurs romans !

À ma correctrice aux États-Unis, Leah, et ma correctrice au Royaume-Uni, Laura. Vous êtes toutes deux des femmes remarquables. Je ne pourrais envisager d'écrire sans votre soutien. Vous avez joué un rôle clé dans l'écriture de *Forbidden Man*. Je ne vous remercierai jamais assez de m'avoir encouragée et poussée à rédiger celle qui s'est révélée l'histoire d'amour la plus difficile pour moi à écrire.

C'est grâce à vous que j'ai réussi à le faire. Chacune d'entre vous.

BLACK ROMANCE

MOLLY MCADAMS

Quand elle se réveille, Briar se retrouve dans une pièce obscure, nue et ligotée. Quelques jours plus tôt, sa vie était encore parfaite, elle était même sur le point de se marier.

L'homme qui l'a enlevée, Lucas, est le diable incarné. Il en a la beauté, les yeux remplis de péchés, un sourire ténébreux... et attirant. Un diable d'une beauté si cruelle et dévastatrice que sa simple présence instille la peur.

Mais sous cette apparence terrifiante, se dissimule aussi un homme meurtri et hanté par un passé douloureux. Malgré elle, la jeune prisonnière commence à éprouver une troublante affection envers Lucas. Et peu à peu, se développe une passion contre nature. Une passion entre lumière et ténèbres...

Peut-on vraiment aimer ce que l'on devrait détester ?

city-editions.com/EDEN